Manual de vivienda sustentable

Manual de vivienda sustentable

Principios básicos de diseño

Celia Esther Arredondo Zambrano
Elena Reyes Bernal

Catalogación en la fuente

Arredondo Zambrano, Celia Esther
Manual de vivienda sustentable : principios básicos de diseño. -- México : Trillas, 2013.
180 p. : il. ; 27 cm.
Bibliografía: p. 173-175
Incluye índices
ISBN 978-607-17-1473-2

1. Arquitectura y clima. 2. Arquitectura - Diseños y planos. I. Reyes Bernal, Elena. II. t.

D- 690.1'A785m LC- NA2541'A7.5

División Administrativa,
Av. Río Churubusco 385,
Col. Gral. Pedro María Anaya,
C. P. 03340, México, D. F.
Tel. 56884233
FAX 56041364
churubusco@trillas.mx

División Logística,
Calzada de la Viga 1132,
C. P. 09439, México, D. F.
Tel. 56330995, FAX 56330870
laviga@trillas.mx

Tienda en línea
www.trillas.mx
www.etrillas.mx

Miembro de la Cámara Nacional de la Industria Editorial Reg. núm. 158

Primera edición, marzo 2013
ISBN 978-607-17-1473-2

Impreso en México
Printed in Mexico

Esta obra se imprimió el 15 de marzo de 2013, en los talleres de Litográfica Ingramex, S. A. de C. V.

B 105 TW

Índice de contenido

Siglas y acrónimos

AMM	Área Metropolitana de Monterrey
APDUNL	Agencia para la Planeación del Desarrollo Urbano de Nuevo León
Cedem	Centro de Desarrollo Metropolitano y Territorial
Cidoc	Centro de Información y Documentación de la Casa
Conafovi	Comisión Nacional de Fomento a la Vivienda
Conapo	Consejo Nacional de Población
Conavi	Comisión Nacional de Vivienda
GDF	Gobierno del Distrito Federal
IMSS	Instituto Mexicano del Seguro Social
INEGI	Instituto Nacional de Estadística y Geografía
Infonavit	Instituto del Fondo Nacional de la Vivienda para los Trabajadores
Ingusa	Industrias Gutiérrez, S. A.
ITESM	Instituto Tecnológico y de Estudios Superiores de Monterrey
ONU	Organización de las Naciones Unidas
Sedesol	Secretaría de Desarrollo Social
Sedue	Secretaría de Desarrollo Urbano y Ecología
Seduop	Secretaría de Desarrollo Urbano y Obras Públicas
SHF	Sociedad Hipotecaria Federal
Sima	Sistema de Monitoreo Ambiental
UAM	Universidad Autónoma Metropolitana
UNAM	Universidad Nacional Autónoma de México
ZMM	Zona Metropolitana de Monterrey

Introducción

La vivienda sustentable no es una novedad, ya que en el pasado las construcciones vernáculas respondían en gran medida a esta definición. Sin embargo, a partir de la industrialización, y particularmente durante el siglo xx, el fenómeno de urbanización trajo consigo el crecimiento desmesurado de las ciudades, y como consecuencia de esto, el sentido común de la vivienda vernácula comenzó a perderse, apareciendo en su lugar una vivienda que atendía cada vez menos al sitio, al clima y a los materiales locales. Considerando lo anterior, este Manual de Vivienda Sustentable busca restablecer los conocimientos básicos de sustentabilidad para que éstos vuelvan a integrarse en el proceso de diseño de cualquier vivienda o edificio. El diseño sustentable aplicado a la casa habitación, está cimentado en los beneficios que este tipo de arquitectura ofrece a sus usuarios en primera instancia como son: el ahorro de energía, la comodidad del ambiente interior, optimización de los recursos, reutilización de agua, y muchos más. Además de todos los beneficios que esto trae consigo a nivel individual, la edificación de una vivienda sustentable tiene aún mayor impacto a nivel urbano y es aún más impactante si consideramos que las casas habitación constituyen aproximadamente 70% de las construcciones en las grandes urbes.

El objetivo esencial de este libro es servir de guía a diseñadores y constructores, con la finalidad de que transformen su manera de diseñar y de edificar. La sencillez del planteamiento teórico y las ilustraciones del manual son presentadas de forma amena y fácil de entender y de aplicar. Se busca, por tanto, que esta guía sea de utilidad dentro de las aulas en la formación académica de arquitectos e ingenieros, y que a la vez, sirva para las tantas construcciones que se realizan de manera informal en las ciudades.

A diferencia de otros textos, este libro presenta una parte teórica fácil de entender cuyo propósito consiste en explicar las bases teoricoconceptuales de las prácticas que se describen. De esta manera, se inicia con un marco general que nos introduce al concepto de sustentabilidad y su origen a nivel internacional y nacional, para posteriormente describir el concepto de *vivienda sustentable*. A través de este concepto se introducen cinco principios claves que son necesarios para que se construya una vivienda con estas características: el uso eficiente de energía, del agua, el impacto de la construcción sobre el suelo, los materiales utilizados en la construcción y el diseño bioclimático. Este último principio comprende a su vez varios aspectos: el sitio, el clima, las orientaciones, los efectos solares, la ventilación, la iluminación, el aislamiento térmico y acústico; así como la vegetación. Como corolario, se presentan ejemplos de arquitectura vernácula y de la arquitectura internacional en donde se pueden apreciar características de diseño bioclimático que se ajustan o adecuan a las distintas regiones donde se construyen.

Después de mostrar éstos cinco principios básicos, se explican seis aspectos fundamentales e imprescindibles de la vivienda sustentable para garantizar, junto con los anteriores, el objetivo primordial de brindar calidad de vida a sus habitantes, aspectos que se engloban bajo el título de habitabilidad y funcionalidad: privacidad, funcionalidad espacial, accesibilidad –para aquellas personas con retos físicos–, seguridad, así como la estabilidad y durabilidad estructural de la construcción; y finalmente los aspectos básicos de infraestructura como son las instalaciones eléctricas, hidráulicas y de gas. Éstos seis aspectos sumados a los cinco principios básicos antes mencionados, proporcionan bienestar y calidad de vida a los usuarios de las viviendas, ya que satisfacen tanto las necesidades físicas como psicológicas, y por tanto, son los que establecen los fundamentos de la vivienda sustentable.

Para finalizar, la parte teórica describe la aplicación de los conceptos del análisis bioclimático basado en las condiciones del hemisferio Norte y en particular utilizando el caso de un bioclima cálido seco. Este caso sirve de ejemplo para explicar los factores que deben tenerse en cuenta antes de iniciar el diseño de una vivienda, y que se volverán a abordar en el manual, pero en este apartado se explican con mayor detalle. Mediante el ejemplo antes mencionado, se muestran los principios bioclimáticos para construcciones y se inicia con un análisis general de aspectos socioeconómicos y de las tipologías de la vivienda local. Posteriormente, se describen aspectos climatológicos del lugar que estudian: la localización, los vientos dominantes, la precipitación y la temperatura, para tener en cuenta estas variables durante el proceso de diseño. Asimismo, se incluyen recomendaciones en cuanto a la orientación de la vivienda, el control solar para proteger o exponer al Sol ciertas partes de la edificación; tamaño de ventanas y su proporción con los muros; aislamiento térmico, así como la vegetación pertinente de la zona. Finalmente, se estudia la vivienda vernácula para aprender de ésta su tipología, la disposición espacial, los materiales utilizados, así como la ubicación de ventanas, techos y otros elementos como corredores, patios o terrazas que se utilizan para generar comodidad.

Una vez que se exponen los conceptos teóricos fundamentales, se presenta el manual, elemento central de este texto. Este manual inicia tomando los aspectos bioclimáticos de una ciudad, utilizando como ejemplo a la ciudad de Monterrey. De manera esquemática se presenta un círculo formado por la sustentabilidad, la funcionalidad y habitabilidad, y la factibilidad económica, donde se encierran los cinco principios básicos de la vivienda sustentable, los seis aspectos fundamentales para lograr mayor calidad de vida, así como la adaptabilidad y la planeación del crecimiento de la vivienda. Por lo complejo que resulta la interacción de todos los aspectos antes mencionados, el manual simplifica el proceso dividiéndolo en varias secciones o apartados. El primer apartado es informativo y establece las condiciones necesarias antes de empezar a diseñar. En éste se presentan conceptos que van desde las zonas no aptas para construir, hasta los permisos de construcción. También se toman en cuenta los aspectos climáticos, orientaciones, resistencia del terreno, hasta los materiales de construcción.

En la segunda sección, se definen las características de la vivienda que se centran en las decisiones de diseño describiendo lo que se tiene que hacer durante el proceso. Esta sección es la más extensa y abarca desde la ubicación de la vivienda en el predio, hasta los aspectos de acomodo o distribución de los espacios dentro de la vivienda, así como las medidas que cada espacio requiere para su funcionalidad. Esta sección, considera también los aspectos de ventilación y asoleamiento para proponer una adecuada colocación de ventanas. Asimismo, describe la ubicación que se le debe dar a la vegetación exterior para mayor comodidad, así como para formar huertos familiares. La parte final de esta segunda sección se centra en los sistemas hidráulicos, eléctricos y de gas, proporcionando los conocimientos básicos para su diseño, colocación y funcionamiento. Por último, la tercera sección de este manual considera la construcción de la vivienda por etapas. Este apartado recuerda al diseñador la importancia de tomar en cuenta el diseño de la vivienda en fases, ya que la mayoría de las veces las viviendas sufren cambios, extensiones y adaptaciones; por tanto, es importante realizar la planeación de la vivienda a partir de posibles transformaciones futuras.

Se espera que este libro proporcione las bases teóricas para la aplicación práctica en el diseño y construcción de la vivienda sustentable. De esta manera se busca transformar el modo en el que se diseña y construye actualmente para lograr soluciones que consuman menos energía tanto en su ejecución o construcción como en su operación. Se busca que este texto contribuya en la formación de profesionales relacionados con la construcción, así como aquellos involucrados en el diseño y construcción de la vivienda informal.

PARTE I

Edificación sustentable

capítulo 1 La vivienda

En las tres últimas décadas, se ha tomado conciencia a nivel mundial acerca del impacto que el ser humano provoca sobre el planeta. El ritmo de consumo que se tiene actualmente ha propiciado el deterioro del medio ambiente. Es indudable que se debe cambiar el criterio bajo el cual se busca el desarrollo, por lo que surge el concepto de desarrollo sustentable, definido por la Organización de las Naciones Unidas (ONU) en la Cumbre de Río de Janeiro como "un desarrollo que satisfaga las necesidades del presente sin poner en peligro la capacidad de las generaciones futuras para atender sus propias necesidades" (ONU, junio de 1992). Con este enfoque, se hace evidente que los recursos disponibles en el planeta son finitos, pero que es posible satisfacer las necesidades básicas de todos los seres humanos; así como mantener y/o elevar su nivel de vida, siempre y cuando a la par se consiga proteger y gestionar el medio ambiente.

El concepto de desarrollo sustentable se vuelve de especial importancia cuando hablamos de los asentamientos humanos. Éstos impactan directamente sobre la superficie de la Tierra, alterando sus ecosistemas, sin que el aumento de dichos asentamientos signifique haber alcanzado las necesidades de crecimiento económico y desarrollo social de la población. De acuerdo con la ONU (junio de 1992), la calidad de vida depende de factores económicos, sociales, ambientales y culturales; así como de las condiciones físicas y espaciales tanto de poblaciones pequeñas como de las ciudades. La habitabilidad de los asentamientos humanos está relacionada con la configuración y valores estéticos de las ciudades, los patrones de uso de suelo, las densidades de población y construcción, además de la disponibilidad y fácil acceso tanto a bienes y servicios básicos como a espacios públicos. Sin embargo, todo lo anterior sólo es posible si la población en cuestión ya cuenta con un lugar en dónde residir que cumpla con sus necesidades; es decir que posea una vivienda. Es importante aclarar que la vivienda por sí misma no hace ciudad, sino que constituye uno de los componentes fundamentales de ésta, siendo responsable sólo en parte, de lo que pudiera ser el diseño y desarrollo de una comunidad sustentable.

El término vivienda se puede definir como "un lugar cerrado y cubierto construido para ser habitado por personas" (Real Academia Española, 2001). Pero la vivienda tiene que ser un lugar para habitar en congruencia con su entorno, ofreciendo características específicas que permitan al usuario vivir la ciudad. Para que esto suceda, es necesario que cumpla con diversas condiciones. A continuación se explicarán algunas de ellas, contenidas en dos secciones descritas en la introducción: sustentabilidad, habitabilidad y funcionalidad.

SUSTENTABILIDAD DE LA VIVIENDA

La vivienda tiene un rol primordial en la formación de comunidades. Además de sus atributos físicos tiene implicaciones en los ámbitos social y cultural. Una vivienda adecuada para sus usuarios lleva a la prosperidad económica y cohesión social, proporciona seguridad, promueve el bienestar social; y mejora la salud individual, local y global. Pero la mayoría de las viviendas, en la actualidad, no cumplen con estas condiciones, pues son deficientes en su funcionamiento y capacidad de responder a las necesidades de sus usuarios. La falta de adecuación a su localidad hace que éstas no sean tan cómodas; muy frías o muy calientes. Esto empeora debido a la incorrecta selección de materiales, que también generan daños en la salud y el ambiente. Aunado a ello, la construcción y ocupación de viviendas impactan en el consumo de agua y en la generación de residuos debido a la forma habitual en que se manejan los recursos. En general, esto se hace en tres etapas: la generación, el consumo, y la disposición de residuos. Por ello, al aprovechar fuentes renovables y/o locales, al reducir los niveles de consumo, al reutilizar el suministro y al reciclar los residuos se propicia el ahorro y aprovechamiento de los recursos.

En consecuencia, una vivienda sustentable es aquella que hace uso eficiente de los recursos, pero además, debe estar diseñada para tener una larga vida útil, siendo flexible para adaptarse al estilo de vida de sus propietarios o usuarios. Debe ser saludable y adaptada a los principios ecológicos antes mencionados (Edwards y Hyett, 2004). El objetivo es, entonces, diseñar y construir una vivienda cómoda que provoque un menor impacto en el ambiente, implicando también que sea saludable y económica en su uso. Para lograr lo anterior, una vivienda sustentable debe enfocarse en el manejo de cinco aspectos que se describen a continuación: energía, agua, suelo, materiales y la vivienda en sí misma a través del diseño bioclimático.

Eficiencia energética

Los edificios de todo tipo producen directa o indirectamente emisiones de dióxido de carbono (CO_2) por calefacción, iluminación, refrigeración, y servicios como la electricidad y el gas e incluso los materiales utilizados en la construcción producen éstos gases. El CO_2 es el principal gas de efecto invernadero, ya que al encontrarse en la atmósfera, retiene parte de la energía emitida por la superficie terrestre tras haber recibido la radiación solar. Esto provoca un aumento de la temperatura y, por tanto, un desequilibrio en los ciclos naturales de la Tierra. Además, la emisión de CO_2 es la más común debido a las actividades humanas, sobre todo aquellas que involucran el uso de combustibles fósiles. De ahí la importancia de utilizar la energía de manera eficiente, pues al ahorrarla se disminuyen las emisiones de este gas. De ser posible, se debe evitar el uso de combustibles fósiles y generar la energía a partir de fuentes renovables, como la solar, la eólica o la biomasa. Estas fuentes pueden aprovecharse para generar la energía en otro lugar y distribuirla en la red convencional o generar la energía en el mismo edificio para su propio consumo.

Los tipos de energía renovable que se conocen son la solar, la eólica, la geotérmica y la biomasa. La energía solar es la principal fuente de energía renovable. Actualmente se utiliza de forma pasiva para calentar, ventilar, e iluminar espacios; y de forma activa para calentar agua con colectores solares y generar electricidad con celdas fotovoltaicas. La energía eólica se utiliza básicamente para generar electricidad, ventilar, o bombear agua es especialmente útil en zonas con poca disponibilidad de combustibles fósiles y puede utilizarse como complemento de la energía solar. La energía geotérmica proviene de acuíferos subterráneos y se utiliza para alimentar sistemas de calderas mediante los que se produce electricidad. Otro tipo de energía alterna es la biomasa, obtenida de cultivos específicos o de residuos de materiales orgánicos que al descomponerse producen gases. La energía es producida como gas metano mediante la fermentación anaeróbica o como calor a través de la combustión en el caso de la biomasa.

Si el uso de este tipo de fuentes de energía se planea en las primeras etapas de un proyecto, pueden aprovecharse elementos como la ubicación y características del terreno y la orientación del edificio, para lograr la eficiencia energética. Esto trae como ventaja, además de la reducción en el impacto ambiental, ahorros económicos para los usuarios de la vivienda a la vez que se logran los niveles adecuados de comodidad.

A continuación se presentan algunas consideraciones en torno a la eficiencia energética en las viviendas, acompañadas de algunas especificaciones según lo publicado en la *Guía metodológica para el uso de tecnologías ahorradoras de energía y agua en las viviendas de interés social en México* (Infonavit *et al.*, 2007):

- Agua caliente: utilizar sistemas eficientes energéticamente, ubicar los calentadores en zonas cercanas a los espacios en que se utiliza el agua caliente, instalar regaderas ahorradoras. Se recomienda el uso de calentadores de gas tipo instantáneo, para agua, con capacidad térmica de 10 kW y un incremento mínimo de temperatura de 25 °C, para complementar colectores solares planos con una eficiencia mínima de 58 %, orientándolo al Sur con una inclinación de 25° 40′ respecto a la horizontal.
- Calefacción y enfriamiento: aplicar principios de diseño bioclimático para minimizar el uso de sistemas mecánicos para el acondicionamiento de espacios. Escoger los sistemas más eficientes, evitar sistemas centralizados si la vivienda no está térmicamente aislada.
- Aparatos: escoger aparatos eléctricos y de gas que hagan uso eficiente de la energía.
- Mantener instalaciones y aparatos en buen estado para su funcionamiento óptimo: por ejemplo, en el caso de los calentadores de gas, sustituirlos al menos cada 10 años.
- Iluminación: aprovechar la luz natural, utilizar lámparas fluorescentes en vez de incandescentes, con una eficiencia de 45 a 60 lúmenes/watt.

Uso del agua

Del suministro de agua depende la salud y la producción de alimentos, así como la conservación de la vida misma. Existen varias formas para lograr el ahorro de este recurso. Se pueden utilizar llaves, inodoros, urinarios y electrodomésticos de bajo consumo de agua, además de inodoros de compostaje o urinarios sin agua. También es importante la recuperación y reutilización de aguas grises y pluviales. Además, el terreno debe permitir la recarga de los acuíferos mediante pavimentos permeables que permiten la infiltración natural del agua de lluvia y un adecuado diseño paisajístico en donde la vegetación no implique un mayor gasto de agua por riego.

Lo anterior debe ir acompañado de un consumo controlado, la prevención de fugas y educación a la población sobre el consumo responsable del agua. Esto implica:

- Reducir el consumo de agua: se logra mediante el uso de muebles y llaves ahorradoras; así como sellar la instalación hidráulica adecuadamente, evitando fugas. Se recomienda el uso de sistemas duales para el sanitario, disminuyendo a tres litros el consumo de agua para descargas líquidas, regaderas ahorradoras de agua con cabeza giratoria y un flujo de nueve ℓ/min y el uso de perlizadores o dispersores para disminuir el área hidráulica e incrementar la velocidad de salida del agua. Otra opción es el uso de escusados secos, evitando la contaminación del agua en este uso. Estas medidas, en consecuencia, significan una menor descarga de aguas negras y de emisiones de CO_2.
- Aguas pluviales: éstas pueden reutilizarse mediante un sistema complementario de aprovisionamiento de agua para diversos usos. También se debe evitar modificar su flujo, tratando de mantener la topografía y los escurrimientos naturales. Es importante mantener y/o restaurar la capa vegetal, ya que esto evita que las corrientes de agua pluvial erosionen el suelo. El uso de pavimentos permeables, áreas de infiltración y áreas permeables en general permiten la infiltración de las aguas al subsuelo de manera natural.
- Tratamiento de aguas residuales: las aguas grises pueden ser reutilizadas para riego o descargas del sanitario o WC. El tratamiento de las aguas puede hacerse en el sitio mediante tanques sépticos, sistemas anaeróbicos, filtros de arena o incluso con sistemas purificadores como filtros ultravioleta o filtros de carbono.

El tener en cuenta estas consideraciones para el ahorro de agua y energía, además de la reducción en el consumo de recursos y por tanto en el impacto ambiental de la vivienda, representa ahorros económicos para su usuario. Por ejemplo, de acuerdo con los cálculos establecidos en la guía de la Comisión Nacional de Vivienda (Conavi, 2007) el uso de los aparatos recomendados para el ahorro de energía y agua implicaría un ahorro mensual para una familia de cuatro a cinco miembros, en una ciudad como Monterrey, de acuerdo con sus condiciones bioclimáticas, de 19.83 kg de gas, 19.26 kWh de electricidad y 20.13 m^3 de agua, en promedio.

Impacto sobre el suelo

Toda construcción tiene un impacto sobre el suelo en el que se desplanta. Las alteraciones que ocurren en un terreno a raíz de una construcción generan cambios en el hábitat local, afectando la biodiversidad, el suelo y el relieve. Es por ello que se debe considerar la reutilización de un terreno dentro de la zona urbana que ya haya sido afectada. Por ello, deben evitarse daños innecesarios al sitio durante la limpieza del terreno y la construcción en general. Esto se logra protegiendo las áreas en las que la vivienda no se desplante, y concentrando los materiales, desperdicios, estacionamiento, etc. en una sola área. Además, se recomienda conservar los árboles existentes, rehabilitar áreas dañadas, y utilizar plantas nativas.

Otro aspecto que hay que tener en cuenta es el control de la erosión y de los sedimentos. En esencia, deben evitarse que arena, tierra, cemento u otros materiales de construcción contribuyan a la contaminación del agua, almacenándolos adecuadamente y previniendo que entren en contacto con el agua pluvial. También se recomienda colocar trampas para sedimentos suspendidos. Además, el control de la erosión se relaciona con disminuir las intervenciones en el sitio, estabilizar las superficies modificadas mediante pavimentos permeables o restaurando la vegetación.

En la figura 1.1 se muestran diferentes técnicas para disminuir el impacto de la vivienda sobre el sitio. En las zonas de biorretención y canales abiertos el agua es filtrada naturalmente por la vegetación antes de reincorporarse a los mantos acuíferos. El manejo de aguas pluviales y el uso de pavimentos permeables también ayudan a que el agua se infiltre en el subsuelo, así como a la recolección del agua de lluvia para su reutilización. La mejora de suelos implica la recuperación de áreas que hayan sido erosionadas con anterioridad, y la conservación permite que zonas que no fueron alteradas permanezcan así. Como puede observarse, las técnicas de disminución de impacto sobre el suelo se relacionan también con el manejo del agua, puesto que gran parte del daño al terreno viene de la modificación de las corrientes naturales, que por su dinámica erosionan el suelo por el que pasan.

1. Biorretención
2. Mejora de suelos
3. Canales abiertos
4. Manejo de aguas pluviales
5. Pavimentos permeables
6. Conservación

Figura 1.1. Técnicas para disminuir el impacto sobre el suelo. (LID Center, 2007, adaptada por el autor.)

Materiales de construcción

Todos los materiales generan un impacto debido a los procesos de extracción, manufactura, transporte, uso y eliminación. En general, la complejidad de cada uno de los procesos por los que pasa un material implica gastos de energía. Para tener un parámetro de ello se utiliza el análisis del ciclo de vida de los materiales, así como de la energía incorporada en éstas. El estudio del ciclo de vida ofrece una métrica del impacto ambiental que tiene un material a lo largo de toda su vida, desde la extracción de la materia prima hasta su disposición final. La energía incorporada es la cantidad de energía que dicho ciclo de vida requiere.

Muchas veces el impacto de este proceso no es evidente porque ocurre lejos del destino final. Por ejemplo, un material importado requiere un medio de transporte que utiliza energéticos para trasladarlo y éstos generan contaminación. Entonces es importante tener un criterio para la selección de los materiales en donde el usuario final esté consciente de ello, considerando tres principios para elegir un material (Edwards y Hyett, 2004):

- Materiales de la localidad: sobre todo los materiales pesados como piedra y ladrillo deben provenir de lugares cercanos a la obra. Así se ahorra energía en el transporte y los subsecuentes problemas como ruido y contaminación. Se recomienda favorecer el uso de técnicas locales en donde el material es fabricado *in situ* y obtener los materiales dentro de un radio de 10 km.
- Obtención de materiales ligeros: existen materiales como el aluminio o el PVC, que tienen el mayor consumo energético en su proceso de manufactura más que en la transportación. Es así que se justifica que no se obtengan de fuentes locales, sobre todo considerando que por sus propiedades y aplicación compensan el gasto de energía a lo largo de su vida útil.
- Potencial de reciclaje: cuando se elige un material debe considerarse si éste puede ser reutilizado, reciclado o utilizado para generar energía (mediante combustión, por ejemplo) al terminar la vida útil del edificio o del material mismo. La posibilidad de reutilizar implica que el edificio esté diseñado de manera que sus partes y componentes puedan ser separados. También se debe favorecer el uso de materiales con contenido reciclado.

Con los tres puntos mencionados se establece un criterio para seleccionar materiales con un menor impacto en los aspectos descritos. Además, este enfoque puede ser utilizado también para los sistemas constructivos, en donde se seleccionen aquellos con costos ambientales y económicos menores como resultado de una comparación del ciclo de vida completo, así como de su desempeño en operación.

La selección de materiales también debe realizarse con base en sus propiedades físicas y cómo éstas afectan el comportamiento del edificio y la calidad del aire en el interior de los espacios. Respecto a este último punto, se debe evaluar el efecto de los materiales que están en contacto directo con los usuarios, ya que éstos pueden afectar la salud de las personas por las sustancias que emiten. Por ejemplo, las pinturas con solventes tienen sustancias que son tóxicas para el ser humano al respirarlas. Por ello se debe considerar qué tipo de emisiones son, de dónde provienen y en qué cantidad, cómo afectan la salud, cuánto duran y el grado de exposición a éstas.

En cuanto a sus propiedades físicas, los materiales deben cumplir con determinadas características para poder equilibrar, a través de la humedad y su distribución, los impactos térmicos externos de las diferentes regiones. La "piel" de un edificio actúa como filtro entre las condiciones externas e internas para controlar la entrada de aire, calor, frío, luz, ruidos y olores. En general, un muro es capaz de controlar los efectos del aire, la temperatura, el viento y el ruido, mientras que la luz se controla mejor desde el interior, y la radiación calorífica debe detenerse en forma efectiva antes de alcanzar la envolvente del edificio. Es decir, que los materiales que conforman la "piel" de la edificación desempeñan un papel decisivo en la utilización y control de los rayos del Sol. La temperatura de los materiales depende de la ganancia de calor por convección y radiación, es decir, por la incidencia de los rayos solares y el intercambio de calor con el aire del entorno. Los materiales deben ser elegidos en función de la capacidad que tienen de absorber o reflejar dicha radiación. Por ejemplo, una fachada totalmente acristalada proporciona una escasa protección contra la radiación solar, y el cerramiento debe proveer un adecuado control para prevenir las variaciones ambientales. Por otro lado, un muro cortina totalmente opaco aísla por completo el interior de un edificio, haciéndolo dependiente del acondicionamiento mecánico.

La capacidad de absorción de la humedad de un material también afecta su comportamiento térmico. Los materiales con un alto contenido de humedad presentan una mayor capacidad de trasmisión de calor. Los materiales con gran absorción de humedad pueden favorecer la condensación, al permitir el paso del vapor de los espacios a mayor temperatura hacia los espacios a menor temperatura; por lo cual hay que tener especial cuidado. Todas estas consideraciones deben hacerse en las etapas de diseño y están directamente relacionadas con las características del lugar o región en que se localiza la vivienda; a las que se responde mediante soluciones de diseño bioclimático.

Diseño bioclimático

El diseño de una vivienda mediante la aplicación de principios de la arquitectura bioclimática significa que ésta será más cómoda y placentera, mientras que ofrece una solución para el desarrollo sustentable. La arquitectura bioclimática se basa esencialmente en tres factores:

- Conocer las características del medio físico natural de la región y sus implicaciones sobre el diseño.
- Definir las necesidades climáticas para lograr el acondicionamiento térmico humano.
- Regular los efectos del clima sobre los edificios.

El manejo de éstos tres factores sirve para diseñar los elementos de la vivienda que sean más adecuados para una localidad y el clima específico donde se construirá. La vivienda funciona entonces como una "piel" que regula las condiciones climáticas al interior de los edificios.

El diseño bioclimático implica, además de lo mencionado anteriormente, un mejor manejo de recursos que repercuten positivamente en la economía de los usuarios de las viviendas, puesto que se disminuye el uso de calefacción, aire acondicionado y luz artificial. Esto, a su vez es una forma de reducir el impacto negativo al entorno, puesto que dichas instalaciones o sistemas emiten gases de efecto invernadero que contribuyen al calentamiento mundial. La forma de evitar esto es entendiendo el clima y los elementos que lo conforman; conceptos que se describen a continuación.

Clima y sus implicaciones en la arquitectura

Las características de un lugar respecto a otro varían de acuerdo con su ubicación geográfica. En cada lugar, se da un conjunto de condiciones atmosféricas específicas, es decir, un clima. Dado que en primera instancia una vivienda representa protección contra las condiciones adversas del entorno y que dichas condiciones físicas están dadas por el microclima de una región, el diseño de cualquier edificio debe ser acorde a ellas (Figueroa, Fuentes y Schjetan,1990). Dichas condiciones se denominan factores del clima, conformados por:

- Latitud: es la distancia angular de un punto respecto al ecuador, medido en grados, minutos y segundos. Mediante la latitud se determina la incidencia de los rayos solares sobre una determinada superficie. La inclinación de los rayos afecta los factores térmicos que habrán de condicionar los vanos y muros ciegos en una construcción. Por lo que de este factor dependen el asoleamiento de muros y ventanas, su forma, color, textura, proporción y relación; así como la colocación de sistemas activos y pasivos.
- Altitud: es la distancia vertical de un plano respecto al nivel del mar, se mide en metros sobre el nivel del mar. La temperatura de un lugar se ve afectada por este factor, ya que disminuye 0.56 °C por cada 100.6 metros más de altitud durante el verano, y en el invierno por cada 122 metros más. En consecuencia, el que un edificio deba protegerse contra calor, frío, nieve, etc., depende de este factor, decidiéndose con base en aspectos como el tamaño de vanos y la forma de los techos.
- Relieve: es la forma que tiene la superficie de la Tierra. Debido a su rugosidad, se modifican las corrientes de aire, el asoleamiento de un lugar, su vegetación, entre otros factores por considerar en el diseño.
- Distribución de tierra y agua: es la relación entre cuerpos de agua y tierra firme. Como los cuerpos de agua producen fenómenos climatológicos como brisas, menor oscilación térmica y aumento de la humedad del aire, esto requiere soluciones particulares de diseño.
- Corrientes marinas: son los movimientos de traslación continuados y permanentes de las aguas de mar.

- Modificaciones al entorno: son cambios de origen natural o generados por el ser humano que disminuyen o aumentan la temperatura, humedad del aire, ruido y contaminación de un lugar.

Además de éstos factores, el clima de una zona se determina por las propiedades físicas de la atmósfera que están en cambio continuo. Debido a este constante cambio se busca regularlos para lograr un bienestar. También por ello y para poder establecer su comportamiento, se usan datos estadísticos de al menos 20 años, denominándolos *normales climatológicas*. Estas propiedades se conocen como elementos del clima, entre los que se encuentran:

- Temperatura (°C, K, °F): es el parámetro de trasmisión de calor de un cuerpo a otro, se utiliza la temperatura de bulbo seco. Mediante la temperatura media se establece el rango térmico de un lugar, y las temperaturas máxima y mínima establecen las variaciones de temperatura en un periodo determinado. Así se puede prever el efecto sobre la masa térmica y ventilación de los espacios para conservarlos dentro de un rango tolerable.
- Humedad (%, porcentaje): es el contenido de agua en el aire, se utiliza la humedad relativa o proporción de la cantidad de aire y la cantidad de agua necesaria para saturarlo. Afecta la percepción ambiental de un lugar, por lo que debe manejarse para la climatización pasiva. También incide sobre la vida útil de ciertos materiales. La evaporación de humedad puede causar la disminución de temperatura, pero en exceso puede producir la sensación contraria.
- Precipitación (mm): es el agua procedente de la atmósfera en forma de lluvia, granizo, llovizna, etc. Determina la forma, extensión e inclinación de las cubiertas; así como la selección de determinados materiales. Puede utilizarse para suministro de agua.
- Viento: son las corrientes de aire producidas en la atmósfera. Mediante su dirección (respecto al Norte), frecuencia (%) y velocidad (m/s) se puede determinar si deben formarse barreras u obstáculos que cambien su dirección o velocidad. Es la principal forma de climatización en los climas cálido-húmedos. El movimiento del aire no disminuye la temperatura pero provoca una sensación de frescura debido a la pérdida de calor por convección y al aumento de la evaporación del cuerpo.
- Presión atmosférica (mb, milibares): es el peso del aire por unidad de superficie. Origina los movimientos de aire y está directamente relacionada con la altitud de un lugar.
- Radiación (kWh/m^2): es la cantidad de energía solar que alcanza la superficie de la Tierra. Se debe considerar para el calentamiento de agua o aire, prevenir, o aprovechar su incidencia en espacios interiores y controlar su efecto en muros y cubiertas. La radiación sobre superficies interiores puede ayudar a equilibrar temperaturas extremas. Podemos sentirnos cómodos a baja temperatura si la pérdida de calor de nuestro cuerpo se contrarresta por la radiación solar.
- Visibilidad: es la distancia de percepción visual dado el grado de pureza o turbiedad del aire. En un rango de 0 a 10, donde 0 es muy denso, con visibilidad a menos de 50 m, y 10 es excelente, con visibilidad a más de 50 mil metros.

- Nubosidad: es el producto de la condensación del agua. Afecta la radiación que incide en las superficies y debe considerarse para los sistemas en donde se necesita radiación directa. El cielo puede ser despejado (hasta 3/10 con nubes), medio nublado (de 4/10 a 7/10 con nubes) o cerrado o cubierto (más de 7/10 con nubes).

Estos elementos son los que se habrán de regular para buscar el control térmico de la vivienda. Al entender su efecto sobre los edificios y sobre las personas que los ocupan se pueden manejar para lograr las condiciones adecuadas para cada espacio. Esto es de vital importancia, ya que los efectos del medio ambiente inciden directamente en la salud del ser humano. Las condiciones atmosféricas estimulan y vigorizan las actividades o pueden deprimir los esfuerzos físicos y mentales. Es decir, que tanto la fuerza física de la persona como su actividad mental se desarrollan mejor si las condiciones climáticas están dentro de una gama determinada de comodidad, mientras que empeoran si se encuentran fuera de ésta.

Por tanto, la comodidad en el ser humano tiene que ver con factores personales y ambientales. Entre los primeros factores se encuentran el sexo, la edad (afecta el metabolismo además de la velocidad a la que el cuerpo se adapta al medio), el nivel de actividad, el peso y la constitución corporal, el tiempo de permanencia en un lugar, las expectativas de comodidad, el contacto visual con el exterior, entre otros. Los factores ambientales que afectan la sensación de comodidad son la temperatura del aire, la temperatura radiante de los elementos cercanos, la humedad relativa y la velocidad del aire. Si se mantienen éstos últimos dentro de ciertas condiciones, se dice que un espacio está dentro de la zona de comodidad.

Las condiciones necesarias para generar dicha zona se determinan con la capacidad del individuo para generar o perder calor. Cuando un espacio está muy frío, quiere decir que la persona pierde calor a una mayor velocidad de lo que lo puede producir, por lo que los espacios deben proveer del calor necesario para regresar al equilibrio; o en su defecto evitar una mayor pérdida de calor. Y en el caso de los climas cálidos un espacio debe permitir que el ser humano pueda perder calor a la misma velocidad que lo produce.

La vivienda es la principal herramienta para satisfacer dichas necesidades, modificando el entorno natural y aproximándonos a las condiciones óptimas de habitabilidad. La vivienda puede ser un elemento protector contra la mayoría de los elementos que inciden sobre la comodidad ambiental, excepto la humedad. Una vivienda debe filtrar, absorber, o repeler los elementos medioambientales que influyan de manera positiva o negativa para la comodidad del ser humano.

Agrupación bioclimática y estrategias básicas

Dado que la arquitectura debe responder a determinadas condiciones del clima en cada lugar, se han desarrollado diferentes formas de clasificar las condiciones que éstos generan para ser aplicadas al diseño. Para el caso de México, Figueroa y Fuentes, del Grupo de Arquitectura Bioclimática de la UAM-Azcapotzalco realizaron la siguiente agrupación bioclimática relacionando la temperatura promedio del mes más cálido y la precipitación pluvial anual, estableciendo las necesidades de calefacción o enfriamiento y el grado de aridez o humedad del lugar.

Las necesidades de calefacción o enfriamiento se basan en la temperatura promedio del mes más cálido. Cuando la temperatura sea menor a 21 °C, entonces existe una necesidad de calefacción durante todo el año, y cuando la temperatura sea mayor a 26 °C, entonces existe la necesidad de enfriar los espacios, sobre todo en el verano. En las localidades cuya temperatura promedio del mes esté entre el rango de 21 a 26 °C habrá un ambiente fresco en el verano y necesidades de calefacción en el invierno.

Respecto a la precipitación, es importante recalcar que para los climas cálidos el factor humedad es esencial para lograr un ambiente agradable, pues en localidades donde la precipitación anual es mayor a los 1000 mm, se debe eliminar la sensación de humedad a través de la ventilación de los espacios. En el clima cálido seco, con precipitación anual menor a 650 mm, se recomiendan sistemas de enfriamiento de evaporación para humidificar el aire.

Esta clasificación provee la información básica para poder determinar los lineamientos por seguir en el diseño de la vivienda. Es la base para tomar decisiones en el resto de los elementos que conforman el diseño bioclimático, como son la orientación, el control solar y la ventilación, entre otros.

Orientación de los edificios

La orientación en las edificaciones tiene que ver con factores como la topografía, la latitud, las exigencias de privacidad, el uso que se le va a dar a cada espacio, las vistas, la reducción de ruido y los factores climáticos de radiación y viento. Una orientación adecuada permite el uso más eficiente de la energía, puesto que la necesidad de elementos mecánicos para calefacción o ventilación disminuye o incluso desaparece. Esto también implica la reducción de costos, a la vez que se generan espacios más adecuados y se disminuyen las emisiones dañinas para el ambiente.

La orientación se establece en primera instancia relacionando el terreno con el entorno y su latitud. Es así que se debe considerar lo siguiente para el hemisferio Norte (Olgyay, 1998 y Rodríguez Viquera, 2000):

- En zonas frías los emplazamientos adecuados serán los más protegidos. Por tanto, se recomienda el emplazamiento en las laderas, donde la temperatura se mantiene templada a lo largo del día. También, en las llamadas zonas de sombra de vientos, con exposición al asoleamiento, sobre todo en invierno. La orientación Sureste ofrece una distribución calorífica equilibrada. Es decir, se deben favorecer emplazamientos situados a media ladera con orientación Sur y Sureste.
- En zonas templadas se deben satisfacer las necesidades en periodos fríos y en épocas cálidas. La mejor orientación es la Sureste. El viento no tiene implicaciones tan fuertes como en el clima frío, por lo que puede haber emplazamientos en las partes más bajas de las laderas, permitiendo el aprovechamiento de brisas en épocas calurosas.
- En zonas áridas y calurosas lo más importante es la protección contra las altas temperaturas. Se buscan emplazamientos en las partes bajas de las laderas, aprovechando las corrientes de aire fresco. La tipología de la casa patio

al centro es adecuada, ya que favorece el almacenamiento del aire en las inmediaciones y su enfriamiento nocturno. La sombra es necesaria durante la mayor parte del año, por lo que la orientación más adecuada es al Este y al Sureste. Algunas veces es recomendable incluso la orientación Norte para las habitaciones, permitiendo que el enfriamiento pasivo sea eficiente, pero en periodos de frío implica pérdida de temperatura.

- En regiones cálidas húmedas el movimiento del aire es la principal forma para lograr un equilibrio. Los mejores emplazamientos son los que favorecen la exposición a corrientes de aire, cerca de las cimas de las colinas o en zonas elevadas de la cara ventosa de la montaña. Por tanto, las pendientes del terreno en dirección Norte o Sur son las más apropiadas.

En cuanto a los edificios, se determina la cantidad de radiación que incide en las distintas caras en diferentes momentos, de acuerdo con la orientación y la posición del Sol a lo largo del día. Para ubicar cada espacio se calcula qué tanto incidirán los rayos solares sobre cada una de las fachadas y cuáles serán los efectos de dicha incidencia sobre el edificio. Debido a los patrones de radiación solar, en el hemisferio Norte, se puede concluir lo siguiente: las fachadas principales de un edificio deben orientarse al Sur para conseguir calor en invierno y fresco en el verano. Las fachadas orientadas al Sureste y Suroeste tienen asoleamiento regular, pero son más frías en invierno y más calientes en verano que las que dan al Sur. Las fachadas al Este y al Oeste son más frías en invierno y más calientes en verano que las del Sur, Sureste y Suroeste.

Cada espacio de la vivienda debe estar ubicado de acuerdo con sus necesidades. En general se recomienda agrupar las áreas habitables hacia el Sur y las habitaciones en las fachadas Este u Oeste. Las áreas de estar y la cocina se consideran de mayor prioridad, puesto que son las más utilizadas durante el día. Por otro lado, las áreas de servicio como baños, área de lavado y garaje son utilizadas en periodos cortos de tiempo, por lo que pueden estar ubicadas al Oeste, Suroeste, Este u Sureste para actuar como barreras contra los rayos más bajos del Sol, siempre y cuando no obstruyan el paso del viento si los espacios habitables lo requieren para mayor comodidad.

Además, la orientación también tiene implicaciones sobre la forma y disposición de los espacios de la vivienda. A través del techo y de los muros expuestos se pueden tener ganancias o pérdidas de calor. Para aprovechar esto se deben tener en cuenta las necesidades de calefacción o enfriamiento en cada lugar y las características del sitio. En los climas templados y fríos, los diseños compactos ayudan a evitar las pérdidas de calor, mientras que en climas más cálidos una mayor superficie expuesta (con sombra adecuada) es favorable. Sin embargo, habrá que considerar un balance entre impedir las pérdidas de calor y permitir una ventilación e iluminación adecuada de los espacios. Esto significa que la orientación también está relacionada con el control solar, que se describe en el siguiente punto.

Control solar

El control solar es la aplicación de elementos fijos y móviles para controlar la incidencia de los rayos solares al interior o exterior de la vivienda de acuerdo con las condiciones del clima de cada lugar y su latitud. El principio básico del control solar es evitar el paso de los rayos solares en periodos calurosos, pero permitirlo en periodos fríos sin que esto demerite la iluminación de los espacios interiores. Para esto se deben considerar las emisiones térmicas y lumínicas de los rayos solares.

Con el calentamiento de áreas a través del control solar se busca maximizar las ganancias y minimizar las pérdidas de calor durante el invierno. Esto se logra a través del aprovechamiento de la orientación Sur en el hemisferio Norte y lo inverso para el hemisferio Sur. Lo anterior con el propósito de localizar las áreas de uso diurno o con mayor necesidad de ganancia de calor, proveyéndolas de vanos adecuados, y con elementos para generar sombra en el verano de ser necesario. En climas fríos, se aprovecha el efecto invernadero, permitiendo el paso de la radiación a través del cristal, para ser absorbida por elementos de la vivienda y trasmitida en forma de calor. El calor obtenido se almacena a través de la masa térmica y se evita su pérdida mediante un aislamiento térmico adecuado. Dado que las pérdidas de calor suceden a través del cristal por conducción cuando la temperatura exterior es inferior, el sellado de las ventanas, el uso de doble cristal y otras técnicas son esenciales en esta estrategia.

El control solar para la generación de áreas sombreadas es la principal estrategia de enfriamiento en los climas cálidos, pues así se evita el aumento de temperaturas en el interior por exposición a la radiación. Los elementos para producir sombra, diseñados adecuadamente, permiten el paso del calor del Sol en el invierno de ser necesario, a la vez que evitan la ganancia de calor en el verano. La intercepción de la energía se produce antes de que ésta incida en el edificio, por lo que la radiación se refleja y disipa hacia el exterior. Si los mecanismos son graduables de acuerdo con las estaciones, se puede conseguir sombra en el verano y ganancia de calor en el invierno. Un mecanismo efectivo depende de su localización; así como de la latitud y la orientación.

Lo importante de un dispositivo para el control solar está en su relación geométrica más que en su escala. Esto depende de si se busca que permitan el paso del aire, el grado de privacidad que proporcionan, de su composición, de si son horizontales o verticales, fijos o móviles. La eficacia de los diferentes sistemas para proporcionar sombra, en orden de importancia son persianas, cristales tintados, cortinas aislantes, pantallas, persianas exteriores, cristal con capa protectora, árboles, protecciones externas fijas y protecciones externas móviles.

Para el control solar es importante tener en cuenta diversos factores. Por ejemplo, los materiales y sus colores influyen en el reflejo de la radiación. Los colores claros reflejan los rayos, mientras que los oscuros los absorben. Además, la ubicación de los sistemas de protección solar afectan su efectividad. Si los elementos están al interior, interceptan la energía solar cuando ya ha traspasado la superficie acristalada, por lo que la energía convectiva o irradiada llega al interior de la habitación, mientras que los elementos externos de protección trasmiten al exterior la porción de energía por convección e irradiación.

Ventilación

La ventilación responde a la necesidad de "aire fresco" del cual se obtiene el oxígeno para respirar. En cuestión de comodidad, se trata de la sensación del flujo de aire sobre el cuerpo. La ventilación natural puede conseguirse a través de la orientación del edificio, el entorno, creando zonas de alta y baja presión, localizando las entradas en la zona de alta presión y de las salidas en las de baja presión. Pequeñas entradas y grandes salidas; entradas que dirijan el flujo hacia las zonas de actividad; planta de distribución libre que no tenga elementos que obstaculicen el flujo de aire y muros divisorios que no lleguen al techo, pueden favorecer el flujo de aire en los espacios.

Es por ello que se debe buscar controlar los flujos del aire a través de las formas y aberturas de un edificio. Esto se hace de acuerdo con las condiciones del viento en cada lugar, logrando evitar, capturar, o controlar las corrientes. Éstas se modifican de acuerdo con la forma, tamaño y textura de las superficies con las que entran en contacto, siguiendo el siguiente comportamiento:

- El aire tiende a formar zonas de mayor presión en la cara con la que incide sobre una superficie, después la rodea y se generan zonas de menor presión en la cara opuesta.
- La abertura de entrada por donde viene el viento (barlovento) determina el patrón de flujo del aire a través de un espacio, mientras que la abertura de salida opuesta a aquella de donde viene el viento (sotavento) tiene poca influencia. Sin embargo, si la abertura de entrada es más pequeña que la de salida se incrementa la velocidad del flujo interno.
- Entre más cambios de dirección tenga el aire, menor será su velocidad.
- Las divisiones en una habitación pueden detener el viento al ser perpendiculares o dejarlo pasar al ir en la misma dirección.
- Cuando el viento llega en forma perpendicular a las caras de los edificios tiene una mayor presión a barlovento. Sin embargo, a 45° la velocidad media del aire que entra a los edificios aumenta.
- El viento tiende a canalizarse por los espacios libres, así que los edificios, pueden servir como barrera contra el viento para otros edificios y los árboles pueden ser utilizados como elemento rugoso que disminuya la velocidad del viento.

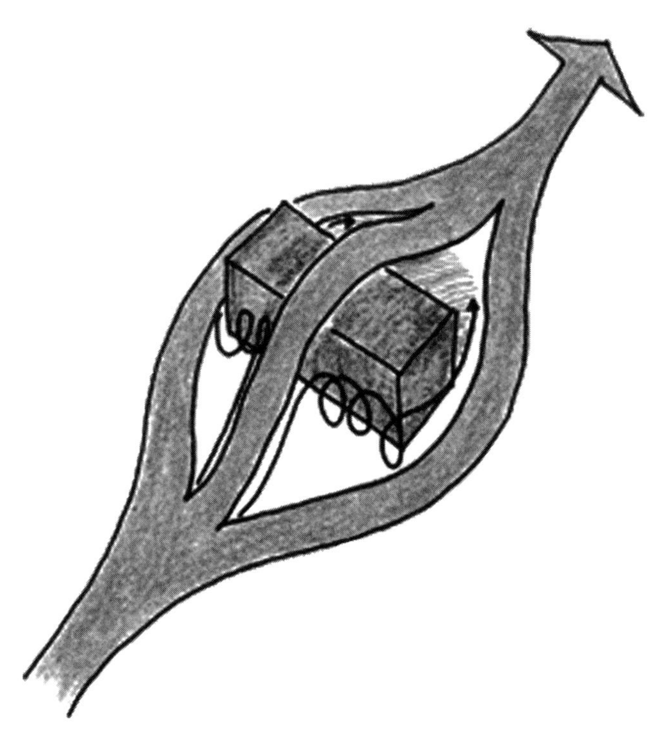

Figura 1.2. Comportamiento del viento. (Elaboración del autor.)

En general, las estrategias se enfocan en evitar el viento si es muy frío (menor al rango templado), muy cálido (con temperatura mayor a 35 °C), si está contaminado, si su velocidad es mayor a 2 m/s en zonas habitables o si es viento de tornados, ciclones, etc. Por otro lado, hay que favorecerlo en los espacios habitables para lograr un buen ambiente en climas cálidos, logrando al menos una velocidad de 0.25 m/s para que pueda ser percibido. Para ello, se establece que al menos la mitad de la superficie de la ventana de una habitación debe poder abrirse para permitir el paso del viento (GDF, 2008).

La ventilación natural de los espacios puede lograrse aprovechando uno de los principios básicos de generación del viento: el movimiento del aire por convección. Las corrientes convectivas se crean al permitir que el aire caliente suba al techo y salga, mientras que el aire previamente enfriado proveniente de ventanas y muros exteriores es llevado al interior por la parte baja; contribuyendo a la sensación de comodidad en climas cálidos. Este mismo efecto puede aprovecharse de forma inversa al calentar el aire del exterior mediante la radiación y permitir su paso al interior de los edificios.

Iluminación

La iluminación de un espacio se relaciona con las condiciones adecuadas visuales, con el ahorro y uso eficiente de la energía y, por tanto, con la conservación del ambiente. Se busca que la luz natural y artificial se complementen para brindar a los usuarios condiciones óptimas en los espacios para la realización de las diversas actividades, tanto de día como de noche. Ya que la luz contribuye a que se perciba el espacio; también se busca exaltar formas, superficies, acabados, colores y texturas.

Además, la luz tiene efectos psicológicos por considerar; los niveles elevados de iluminación estimulan y proporcionan hiperactividad a los usuarios y los niveles bajos favorecen el relajamiento, el descanso, la privacidad, la intimidad y hasta la somnolencia. De la misma manera el color de la fuente luminosa afecta, ya que los usuarios la relacionan y asocian con emociones. La luz afecta la eficiencia y la productividad en el trabajo, a los ritmos biológicos, al estado de ánimo, a la sensación de bienestar e incluso a los estados de salud. Esto en relación con cuatro factores: intensidad, duración, sincronización y distribución espectral.

La luz natural debe entrar en un espacio en cantidades adecuadas y distribuirse de acuerdo con las tareas que en él se realizan. Debe buscar satisfacer las necesidades biológicas, fisiológicas y psicológicas de los ocupantes. Es por eso que se debe considerar que la luz natural proviene de varias fuentes: la que viene del cielo y que se conoce como luz difusa, la del Sol o luz directa y la de los reflejos externos e internos; mientras que las variaciones en la cantidad lumínica se deben a la posición e intensidad solar y a la nubosidad del cielo. Esta última, junto con el entorno circundante y su grado de deslumbramiento, también afecta la luminancia o sensación de luminosidad que se tiene en una superficie y cómo se distribuye. Se establece como mínimo indispensable para una iluminación natural adecuada que las ventanas sean de al menos 17.5 % de la superficie de la habitación que deben iluminar (GDF, 2008).

Con relación a la iluminación artificial se deben conocer los siguientes parámetros: eficacia luminosa o capacidad de transformar la electricidad en luz; flujo luminoso o la luz emitida por una lámpara en todas direcciones; intensidad luminosa o intensidad de la luz en determinada dirección; temperatura del color e índice de reproducción cromática o hasta qué punto coincide la reproducción de los colores con luz artificial con la de la luz natural.

El objetivo principal de un sistema de iluminación es proporcionar adecuada visibilidad para la realización óptima de las diversas tareas de los usuarios, logrando con ello eficiencia y productividad en las tareas por realizar. Para obtener éstos resultados es necesario contar con niveles suficientes y las características apropiadas de luz, o en otras palabras la cantidad y calidad de luz correctas. Los sistemas se basan en la luz directa y la reflejada de fuentes secundarias de luz y la forma en que el color, tono, textura, reflectancia, tamaño, geometría y ubicación de las superficies reflejantes las afectan. Es importante que el color de los muros y plafones sea de reflectancia alta para contribuir al ahorro de energía y al mejor acondicionamiento visual y lumínico de los usuarios en sus espacios.

Los sistemas de iluminación deben fomentar el ahorro y uso eficiente de energía, proporcionar calidad visual a los usuarios en los diferentes espacios, generar una integración armónica entre la luz natural y artificial, y ser compatibles con criterios de sustentabilidad.

Aislamiento térmico

La propiedad más importante de los materiales es su capacidad de trasmisión de calor, pues permite reducir el flujo del mismo a través de las propiedades aislantes del material. Un material aislante interfiere en el paso del calor de un espacio a otro. La cantidad de aislamiento deseada se encuentra en relación directa con la diferencia que existe entre las condiciones térmicas exteriores y los requerimientos de control. Además, un material con alta capacidad acumulativa implica una menor variación de temperatura propagada a través del material. Así se pueden almacenar las cargas que se producen en los momentos de más calor y liberarlas en momentos de baja temperatura.

En ambientes húmedos se deben utilizar materiales ligeros y con bajo índice de aislamiento. En las zonas cálidas secas donde existe una gran variación entre los impactos nocturnos y diurnos es necesario proteger las zonas de actividad diurna con una construcción pesada maciza, pero en los dormitorios el aislamiento será mínimo, aprovechando la baja de temperatura en la noche. Además, dada la trayectoria del Sol en el hemisferio Norte, en la época de verano, el techo es el elemento de la vivienda a través del cual las ganancias de calor son mayores (Puppo, 1999). Por ello, se debe poner especial atención en su aislamiento, recomendándose además inclinarlo hacia el Norte. En las regiones templadas las partes macizas y pesadas se ubicarán al Oeste. Las zonas frías requieren mayor aislamiento sobre todo al Oeste. Por último, en entornos fríos las edificaciones deben ser de muros de construcción pesada para mantener el equilibrio de la temperatura, y el aislamiento debe ser exterior para reducir los escapes del flujo de calor.

Aislamiento acústico

La falta de consideración sobre aislamiento acústico en ambientes que aparentemente no tienen requerimientos en este sentido, ha generado que haya espacios en donde no es posible tener privacidad, o donde se genera ruido que afecta el estado de comodidad del ser humano. En arquitectura, la acústica se relaciona con las condiciones de producción, trasmisión, percepción, reducción, control y/o aislamiento de sonidos, ruidos o vibraciones. Esto debe darse de tal manera que todos los sonidos sean compatibles con el uso satisfactorio del espacio y con el propósito para el que está destinado. Un ambiente cómodo es aquel donde no existe distracción o molestia, de tal manera que las tareas o las actividades placenteras puedan realizarse sin perturbaciones físicas o mentales.

La comodidad acústica tiene que ver con varios criterios que se relacionan con el sonido, como son (Rodríguez Viqueira, 2000):

- Niveles de presión sonora: cualquier sonido de más de 65 dBA puede molestar al receptor.
- El grado de absorción sonora de los materiales: las alfombras, plafones, losetas, etc. pueden absorber energía acústica.
- Tiempo de reverberación: es el tiempo de persistencia de un sonido cuando la fuente sonora se apaga. En general se requiere entender el grado de vivacidad o de extinción sonora que se requiere, conservando las condiciones de inteligibilidad del lenguaje para la comunicación.
- Grado de aislamiento: viene de la resistencia de un material a la vibración producida por el choque de las ondas sonoras. Se determina por la Clase de Trasmisión Sonora (STC, Sound Transmission class) de cada material. Un grado de privacidad total en donde sólo se escuchan ruidos muy altos representa un STC de 60, y equivale a un muro a base de paneles de yeso de 8 cm y con relleno aislante de fibra de vidrio. Por otro lado, un grado de no privacidad equivale a menos de 20 STC, como con una puerta de tambor de madera; una puerta o ventana abiertos representan un STC de 0.
- Criterios de ruido de fondo: son los sonidos ambientales de un espacio, cuando son mayores a 75 dBA, la comunicación se vuelve intermitente y limitada.

La forma más fácil de prevenir el ruido en la vivienda es alejándose de la fuente de sonido. Esto puede aplicarse de las siguientes maneras:

- Seleccionando un sitio alejado de avenidas principales o industrias.
- Ubicando las habitaciones tan lejos de las fuentes de sonido como sea posible, haciendo un balance respecto a las condiciones de comodidad generadas por una adecuada orientación de éstos espacios con respecto a la trayectoria solar o del viento.

- Colocar las ventanas lejos de las fuentes de sonido, o colocarlas con doble acristalamiento para reducir la trasmisión de sonido proveniente del exterior.
- Ubicar juntas las áreas donde se produce más ruido y alejarlas de las áreas silenciosas. Es decir, que las áreas de lavado, baños, estacionamientos o estancias no se localicen al lado, arriba o debajo de las habitaciones sin aislamiento adecuado.
- Seleccionar materiales y sistemas constructivos que puedan reducir los niveles de ruido, como puertas sólidas en vez de las de tambor.

Vegetación y áreas verdes

La vegetación es importante debido a que cumple con funciones ecológicas, urbanas y socioculturales. Satisface una necesidad de protección, puesto que provee una barrera contra los sonidos ambientales si se planta densamente, además de proporcionar privacidad. Como elemento ecológico contribuye a la mejora del ambiente físico inmediato. La vegetación en un lugar produce oxígeno, haciendo el aire más saludable al capturarlo y filtrarlo mediante las hojas. Además disminuye la cantidad de CO_2, producto de las actividades industriales y humanas; mediante el proceso de fotosíntesis.

La transpiración y evaporación de la vegetación produce un aumento de la humedad que puede ser favorable en ambientes secos, y en general significa una disminución en la temperatura del aire. Es decir, la vegetación tiene un efecto térmico. En invierno las pantallas de árboles perennes reducen las pérdidas de calor de los edificios, pero también pueden ayudar a causar el efecto opuesto. Debido a su forma, color y textura, la radiación sobre las plantas es absorbida y filtrada, disminuyendo el deslumbramiento.

Además, los árboles proporcionan sombra por lo que deben colocarse estratégicamente para proporcionarla en los distintos espacios cuando se necesite. Si son de hoja caduca permiten la radiación solar durante el invierno y la evitan durante el verano. Las ubicaciones Sureste y Suroeste se recomiendan, pues proporcionan protección contra los rayos más bajos.

Arquitectura vernácula como ejemplo de diseño bioclimático

Los primeros habitantes del planeta buscaron tener una vivienda que les brindara protección y abrigo contra los elementos y las inclemencias del entorno, teniendo como objetivo encontrar las mejores condiciones. La respuesta más inmediata fue aprovechar las construcciones hechas por la naturaleza, como cavernas o cuevas, formaciones rocosas o cualquier protección natural. Posteriormente se fueron desarrollando construcciones con los materiales que tenían a la mano, ya que buscaron responder a las condiciones de cada lugar, lo que hace posible clasificar estas construcciones por zonas climáticas. Aun con variaciones producto de tradiciones o gustos, la forma general de la vivienda autóctona nace de su relación con el entorno (Olgyay, 1998). Con base en estas ideas, se fueron desarrollando tipologías constructivas que al aprovechar los materiales del entorno, tomaron ventaja, o le hicieron frente a las condiciones adversas del clima.

Es por ello que pueden encontrarse características de las viviendas que se repiten en todo el mundo cuando las condiciones climáticas tienen ciertas similitudes como:

- En los climas tropicales las cubiertas son el elemento más importante. Se construyen estructuras de madera, ramas, entramados de hojas y paja, llegando incluso a omitir los muros.
- En zonas intermedias o regiones áridas se construyen muros de adobe y cubiertas de paja. En éstas las paredes tienen un desempeño más importante que la cubierta.
- En las zonas templadas las paredes se construyen de ladrillo o piedra. Las cubiertas son ligeramente inclinadas, cubiertas con tejas semicilíndricas. En otras zonas pueden encontrarse viviendas con muros de piedra o de madera con paneles rellenos de barro, ladrillos, piedras o papel. Éstas son de techos altos, con gran inclinación, cubiertos de paja o ramas.
- En las zonas de temperaturas extremas los vanos ocupan una menor superficie en proporción que los macizos, para proteger del Sol o del frío.
- En cuanto a las cubiertas, éstas varían de acuerdo con el clima. Las planas son características de las zonas calurosas, las abovedadas son de las zonas áridas, ya que representan una menor superficie de exposición directa a los rayos solares, generalmente se hacen de materiales que retardan la conducción de calor y las inclinadas son de climas templados, en territorios con mayor humedad.

Figura 1.3. Vivienda vernácula de la región central. (Elaboración del autor.)

En el caso de México, la clasificación de las tipologías de vivienda se da de acuerdo con las siete zonas climatológicas que existen en el país. Es importante mencionar que dentro de una misma región geográfica se pueden dar variantes tanto en el clima como en la arquitectura, por lo que estas tipologías deben considerarse como una referencia general. La clasificación de éstas se presenta de la siguiente manera (Montesinos Campos, 2005):

- Región Central de México: incluye los estados de México, Querétaro, Michoacán, Guanajuato y Jalisco. En esta zona existen vientos alisios en verano y de monzón del Pacífico, con lluvias en verano y dos periodos máximos de temperatura. Al interior de esta región, un patio central es la base de la vivienda hecha de piedra, mampostería o adobe para alta inercia térmica. Los exteriores suelen ser aparentes, mientras que el interior se reviste con cal, arena y pintura. El techo es de vigas de morrillos y soportes de otate, con tejas a una o dos aguas para los periodos de lluvia. Mientras que en la parte más cercana a la costa, las viviendas son de una planta, hechas de adobe por su alta inercia térmica (en la sierra también se ocupa madera). Presentan portales interiores con un patio central o portales exteriores cubiertos con teja a dos aguas. Tienen miradores y balcones, los cerramientos exteriores son encalados y poseen pocos huecos orientados al interior.

- Región Pacífico Sur: incluye los estados de Guerrero y Oaxaca. En esta zona existen vientos estacionales en verano, con ciclones tropicales, régimen veraniego. Las casas son de una sola planta generalmente rectangular, con techos a dos aguas y pórtico al frente. Cuando son de palma son viviendas pequeñas de una sola habitación; los techos se hacen de palma o zacate, los pisos de tierra y los muros de bajareque. Pero pueden ser de barro, con muros de adobe y bajareque, con zonas exteriores cubiertas por el portal y techo de teja.
- Región Golfo de México: incluye Veracruz y la zona de la huasteca. Esta zona posee un clima con vientos alisios, ondas del Este y ciclones durante el verano y otoño. El invierno tiene Nortes, existe un régimen intermedio y dos máximos de temperatura. En la zona costera se usa el portal y pasto alrededor de la vivienda que impiden la radiación al interior. La cimentación es de mampostería con muros de ladrillo, revestidos de cal, arena y pintura. La casa tiene vanos grandes y techumbres a dos aguas, de zacate o palma con aleros. Es de planta rectangular con muros altos de bajareque o de troncos y rajas de palma colocadas horizontalmente.
- Región Península de Yucatán: incluye Yucatán, Campeche y Quintana Roo. En esta zona los vientos son alisios del Este y Noreste, con ciclones tropicales, nortes y alta precipitación en invierno, régimen de verano y dos máximos de temperatura. De esta zona destaca la casa maya con muros hechos de palos recubiertos de lodo o piedra, con una altura de hasta 2.20 m, levantando la techumbre hasta 4.5 m para lograr dos aguas con gran inclinación, formando el techo con paja.

Figura 1.4. Vivienda vernácula de la región Pacífico Sur. (Deffis Caso, 2000, adaptada por el autor.)

Figura 1.5. Vivienda vernácula de la región del Golfo de México. (Deffis Caso, 2000, adaptada por el autor.)

Figura 1.6. Vivienda vernácula de la Península de Yucatán. (Deffis Caso, 2000, adaptada por el autor.)

Figura 1.7. Vivienda vernácula de la zona de Chiapas. (Deffis Caso, 2000, adaptada por el autor.)

Figura 1.8. Vivienda vernácula de la zona del Noroeste. (Deffis Caso, 2000, adaptada por el autor.)

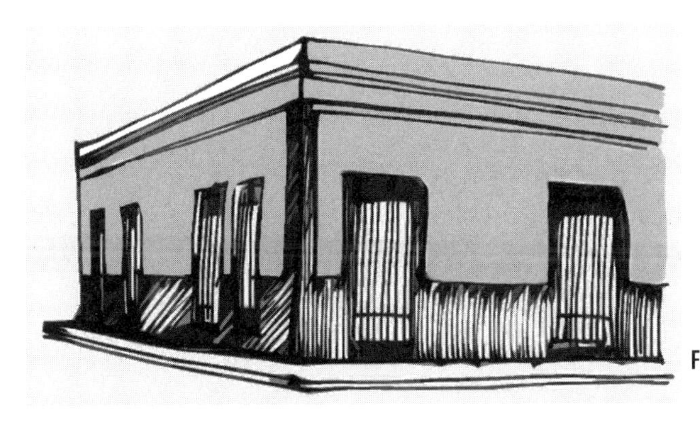

Figura 1.9. Vivienda vernácula de la zona del Norte. (Elaboración del autor.)

- Región de Chiapas: Esta zona es tropical, de clima lluvioso, húmedo y caluroso. Las viviendas son de una planta, con techumbre de altura tres veces mayor a la de los muros perimetrales, logrando así un efecto de chimenea de viento, conocida como oreja. El techo es de palma o pasto, los muros de caña (carrizo), sostenido con troncos más gruesos del mismo material.
- Región Noroeste: incluye la península de Baja California, Sonora, Sinaloa y Chihuahua. Es una zona con altas temperaturas subtropicales, vientos del Oeste, régimen intermedio y un máximo de temperatura. Las viviendas se presentan agrupadas, de una planta con muros de adobe para aprovechar su inercia térmica. Las cubiertas son planas, las fachadas tienen cornisas o rodapiés, las ventanas tienen celosías de madera.
- Región Norte: incluye Chihuahua, Coahuila, Nuevo León, Durango y Zacatecas. Es zona de altas temperaturas subtropicales, aislada de vientos húmedos, con zonas áridas, régimen variable y un máximo de temperatura. Son viviendas de una planta hechas con adobe. La cubierta es plana con pocos huecos de pequeñas dimensiones.

Además de relacionarse directamente con el ambiente que la rodea a través del clima, el lugar y los materiales, las tipologías de la arquitectura vernácula se conservan debido a que se toman como una tradición, en donde la trasmisión del conocimiento se da de constructor a constructor. Dado que el ocupante de la vivienda es a la vez su diseñador y constructor, ésta se adapta a sus necesidades sin intereses estéticos conscientes, además es una arquitectura de forma abierta, puesto que acepta añadidos. Por ello, representa un ejemplo claro de autoconstrucción exitosa cuando se tiene el conocimiento pertinente.

Con la arquitectura vernácula finaliza tanto la descripción del diseño bioclimático como la de los cinco elementos del atributo de sustentabilidad. A continuación se abordará el segundo atributo de la vivienda, que tiene que ver con sus características básicas, para lograr que sea habitable y funcional.

HABITABILIDAD Y FUNCIONALIDAD DE LA VIVIENDA

Ya se ha mencionado que la vivienda contiene en sí misma muchas más implicaciones para sus habitantes que sólo la de ser un lugar para vivir. Ha de cumplir con las necesidades del usuario en términos físicos, psicológicos, sociales y ambientales. Es por ello que el programa Hábitat de la ONU menciona que la vivienda adecuada debe ser saludable, segura, accesible y asequible, con los servicios básicos. Para lograr esto, una vivienda debe tener las siguientes características: privacidad, espacios adecuados, accesibilidad física, seguridad y seguridad de propiedad, estabilidad y durabilidad estructural, iluminación, calefacción y/o ventilación, incluir la infraestructura de servicios básica (agua potable, servicios sanitarios, disposición de residuos), considerando la calidad ambiental en relación con la salud; así como la ubicación respecto al trabajo y otras actividades (Habitat II, 2003). Cada una de estas características, a su vez, considera determinadas propiedades esenciales para la calidad de vida de los usuarios de la vivienda y se describen a continuación.

Privacidad

La privacidad de la vivienda está relacionada con el grado de interacción entre sus habitantes dentro de los espacios, catalogando éstos en sociales, privados y de servicio (Fonseca, 1991). La disposición de estos espacios además de ser una respuesta funcional es un reflejo de la interacción social de sus habitantes, presente en casi todas las culturas (Moore, 1976). Es decir, que la privacidad de una vivienda está relacionada con la manera en que funcionan los espacios dentro de la vivienda misma, respondiendo a las actividades que se realizan de manera grupal o individual; generando así diferentes zonas que se muestran en la figura 1.10 y se describen a continuación:

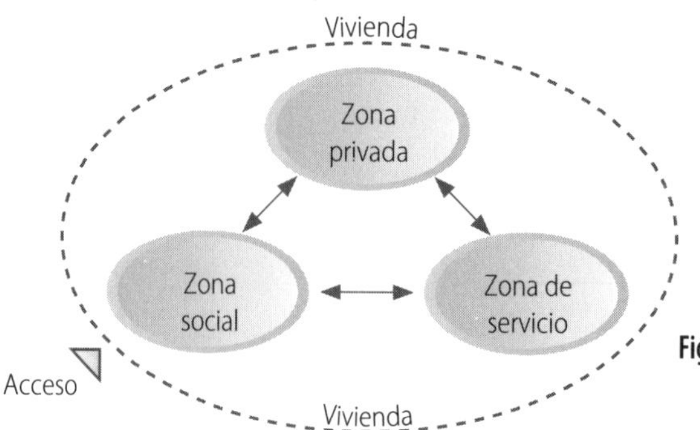

Figura 1.10. Zonas en la vivienda en relación con su grado de privacidad. (Elaboración del autor, Fonseca, 1991.)

- Zona social: en ella se encuentran los espacios de menor privacidad. Es la zona destinada para recibir a las personas ajenas a la casa, además de contener los espacios de interacción familiar. En esta zona se localizan estancia, comedor, cuarto de estudio, cuarto de televisión, terrazas, salas de juego, etc. En éstos espacios se realizan actividades de convivencia, estar, lectura, descanso y comida; por lo que deben estar ubicados en relación directa con espacios exteriores (jardines, accesos) y la cocina.

- Zona privada: contiene los espacios de mayor intimidad en la casa. Suelen ser áreas especialmente destinadas a miembros específicos de la familia, como las recámaras o salas y terrazas familiares. Además de la privacidad, son espacios que requieren tener relación directa con los baños y una transición hacia la zona social.
- Zonas de servicio: son los espacios auxiliares en donde se realizan tareas específicas como aseo, evacuación, almacenamiento, trabajo doméstico, lavado, planchado, e incluyen también los espacios de circulación y el estacionamiento o cochera. Por su naturaleza, deben estar conectados con las áreas sociales, y en casos específicos de baños, clósets y algunas circulaciones, con la zona privada de la casa.

La configuración de una vivienda surge de la forma en que estas zonas son distribuidas. La manera en que se conectan unas zonas con otras responde a las costumbres del usuario, y a cómo espera realizar las diferentes actividades de su vida diaria dentro de la vivienda. Entonces, cada uno de los espacios contenidos en las diferentes zonas de la vivienda debe cumplir con ciertas características para poder realizar dichas actividades; relacionándose éstas con los espacios adecuados.

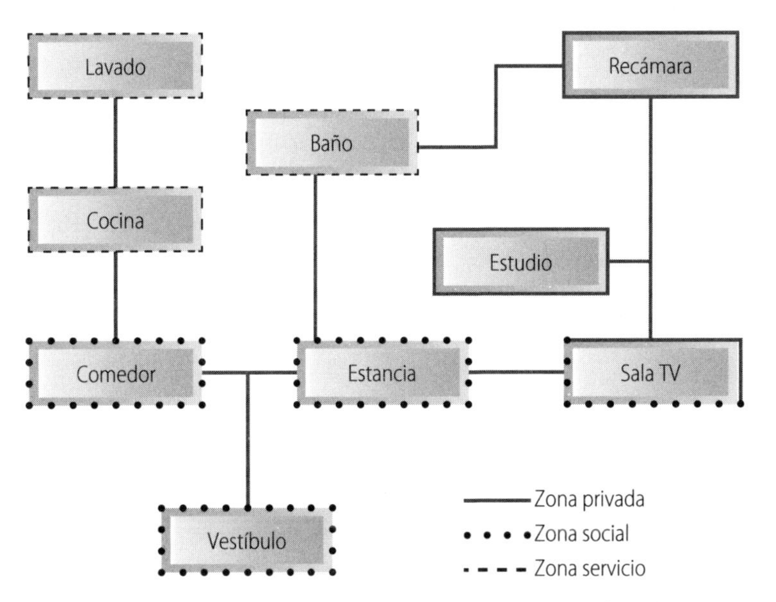

Figura 1.11. Relación entre espacios de la vivienda. (Elaboración del autor.) (Ulsamer Puiggari, 1976.)

Espacios adecuados

Los espacios adecuados dentro de una vivienda están relacionados con su grado de comodidad. Dicha comodidad representa un espacio que es agradable para vivirlo, pues cuenta con condiciones y características que satisfacen a su usuario. Es por ello que la comodidad depende de diferentes factores, entre los que se encuentran los siguientes:

Dimensiones de los espacios

Para cada actividad, el ser humano necesita áreas determinadas en las que pueda moverse con libertad, y en donde pueda realizar cómodamente sus actividades. Estas áreas, en consecuencia, responden a las dimensiones del ser humano, ya sea que éste se encuentre en movimiento o estático. Además, para cada actividad el ser humano emplea enseres o utensilios entre los que se encuentran los muebles, los cuales también habrán de influir directamente en el tamaño de una habitación. Con la consideración de estos dos factores se establecen dimensiones recomendables para que puedan realizarse con facilidad las actividades para las que están diseñados. Estas recomendaciones se presentan en la figura 1.12 (Fonseca, 1991).

Es importante hacer notar que los espacios anteriormente listados son representativos de las distintas actividades que pueden realizarse en una vivienda. El programa arquitectónico varía de acuerdo con cada familia y, por tanto, la selección de los espacios por incluir, así como sus dimensiones, debe corresponder a dicho programa.

Por otro lado, las dimensiones establecidas en la figura 1.12 muchas veces no corresponden a la disponibilidad real de superficie en el terreno donde se construirá la vivienda. Por ello, los espacios se hacen más pequeños y de ahí la necesidad de establecer dimensiones mínimas, para evitar que los espacios disminuyan tanto que no lleguen a ser funcionales. Existen ya espacios mínimos establecidos; a continuación se presenta la tabla 1.1, con una comparativa entre aquellas dimensiones publicadas en el *Código de edificación de vivienda* (CEV) (Conavi, 2007), el *Reglamento de construcciones del Distrito Federal* (RCDF) (GDF, 2008), y las medidas recomendadas en la figura 1.12. Posteriormente, con base en una distribución básica de espacios y en esta comparativa se seleccionaron y/o establecieron medidas mínimas que serán las recomendadas en el manual.

Ambiente del espacio

El ambiente de cada uno de los espacios tiene implicaciones psicológicas. Es conveniente buscar que los espacios reduzcan o eviten el estrés de sus usuarios. Esto se logra con entornos que no sean opresivos: en donde no se pierda el contacto con los ciclos naturales. Es decir, en donde se pueda apreciar la luz de día, la radiación solar, la oscuridad en la noche, etc. Se debe favorecer la creación de entornos en donde exista interacción entre la luz y el espacio, con vegetación y condiciones naturales en general. De esta manera se crean ambientes estimulantes y equilibrados buenos para vivir.

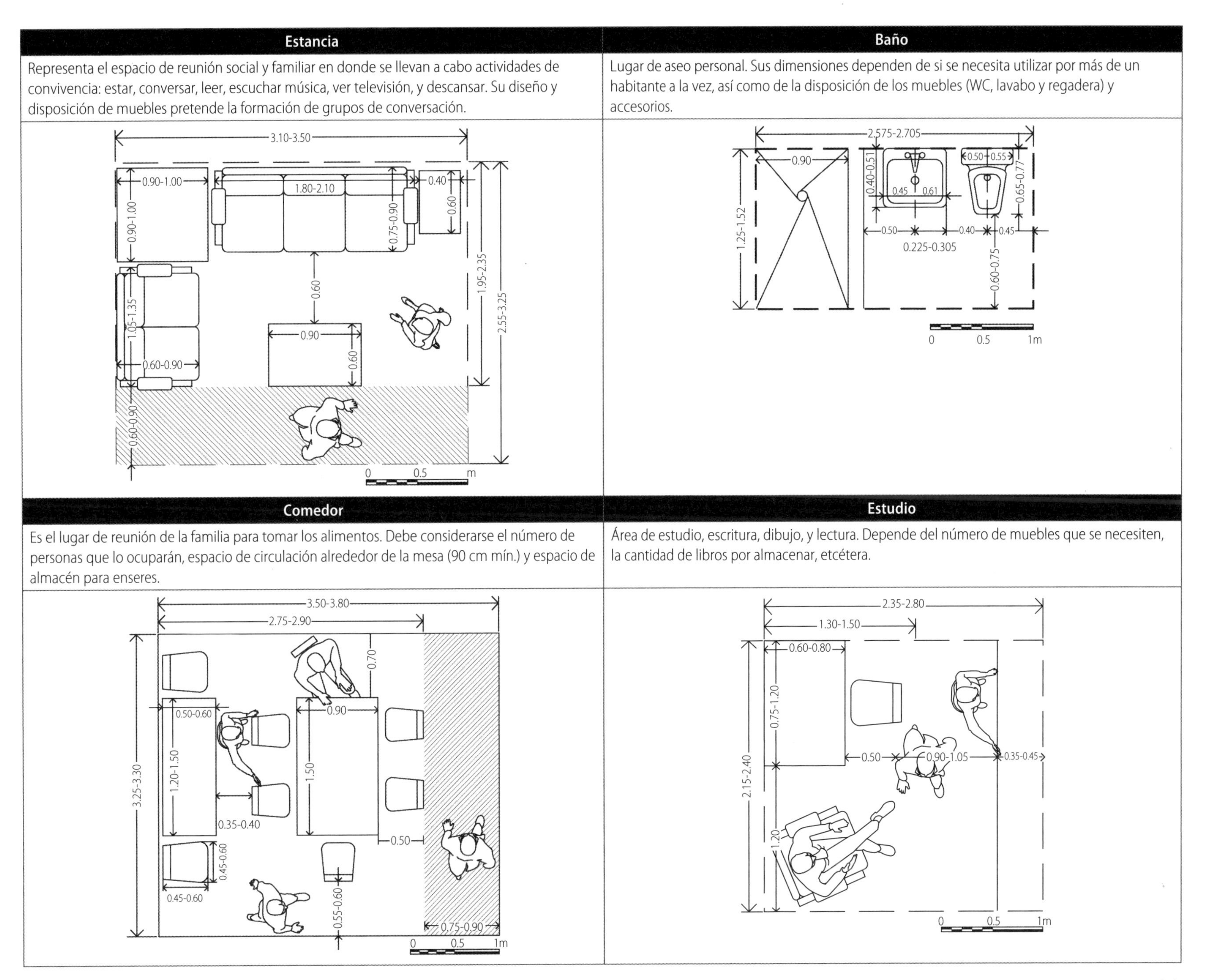

Estancia

Representa el espacio de reunión social y familiar en donde se llevan a cabo actividades de convivencia: estar, conversar, leer, escuchar música, ver televisión, y descansar. Su diseño y disposición de muebles pretende la formación de grupos de conversación.

Baño

Lugar de aseo personal. Sus dimensiones dependen de si se necesita utilizar por más de un habitante a la vez, así como de la disposición de los muebles (WC, lavabo y regadera) y accesorios.

Comedor

Es el lugar de reunión de la familia para tomar los alimentos. Debe considerarse el número de personas que lo ocuparán, espacio de circulación alrededor de la mesa (90 cm mín.) y espacio de almacén para enseres.

Estudio

Área de estudio, escritura, dibujo, y lectura. Depende del número de muebles que se necesiten, la cantidad de libros por almacenar, etcétera.

Figura 1.12. Dimensiones mínimas de los espacios de la vivienda.

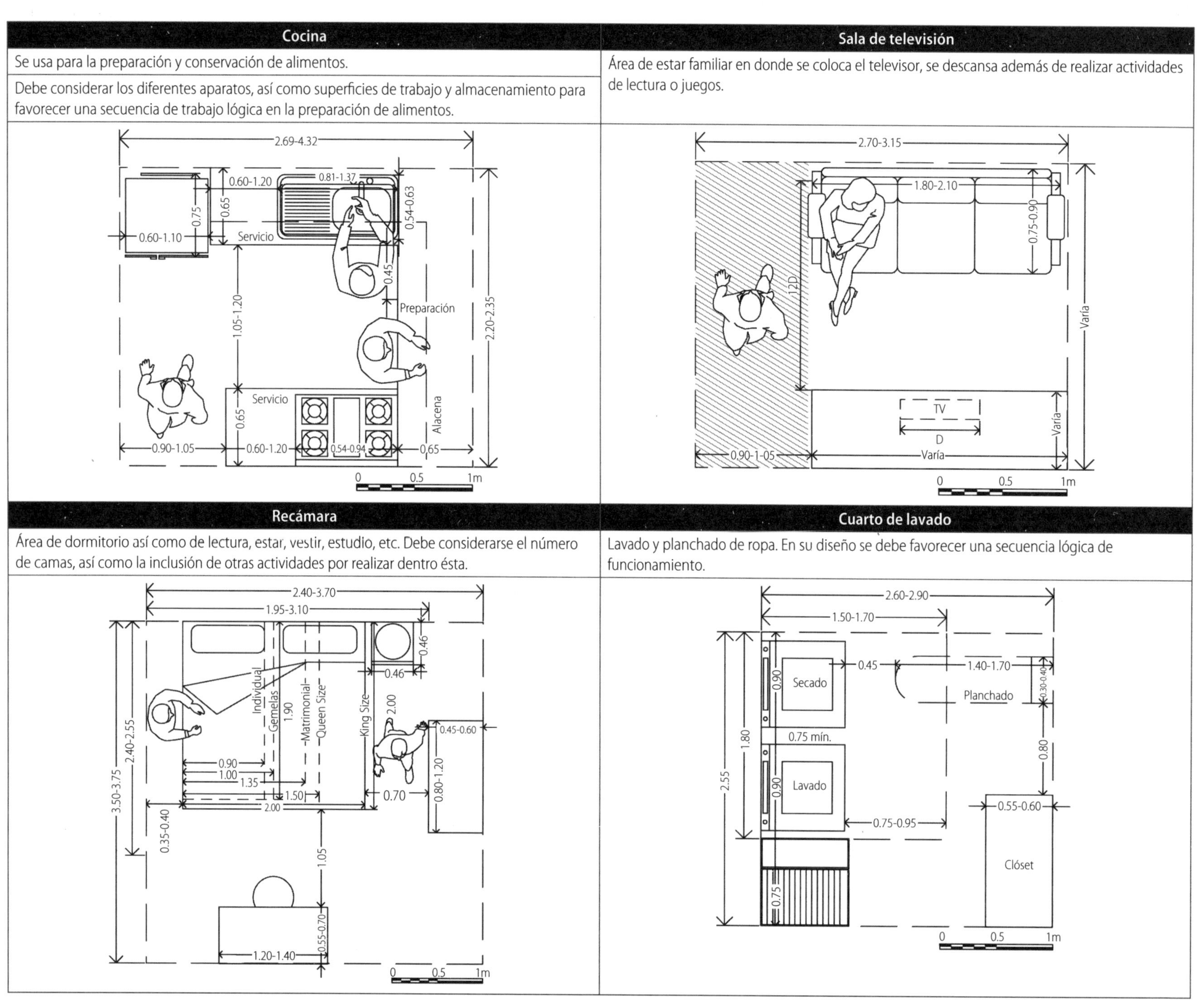

Figura 1.12. *(Continuación.)*

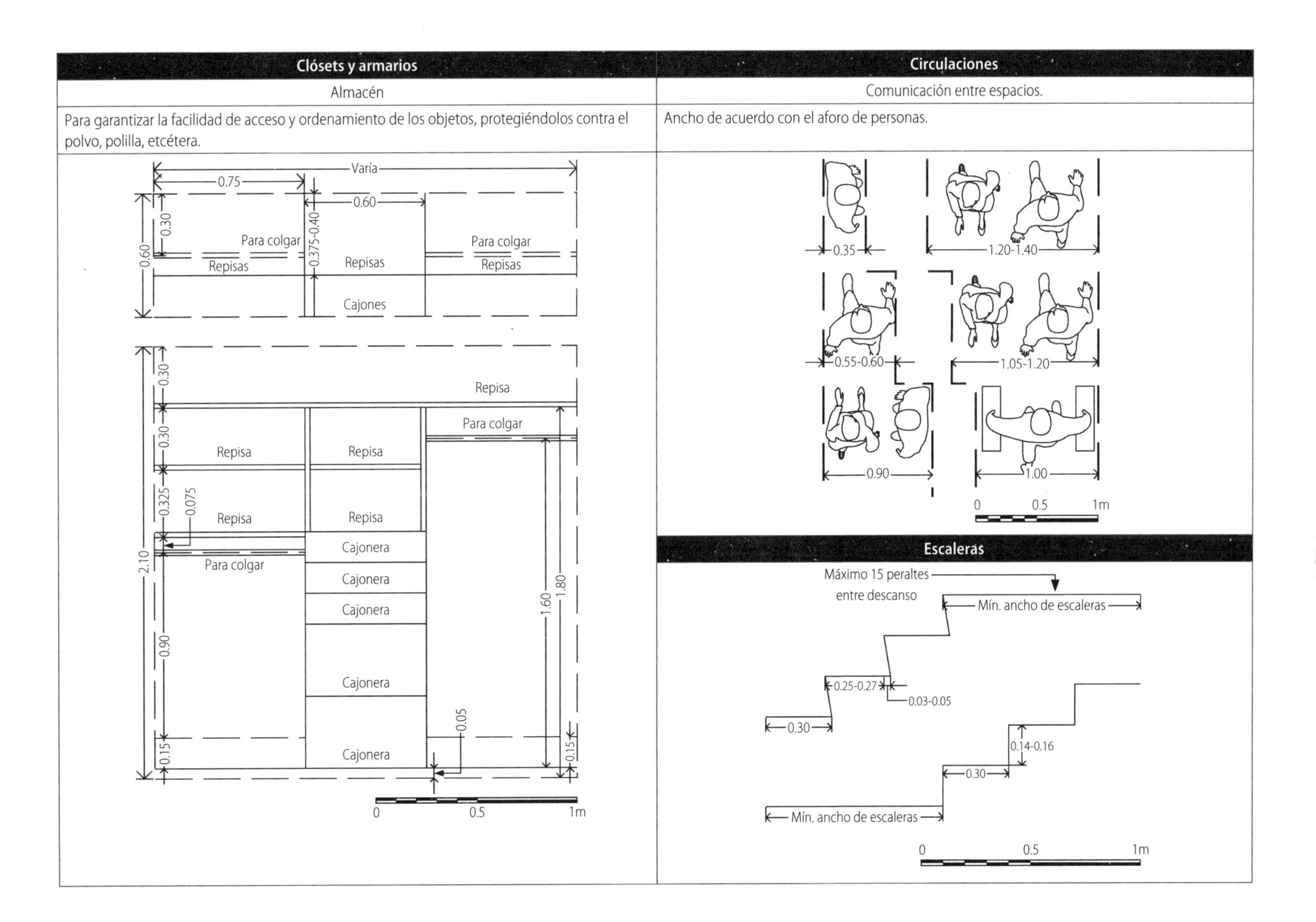
Clósets y armarios
Almacén
Para garantizar la facilidad de acceso y ordenamiento de los objetos, protegiéndolos contra el polvo, polilla, etcétera.
Varía
0.75
0.60
0.30
0.60
0.375-0.40
Para colgar
Repisas
Para colgar
Repisas
Cajones
0.30
Repisa
0.30
Para colgar
Repisa
Repisa
0.325
0.075
Repisa
Repisa
Cajonera
Para colgar
Cajonera
2.10
Cajonera
1.80
1.60
0.90
Cajonera
0.05
0.15
Cajonera
0.15
0
0.5
1m
Circulaciones
Comunicación entre espacios.
Ancho de acuerdo con el aforo de personas.
0.35
1.20-1.40
0.55-0.60
1.05-1.20
0.90
1.00
0
0.5
1m
Escaleras
Máximo 15 peraltes entre descanso
Mín. ancho de escaleras
0.25-0.27
0.03-0.05
0.30
0.14-0.16
0.30
Mín. ancho de escaleras
0
0.5
1m

Tabla 1.1. Comparativa de dimensiones recomendadas de los espacios de la vivienda.

Espacio		*CEV*	*RCDF*	*Fonseca*	*Mínimos recomendados*
Estancia o sala	Área mínima	7.29	7.30	7.91	7.30
	Lado corto	2.70	2.60	2.55	2.60
	Lado largo	2.70	2.81	3.10	2.80
Comedor	Área mínima	7.29	6.30	11.38	8.40
	Lado corto	2.70	2.40	3.50	2.85
	Lado largo	2.70	2.63	3.25	2.95
Recámara	Área mínima	7.29	7.00	8.40	7.00
	Lado corto	2.70	2.40	2.40	2.40
	Lado largo	2.70	2.92	3.50	2.90
Alcoba u otros espacios habitables	Área mínima	4.59	6.00	-	6.00
	Lado corto	1.70	2.20	-	2.20
	Lado largo	2.70	2.73	-	2.70
Cocina	Área mínima	3.75	3.00	4.70	4.70
	Lado corto	1.50	1.50	1.95	1.94
	Lado largo	2.50	2.00	2.40	2.40
Baño	Área mínima	2.53	-	2.75	2.75
	Lado corto	1.10	-	1.25	1.25
	Lado largo	2.30	-	-	2.20
Lavandería	Área mínima	2.88	1.68	1.96	2.31
	Lado corto	1.60	1.40	1.40	1.40
	Lado largo	1.80	1.20	1.40	1.65
Estancia-comedor	Área mínima	14.31	13.00	17.23	15.53
	Lado corto	2.70	2.60	3.25	2.85
	Lado largo	5.30	5.00	5.30	5.45
Altura		2.40	2.30	-	2.40

FUENTE: Conafovi, 2007.

Otro factor importante para que los ambientes sean agradables es la capacidad del usuario para controlarlos. Esto se logra al permitir que las personas que lo habitan tengan la libertad de abrir las ventanas para permitir el paso del aire o, cerrar las persianas para controlar la luz, para adecuar el espacio a sus necesidades específicas con facilidad. Además, se logra a la vez comodidad psicológica, pues las personas se sienten mejor en espacios que ofrecen una respuesta a sus necesidades.

En la primera sección de este capítulo se mencionaron otros elementos de la vivienda incluyendo la relación de los materiales y acabados con la comodidad así como iluminación, calefacción y/o ventilación y la calidad ambiental en relación con la salud. Como ya se mencionó, el control de estas condiciones de acuerdo con el clima de cada lugar significa lograr la comodidad en un espacio. Ello puede alcanzarse por medios mecánicos, pero siempre que sea posible se debe favorecer el uso de sistemas naturales o pasivos.

Accesibilidad física

La accesibilidad física es garantizar que los espacios estén libres de objetos que representen algún tipo de obstáculo para cualquier usuario. Permite que los espacios sean aptos para todas las personas, sin importar sus discapacidades físicas, psíquicas y/o sensoriales. Aun cuando se pueden hacer adaptaciones después de la construcción, diseñar con criterios de accesibilidad permite que esas soluciones pasen desapercibidas al integrarse al espacio.

De acuerdo con la Comisión para la Arquitectura y el Entorno Construido del Reino Unido, un entorno accesible debe tener las siguientes características:

- Que sea inclusivo para que todas las personas puedan utilizarlo de manera segura, fácil y con dignidad.
- Que responda a las necesidades y deseos de las personas que lo utilizan.
- Que sea flexible para ser usado en diferentes formas por diversas personas.
- Que sea conveniente y utilizado sin hacer demasiado esfuerzo.
- Que sea para todas las personas sin importar su edad, género, movilidad, etnia o circunstancia social.
- Que no tenga algún tipo de barreras que puedan excluir a alguna persona.
- Que ofrezca soluciones realistas, reconociendo que no es posible que una solución funcione para todos.

La accesibilidad física en una vivienda es entonces la condición que permite que se pueda entrar y salir de manera cómoda y segura para todos sus ocupantes, sin importar su edad o nivel de habilidad o inhabilidad. Para que esto suceda, se deben de evitar las siguientes dificultades en el entorno de la vivienda (Consejería de Fomento, 2004):

Figura 1.13. Diferentes tipos de discapacidad. (Rovira-Beleta, 2007. Elaboración del autor.)

- De maniobra: involucra la capacidad de acceso y movimiento en diferentes espacios, en donde no se pueda girar o tener acceso a algún área por no ser posible el desplazamiento. Esta dificultad es de especial importancia cuando se trata de usuarios en sillas de ruedas.
- De desniveles: es la dificultad de subir o bajar de nivel, o simplemente de superar un obstáculo cuando se sigue una trayectoria horizontal.
- De alcance: la posibilidad de poder tomar objetos como libros, apagadores y ventanas, pero también de percibirlos, como cuadros o esculturas en museos o la vía pública.
- De control: cuando no se pueden realizar movimientos precisos, impidiendo girar chapas, llaves de agua, etc., o incluso mantener determinadas posturas.
- De percepción: cuando no es posible recibir o asimilar mensajes u objetos en el camino.

Las necesidades de accesibilidad en una vivienda son resultado de prevenir o evitar que aparezcan estas dificultades. Esto se relaciona con las dimensiones de los espacios, así como con el uso de materiales, la relación entre los espacios y su adaptabilidad a las condiciones físicas de los usuarios en el tiempo. Por ejemplo, una persona en silla de ruedas deberá poder acceder a las áreas esenciales de la vivienda por sí misma. Es por ello que la Comisión Nacional de Fomento a la Vivienda (Conafovi) establece dos formas en que la vivienda puede incluir criterios de accesibilidad en su diseño. La primera es adaptabilidad, es decir, que existan consideraciones en el diseño para adecuaciones en el futuro; y la segunda, accesibilidad, que incluya los criterios de diseño desde un inicio. En ambos casos la vivienda requiere ubicarse en planta baja, o al menos considerar áreas que puedan convertirse en baño y recámara en la planta en donde se encuentran los accesos y el patio de servicio. Además, también puede proveerse el acceso a otros niveles de la casa mediante rampas o elevadores. Para las viviendas adaptables y accesibles se recomienda el cumplimiento de los criterios listados en el cuadro 1.1.

Seguridad

Este atributo tiene que ver con condiciones físicas y psicológicas de los usuarios y cómo éstas se interrelacionan para lograr una vivienda adecuada. El aspecto psicológico aparece en primera instancia a nivel individual, pues la vivienda es un elemento creado para la protección del ser humano contra elementos del exterior que representen algún tipo de riesgo. Pero la seguridad tiene que ver también con la relación de los individuos respecto a su comunidad. En este sentido la vivienda desempeña un papel primordial.

Figura 1.14. Comunidad y condiciones de seguridad. (Cooper Marcus y Sarkissian, 1986. Elaboración del autor.)

De acuerdo con Gregory Saville (2007), asociado de AlterNation, firma dedicada a la consultoría para lograr ciudades más seguras, el crimen en los vecindarios refleja problemas específicos de un lugar, que se relacionan directamente con sus habitantes. Por lo que en ellos está la capacidad para lograr que un lugar se vuelva seguro. Como se muestra en la figura 1.14 una vivienda segura permite vigilar los espacios a su alrededor, espacios que a su vez son utilizados por sus propietarios al sentirlos seguros y, por tanto, son mantenidos en buen estado para continuar aprovechándolos. Arquitectónicamente, se puede contribuir a que un ambiente se vuelva más seguro si se toma en cuenta lo siguiente:

- Territorialidad: las personas deben saber que tienen control sobre el espacio que les rodea. Implica una sensación de pertenencia, y es de vital importancia en las áreas públicas de las comunidades, en donde las zonas abiertas permiten la interacción entre los vecinos provocando que ellos se apropien de estos espacios.
- Control del acceso: deben establecerse claramente los límites entre las áreas públicas y las áreas privadas, que son espacios diseñados para personas específicas. El control del acceso no debe confundirse con la exclusión o volverse exagerado, restringiendo el acceso a espacios públicos que de otra forma la comunidad utilizaría.
- Imagen y mantenimiento: los lugares que son cuidados y mantenidos en buen estado, además de ofrecer la sensación de mayor seguridad, llevan implícito el cuidado que los residentes les procuran, lo que a su vez les genera una sensación de pertenencia, y por tanto, el control sobre dichos espacios. Esto se puede facilitar si en el diseño se considera el uso de materiales de fácil mantenimiento y durabilidad.

Cuadro 1.1. Criterios de accesibilidad para diseño y construcción de una vivienda.

Tipo de vivienda		*Criterio*	*Espacio*
Adaptable	*Accesible*		
■	■	Ubicación: en la planta baja, o considerar la posibilidad de contar con un área en planta baja que pueda ser adecuada como baño, que permita la aproximación y uso desde una silla de ruedas	Baño
■	■	Regadera: el área debe estar con un cambio de nivel en la charola de 2 cm en vez de sardinel, pendiente hacia la rejilla de captación y piso antiderrapante. Con preparación para la instalación de accesorio tipo teléfono	
■	■	Lavabo: manerales tipo palanca, con preparación para adecuarse a 75 cm de altura	
■	■	Espejo de sobreponer	
■	■	Contar con un muro no estructural para ser modificado	
■	■	Tarja: con manerales tipo palanca y preparaciones para adecuar el nivel a 75 cm de altura	Cocina
■	■	Ubicación: lo más próximo al acceso general y al baño. Puede ser un área que pueda ser adaptada	Habitación
■	■	Ancho mínimo de 90 cm libre de mobiliario, lámparas o cualquier obstáculo, se recomienda un ancho de 1.20 m	Pasillos
	■	Proporcionar el espacio útil de maniobra de un giro completo (diámetro de 1.5 m) en cocina, baño y recámara	
■	■	Acceso: ancho mínimo de 90 cm	Puertas
■	■	Interiores: ancho mínimo libre de 80 cm	
	■	Manijas: de palanca, instaladas a 90 cm al centro	
	■	Pueden ser de apertura exterior o corredizas en baños y recámaras	
	■	Distancia mínima a cualquier parámetro, esquina de muro, de 50 cm	Contactos, timbres y apagadores
	■	Altura: de contactos, mínimo 40 cm, máximo 120 cm; de timbres y apagadores entre 90 y 120 cm	
	■	De ser necesario, instalar un timbre lumínico	
	■	Los cambios de nivel deberán ser salvados con rampas cuya pendiente indique el reglamento de construcciones local	Desniveles
	■	Realizar un cambio de textura en pisos en la banqueta que indique el acceso de la vivienda para personas con discapacidad visual	Entradas
	■	Dimensiones mínimas de cajón: 5.00 × 3.80 m, para abatir completamente las puertas del vehículo	Estacionamiento
	■	Superficie con acabado de material antiderrapante	Pisos
	■	Abatibles o corredizas a 90 cm de altura, sistema de apertura entre 90 y 120 cm	Ventanas

No se requiere □ Se requiere ■

Fuente: Conafovi, 2003.

- Vigilancia: el diseño de los espacios públicos debe permitir que éstos sean vigilados. Un espacio que se encuentra alejado del público puede representar un área peligrosa, mientras que un área que puede ser vigilada es un área donde la interacción social sucede con seguridad. El significado de un espacio puede cambiar de acuerdo con su configuración, en donde un espacio abierto implica que es de fácil acceso para todos, y un lugar excluido es abandonado.
- Usos de suelo mixtos: los usos de suelo dentro de una zona deben ser complementarios, de esta forma se generan redes de calles, garantizando la conectividad en las zonas urbanas de comercios, escuelas, oficinas, centros de salud y otros equipamientos. La vivienda debe ser parte de este sistema.

Como consecuencia, es recomendable que las viviendas tengan una distribución que favorezcan la ubicación de la cocina al frente. Siendo éste uno de los espacios más utilizados de la vivienda; permite establecer un control visual respecto al exterior al mismo tiempo que se presta a una interacción mayor entre las personas en la vivienda y aquellas en la calle. Este atributo también implica una fuerte relación con los espacios exteriores propios de la vivienda. Estas áreas, si están bien desarrolladas, pueden ser utilizadas como una zona de transición y convivencia con la calle, a la vez que ofrecen un mejor aspecto a la vivienda.

Por otro lado, la seguridad también está relacionada con la tenencia de la vivienda, ya que es el principal patrimonio de la mayoría de las familias, por lo que su tenencia legal provee seguridad respecto a la situación económica. Este aspecto está ligado con la necesidad de apropiarse de un espacio, por lo que la vivienda como propiedad ofrece la sensación de estabilidad para sus habitantes.

Asimismo, la seguridad se da en función de ciertos aspectos físicos de la vivienda que se relacionan con otros atributos del concepto de vivienda adecuada. Está ligada tanto a los materiales y su mantenimiento para garantizar la salud y el bienestar físico de los usuarios, como a la calidad de la construcción, lo cual se establece en el siguiente atributo: estabilidad y durabilidad estructural.

Estabilidad y durabilidad estructural

La estructura de la vivienda debe ser estable y durable para proveer de seguridad a sus usuarios, sobre todo considerando que las viviendas, como toda edificación, son utilizadas por periodos muy largos. Una estructura debe estar preparada para no presentar fallas y tener un comportamiento estructural aceptable en la operación normal del edificio. En su diseño, se deben considerar las acciones que puedan dañarla, como viento, sismos, cambios a futuro en la vivienda, tiempo, siempre teniendo en cuenta las condiciones más desfavorables posibles. También se debe evitar rebasar el estado límite de servicio, es decir, que la estructura pueda soportar todas las condiciones a las que se habrá de enfrentar en el uso diario. Debe estar diseñada para sostenerse a sí misma, las cargas de los materiales y objetos que ocupan una posición permanente en el edificio, así como las fuerzas o presiones que se producen por el uso y ocupación del edificio y que se presentan a lo largo de su vida útil.

Es importante también tener en cuenta que la estructura de un edificio comienza desde su cimentación, la cual es el soporte de la construcción sobre el suelo que se desplanta. Por ello, es necesario saber qué tipo de suelo es el que se tiene, evitando que una edificación quede cimentada sobre tierra vegetal, suelos o rellenos sueltos o desechos, y procurando que se cimente sobre terreno natural con las características adecuadas o rellenos artificiales libres de materiales degradables y que hayan sido compactados adecuadamente. Para ello, es necesaria una adecuada selección del terreno sobre el que se desplantará la vivienda, evitando zonas no urbanizables, como son: lechos de ríos, suelos en zonas inestables, cañadas, zonas inundables por pendientes menores a 2 %, o zonas con pendientes mayores a 45 %, pues son muy pronunciadas.

En general, la cimentación debe responder a las fuerzas y deformaciones propias del edificio y la resistencia y deformaciones máximas del subsuelo. Ésta debe estar diseñada y calculada después de realizar un estudio de suelo para determinar su resistencia. Además, la seguridad y durabilidad estructural dependen de la correcta selección de materiales y sistemas constructivos, para que su calidad permita un comportamiento adecuado a lo largo de su vida útil. Como se muestra en la figura 1.15, cada etapa del proceso constructivo requiere determinados materiales y procedimientos. Por ello es importante que los materiales cumplan con las especificaciones y que su selección vaya de acuerdo con los sistemas constructivos utilizados. Se busca que éstos se mantengan en buen estado desde antes de la construcción, para evitar su deterioro y/o contaminación que pudiera afectar el desempeño de la estructura.

Figura 1.15. Síntesis de proceso constructivo incluyendo cimentación, estructura y acabados de la vivienda. (Aguilar M., 1994) Elaboración del autor.)

Infraestructura básica

Una vivienda debe contar con cierta infraestructura para garantizar las condiciones de habitabilidad e higiene. Dicha infraestructura incluye las instalaciones de la vivienda misma, como la hidrosanitaria, la eléctrica y la de gas, así como servicios colectivos que se relacionan con el contexto urbano, como recolección de basura, calles pavimentadas, alumbrado público, etcétera.

Es importante la planeación de las instalaciones de la vivienda antes de iniciar su construcción para garantizar un desempeño adecuado. Para integrar de manera coherente las instalaciones, se debe considerar la ubicación de los espacios de la vivienda que las requieren, así como la ubicación de los elementos estructurales. Es recomendable prever que se puedan tener requerimientos espaciales específicos para alguna instalación. La adecuada planeación también permite una organización lógica de las diferentes instalaciones que resulta en el uso más racional de los recursos, pudiendo acortar los recorridos de las instalaciones y propiciar las condiciones adecuadas para el funcionamiento de cada instalación. Esto trae como resultado ahorro energético y económico, tanto en la instalación como en el uso y mantenimiento de éstos servicios.

A continuación se describen las características generales de las principales instalaciones de una vivienda.

Instalaciones eléctricas

Las instalaciones eléctricas tienen como propósito proveer la energía necesaria para el funcionamiento de diferentes aparatos y sobre todo para proporcionar luz artificial a los espacios de una vivienda. Esto se realiza siguiendo el principio de un circuito eléctrico, constituido por una fuente de voltaje o alimentación, conductores que alimentan la carga y dispositivos de control o apagadores. De este concepto básico se derivan el resto de los componentes de una instalación eléctrica que son los siguientes:

- Conductores: éstos proveen las trayectorias de circulación de la corriente eléctrica. Son los alambres forrados con material aislante. Su calibre depende de la temperatura máxima que resisten, así como la caída de tensión y los esfuerzos en caso de un corto circuito. Existen cordones y cables flexibles de dos o más conductores utilizados para la alimentación de aparatos domésticos, lámparas, sistemas de aire acondicionado y para instalaciones eléctricas visibles en lugares secos. Para la vivienda los conductores recomendados son los de calibre 12.
- Tubo conduit: son tubos de metal o plástico utilizados para contener y proteger los conductores eléctricos. Pueden ser de aluminio, acero o aleaciones especiales. La selección del material depende del tipo de instalación y de si ésta está expuesta a la intemperie o agentes químicos, etcétera.
- Cajas y accesorios para canalización: en ellas se realizan las conexiones o uniones entre conductores, instalándose en lugares accesibles para hacer cambios. Además, también se utilizan para los apagadores, contactos y salidas para lámparas.
- Apagadores: son interruptores utilizados para controlar aparatos y unidades de alumbrado, cuando no exceden de 600 volts. Los apagadores deben instalarse de manera que puedan ser operados manualmente, por lo que deben colocarse entre 1.2 y 1.35 m sobre el nivel del piso terminado.
- Contactos: éstos se utilizan para conectar dispositivos portátiles como lámparas, herramientas, radios, lavadoras, etc. Deben ser de una capacidad no menor de 15 A para 125 V y 10 A para 250 V. Se localizan de 0.7 a 0.8 m sobre el nivel de piso.

- Dispositivos para protección contra sobrecorrientes: éstos garantizan que la capacidad de conducción de corriente no sea excedida. Una sobrecorriente puede provocar un cortocircuito, en donde las temperaturas se elevan hasta alcanzar el punto de ignición de los aislamientos o materiales cercanos flamables. La protección contra sobrecorrientes sirve para evitar esto, mediante fusibles e interruptores termomagnéticos, que desconectan el circuito bajo determinadas circunstancias, evitando el cortocircuito.

Mediante estos mecanismos se deben proveer los componentes básicos de una vivienda. El número y tipo de circuitos necesarios para la iluminación, calefacción y fuerza motriz, depende de los puntos de consumo de la demanda, las cargas probables en los diferentes circuitos, y los requisitos de determinadas instalaciones (bombas de agua, aparatos eléctricos, etc.). Todos los equipos eléctricos deben tener el espacio suficiente para realizar la instalación inicial y poder ser remplazados, reparados, inspeccionados, operados, y provistos de mantenimiento posteriormente.

Para el cálculo de la instalación eléctrica se supondrá un promedio de 20 W/m^2 de construcción (Enríquez H., 2008), que permitirá establecer el número de circuitos necesarios con pastillas de 15 y 20 Å, que resisten 1905 y 2540 W respectivamente, y son las más comúnmente utilizadas en instalaciones residenciales sencillas.

Se considerarán como mínimo dos circuitos para poder separar el área de la cocina y lavado en la vivienda, ya que son requerimientos especiales del resto de las áreas. En la tabla 1.2 se presenta el número de circuitos necesarios de acuerdo con el cálculo, agrupando los metros cuadrados en los que se obtuvieron resultados similares.

El criterio de distribución de los circuitos puede hacerse de dos formas, separando en un circuito todos los contactos y en otro las lámparas, o por cada uno de los diferentes espacios. En el caso de la vivienda es más factible la separación por espacios (agrupando la planta alta en uno y la planta baja en otro, por ejemplo) para disminuir la trayectoria de las tuberías y el cableado.

Se recomienda al menos un foco o luminaria por espacio de la vivienda, incluyendo las circulaciones y escaleras y los espacios exteriores. En el caso de los contactos serán dos por espacio de la vivienda, exceptuando la cocina en donde el uso de electrodomésticos es mayor. Para efectos de distribución de los circuitos se considerará el valor de la salida de cada contacto como 100 W; sin embargo, se establecerá en este manual la preferencia por focos compactos fluorescentes por el ahorro de energía que representan.

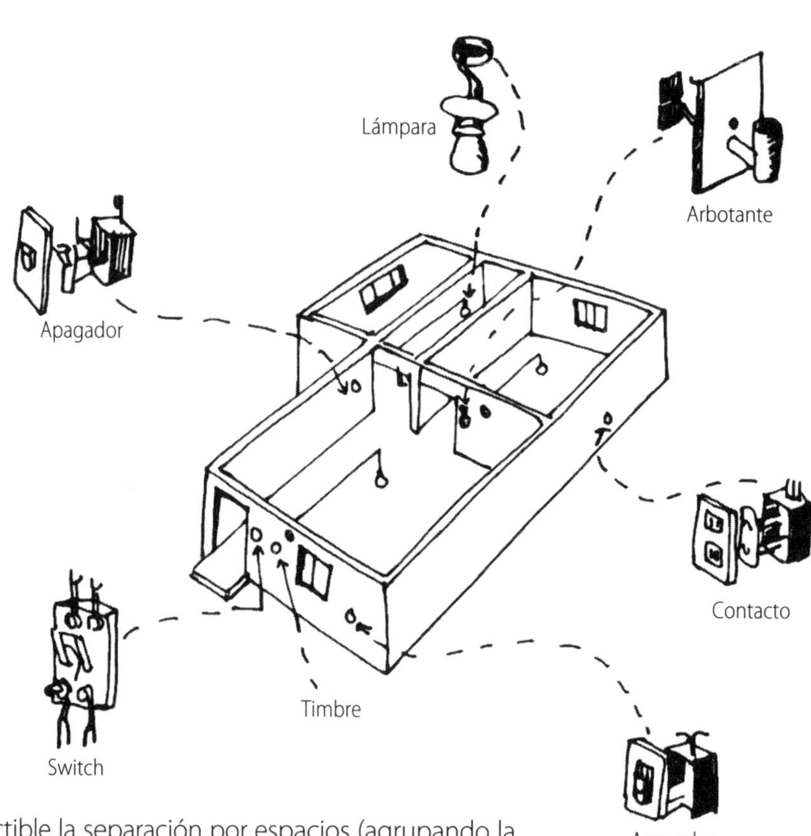

Figura 1.16. Instalación eléctrica: esquema básico. (Enríquez Harper, 2001 y Aguilar M., 1994, adaptado por el autor.)

Tabla 1.2. Número de circuitos necesarios en la vivienda por m² de construcción.

m²	*Número de circuitos*	
	15 Å	20 Å
hasta 95	2	2
95-125	3	2
125-190	3	2
190-250	4	2

FUENTE: Elaboración del autor.

Instalaciones de agua

Tradicionalmente, la instalación hidráulica funciona junto con la sanitaria, conformando el sistema de tuberías, accesorios y aparatos para suministrar agua y para retirar las aguas con desperdicios y desechos que se producen (véase fig. 1.17). Con el fin de ahorrar agua, se recomienda el uso de accesorios ahorradores, y el reúso de las aguas jabonosas para el WC en términos generales, pero se debe considerar que las instalaciones de agua funcionan en conjunto, teniendo cuatro fases: la instalación de agua potable proveniente de la red pública, la instalación de agua jabonosa recolectada para su reúso, la instalación propia para el reúso del agua y finalmente, la instalación sanitaria para aquellos aparatos que producen aguas negras. A continuación se describen estas fases y el criterio utilizado para su cálculo.

En el caso de la vivienda, la instalación hidráulica comprende todos los elementos que se necesitan para proveer agua fría y/o caliente a todos los aparatos sanitarios y servicios de la vivienda. Por ello, incluye tanques elevados, tinacos, cisternas o tanques de almacenamiento, tuberías de descarga, succión y distribución, bombas, válvulas, calentadores de agua, entre los principales.

Las instalaciones hidráulicas requieren materiales resistentes al impacto y a la vibración, por lo que se utiliza el cobre, el fierro galvanizado y el CPVC (*Chlorinated polyvinyl chloride*) o PVC. La tubería de fierro galvanizado se utiliza para la intemperie o en zonas donde pudiera ser golpeada. La tubería de cobre es para instalaciones ocultas o internas es recomendable localizarla al interior de la construcción. La tubería de CPVC puede sustituir a la tubería de cobre siendo más económica y de más fácil instalación.

El sistema de suministro de agua inicia con la conexión a la toma municipal, que debe tener un medidor de consumo y una válvula de paso a cada lado y un grifo o llave de contención para proporcionar un medio de control del servicio. Normalmente se utiliza tubería de 19 mm para este tramo y hasta la cisterna. Para determinar las dimensiones de la cister-

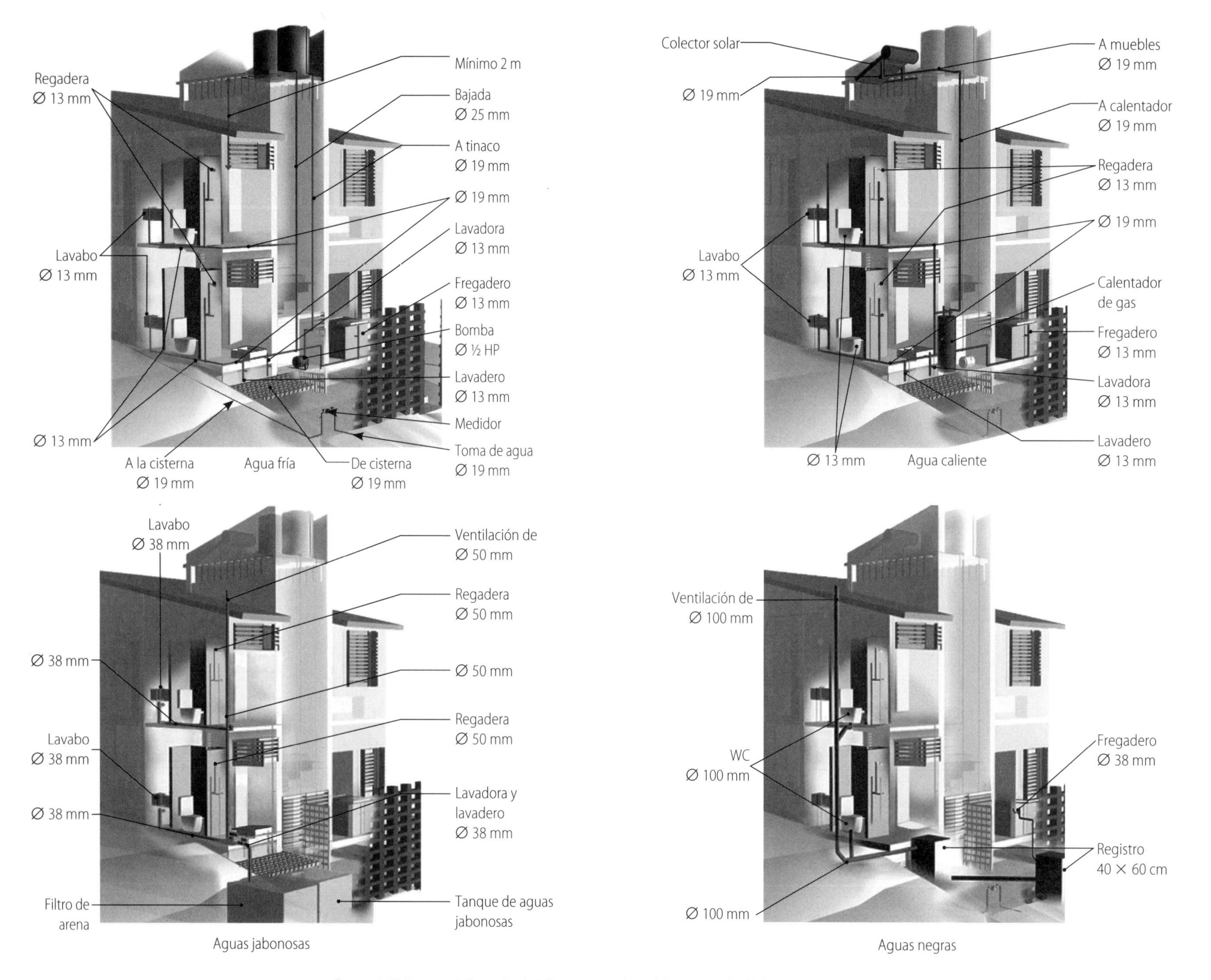

Figura 1.17. Esquema de la instalación hidrosanitaria tradicional de una vivienda. (Elaboración del autor.)

na se utiliza la dotación de 150 litros/persona/día para vivienda (GDF, 2008). El número de personas en la vivienda se estima considerando dos personas por recámara, agregando una persona adicional para casas de hasta tres recámaras. La capacidad de la cisterna considerando 1.5 días de reserva, queda como se muestra en la tabla 1.3.

De la cisterna el agua va hacia el tinaco con una tubería de 19 mm. Para ello el agua se bombea, por lo cual es necesario calcular la potencia necesaria de la bomba (véase tabla 1.4):

Tabla 1.3. Cálculo de dotación diaria requerida en casa habitación, considerando 150 ℓ/persona/día, y capacidad de la cisterna.

			Capacidad	
Recámaras	*Personas*	*Dotación*	ℓ	m^3
1	3	450	675	0.675
2	5	750	1125	1.125
3	7	1050	1575	1.575
4	9	1350	2025	2.025
5	11	1650	2475	2.475
6	13	1950	2925	2.925
7	15	2250	3375	3.375

Tabla 1.4. Potencia de la bomba.

			Gasto medio	**Potencia de la bomba (0.24 × altura total × gasto)**		
Recámaras	*Personas*	*Dotación*	(ℓ/s)	*Un nivel*	*Dos niveles*	*Tres niveles*
1	3	450	0.006	0.01125	0.02835	0.09185
2	5	750	0.010	0.01875	0.04725	0.15309
3	7	1050	0.015	0.02625	0.06615	0.21433
4	9	1350	0.019	0.03375	0.08505	0.27556
5	11	1650	0.023	0.04125	0.10395	0.33680
6	13	1950	0.027	0.04875	0.12285	0.39803
			Altura total	7.5	10.5	13.5
				Bomba de ¼ HP		Bomba de ½ HP
Para las alturas se consideraron las siguientes medidas:						
Un nivel	2 metros de profundidad para la cisterna, 3 m de piso a azotea, 1 m al tinaco y 1.5 m de altura del tinaco = 7.5 m.					
Dos niveles	2 metros de profundidad para la cisterna, 6 m de piso a azotea, 1 m al tinaco y 1.5 m de altura del tinaco = 10.5 m.					
Tres niveles	2 metros de profundidad para la cisterna, 9 m de piso a azotea, 1 m al tinaco y 1.5 m de altura del tinaco = 13.5 m.					

La capacidad del tinaco se calcula tomando en cuenta la dotación de un día y partiendo del hecho de que se reutilizarán las aguas jabonosas para el WC, el consumo de este mueble no se considera dentro del cálculo del tinaco (véase tabla 1.5).

Entonces, para la capacidad del tinaco se consideran 99 ℓ/persona por día, siendo su capacidad la que se muestra en la tabla 1.6.

Tabla 1.5. Dotación diaria de agua necesaria considerando reúso de aguas jabonosas.

Dotación recomendada	150	ℓ/persona/día
Porcentaje de consumo según actividad		
Actividad	%	*Dotación*
WC (incluye fugas)	34	51.00
Reutilizable		
Regadera y lavabo	30	45.00
Lavadora y lavadero	21	31.50
Subtotal	51	76.50
No reutilizable		
Fregadero	3	4.50
Otros	12	18.00
Subtotal	15	22.50
Dotación de agua potable	66	99.00
Agua jabonosa necesaria	34	51.00
Agua jabonosa disponible	51	76.50

Tabla 1.6. Cálculo de la capacidad del tinaco.

		Potable		
			Capacidad	
Recámaras	*Personas*	*Dotación*	ℓ	m^3
1	3	297	445.5	0.4455
2	5	495	742.5	0.7425
3	7	693	1039.5	1.0395
4	9	891	1336.5	1.3365
5	11	1089	1633.5	1.6335
6	13	1287	1930.5	1.9305

A partir de ahí inicia el sistema de distribución de la vivienda, en donde se utiliza un tubo principal (25 mm) que se divide en dos, uno para los ramales que llevan el servicio a diferentes áreas de la vivienda y el otro que se conecta con los calentadores de agua. Se estima utilizar un colector solar de 1.75 m^2 de captación y un termotanque de 150 litros para una familia de cuatro a cinco miembros (Infonavit *et al.*, 2007), a partir del cual el agua se dirige hacia el calentador de gas tipo instantáneo, para agua, con capacidad térmica de 10 kW y con un incremento mínimo de temperatura de 25 °C con una tubería de 19 mm. Para los diferentes ramales, de acuerdo con el método de Hunter-Nielsen (IMSS, 1999), los diámetros son los siguientes:

Tabla 1.7. Diámetros recomendados por tramo de instalación hidráulica.

Posibles combinaciones para los tramos		*UM*	*GASTO*	*Diámetro* (mm)
½ Baño	Lavabo	0.75	0	13
Baño completo	Lavabo + regadera	2.25	0.2	13
Patio de lavado	Lavadero + lavadora	5.25	0.38	19
Baño + cocina	Lavabo + fregadero	2.25	0.2	13
	Baño completo + fregadero	3.75	0.36	13
Baño + cocina + lavado	Lavabo + fregadero + lavado	7.50	0.48	19
	Completo + fregadero + lavado	9.00	0.54	19
1.5 baños		3.00	0.25	13
2 baños		4.50	0.34	13
2.5 baños		5.25	0.38	19
3 baños		6.75	0.45	19
1.5 baños + cocina		4.50	0.34	13
1.5 baños + cocina + lavado		9.75	0.57	19
2 baños + cocina		6.00	0.42	19
2 baños + cocina + lavado		11.25	0.62	19
2.5 baños + cocina		6.75	0.45	19
2.5 baños + cocina + lavado		12.00	0.65	19
3 baños + cocina		8.25	0.51	19
3 baños + cocina + lavado		13.50	0.7	19

Fuente: IMSS, 1999.

Los diámetros de los ramales son los mismos para agua caliente y para agua fría, dado que en esta instalación no se incluye la dotación necesaria para el WC. Los diámetros recomendados para la instalación son de 13 mm.

A lo largo del sistema se colocan válvulas y accesorios para controlar el flujo de agua, con la siguiente localización:

- Una válvula de paso sobre el suministro de agua fría a todos los equipos.
- Una válvula de silicio sobre todos los equipos con agua caliente.
- Válvulas de control para todos los grifos dentro del edificio.
- Válvula de control para WC y el resto de accesorios.

Posteriormente viene la fase de recolección de aguas jabonosas. En ella se incluyen las aguas de lavabos, regaderas, lavadoras y lavaderos, dejando fuera el agua de fregaderos por contener grasas y el agua de WC, siendo éstas, aguas negras. La instalación de aguas jabonosas, al igual que en la de aguas negras, es el conjunto de tuberías de conducción, conexiones, trampas, céspoles y coladeras que se requieren para evacuar y ventilar las aguas de una edificación. La tubería sale de cada aparato retirando las aguas de desperdicio y conectándose a bajadas que posteriormente llevan a un filtro de arena y a un tanque de almacenamiento. Es importante que el sistema esté ventilado mediante chimeneas o ventilas que previenen la presión inversa así como malos olores, que también pueden evitarse mediante sifones o sellos sanitarios.

Estas instalaciones generalmente se hacen con PVC, fierro fundido, cobre o fierro galvanizado cuando se trata de interiores. Al exterior se utilizan tuberías de concreto o barro vitrificado PVC. En su conexión es importante considerar que las tuberías deben instalarse incidiendo con un ángulo de 45° al conectarse a ramales o troncales. Las tuberías verticales deben instalarse a plomo y evitando cambios de dirección innecesarios.

Los diámetros de las tuberías de aguas jabonosas se muestran en la tabla 1.8.

La capacidad del tanque para aguas jabonosas se calcula utilizando el mismo criterio del tinaco de agua potable, calculando 76.5 litros/persona/día (51 % de la dotación diaria total, véase tabla 1.7). De acuerdo con el número de recámaras de la vivienda, la capacidad del tanque se muestra en la tabla 1.9.

Para llevar el agua al WC, se bombea utilizando una bomba más pequeña que la del agua potable. Se puede sustituir por una bomba para caudal constante, con rendimiento de 1 m^3/h a 3 m y con un consumo equivalente al de un foco de 40 W (Ingusa, 2006).

La instalación del agua reutilizable es similar a la del agua potable en cuanto a materiales y diámetros. Por ello, se utilizan tuberías de 13 mm para alimentar cada WC y hasta un par, de 19 mm para tres y 25 mm para cuatro y cinco.

Finalmente, las aguas negras recolectadas provienen del WC y del fregadero. La salida para el fregadero es de 38 mm y para el WC de 100 mm, así que cualquier ramal que conecte ambos aparatos debe ser de este diámetro. Igualmente importante es la distribución de registros en la trayectoria hacia la calle, colocando al menos uno antes de la conexión al drenaje público y otro por cada 10 metros de trayecto. Las dimensiones de los registros se presentan en la tabla 1.10.

Tabla 1.8. Diámetros por tramo para agua jabonosa.

Posibles combinaciones para los tramos		*UM*	*Diámetro (mm)*
½ Baño	Lavabo	2.00	38
Baño completo	Lavabo + regadera	4.00	50
Patio de lavado	Lavadero + lavadora	6.00	50
Baño + lavado		10.00	100
1.5 baños		6.00	100
2 baños		8.00	100
2.5 baños		10.00	100
3 baños		12.00	100
1.5 baños + lavado		12.00	100
2 baños + lavado		14.00	100
2.5 baños + lavado		16.00	100
3 baños + lavado		18.00	100

Fuente: IMSS, 1999.

Tabla 1.9. Capacidad del tanque de aguas jabonosas.

Recámaras	*Personas*	*Dotación*	**Capacidad**	
			litros	*m^3*
1	3	229.5	344.25	0.34425
2	5	382.5	573.75	0.57375
3	7	535.5	803.25	0.80325
4	9	688.5	1032.75	1.03275
5	11	841.5	1262.25	1.26225
6	13	994.5	1491.75	1.49175

Fuente: IMSS, 1999.

Tabla 1.10. Dimensiones de los registros de aguas negras.

Profundidad	*Ancho*	*Largo*
Hasta 1 m	40	60
1 a 1.5 m	50	70
1.5 a 1.8 m	60	80

Fuente: IMSS, 1999.

Otro componente de la instalación de agua es el drenaje pluvial. Éste conduce las aguas de lluvia y superficiales que se consideran no contaminantes. En general, se refiere a las aguas recolectadas en los techos, que se descargan en canales o bajadas y tienen una salida a un sistema de recolección o al sistema de alcantarillado. Su diseño depende de las características de la precipitación en la localidad, y el objetivo principal de éstos mecanismos es el manejo adecuado del sitio, es decir, la reducción de los escurrimientos pico, que terminan en la calle o el sistema de drenaje pluvial. Se recomienda, cuando sea factible, el reúso de estas aguas para actividades dentro de la vivienda.

Por ejemplo, en Monterrey, para la capacidad del tanque de recolección de aguas pluviales, se considera la lluvia máxima horaria de 0.05 m^2/h, y un escurrimiento probable de 60% en la superficie del techo. Con éstos datos se obtiene un cálculo aproximado de 30 ℓ de agua de lluvia por m^2 de superficie de recolección (azotea, superficies impermeables).

Es importante también tener en cuenta la localización de los depósitos de agua tanto potable como tratada, para que no se vean afectadas por contacto con fosas sépticas, plantas de tratamiento o con las redes de alcantarillados municipales. Ninguna tubería deberá quedar ahogada en elementos estructurales, como trabes, losas o columnas. Sin embargo, podrán cruzar a través de dichos elementos, en cuyo caso, será indispensable dejar preparaciones para el paso de éstas.

Instalaciones de gas

Las instalaciones de gas tienen como propósito proporcionar el combustible necesario para generar calor en las viviendas, para cocinar y para calentar agua para el aseo personal. El tipo de instalaciones de gas depende de la forma de suministro y el recipiente de almacenamiento. Pueden ser de gas natural, con recipientes estacionarios o gas LP con cilindros o recipientes portátiles.

El gas natural no requiere de ningún sistema de almacenamiento, puesto que alimenta directamente las áreas de consumo, mientras que el gas LP se almacena en tanques estacionarios, tanques o cilindros portátiles y pequeños recipientes manuales. Se recomienda que éstos recipientes se instalen en las azoteas si se provee de escaleras fijas y permanentes, o en patios, jardines, terrazas y azoteas bien ventiladas, que den a la calle, con protección adecuada y en donde se cuente con el espacio necesario para maniobras de conexión e instalación.

Una instalación de gas se desarrolla a partir de los siguientes componentes: tuberías, recipientes, conexiones, válvulas y llaves y reguladores. Consta de un recipiente de almacenamiento, una línea de llenado o suministro conectada a un medidor. A éste se conectan las tuberías para llevar el gas a los distintos aparatos como son parrillas, hornos, secadores, calentadores de agua. El gas es regulado a través de las tuberías mediante válvulas y llaves, por ejemplo, colocando llaves de paso para el control en cada aparato o en determinadas secciones de la instalación.

Las tuberías que se utilizan para alimentar cada aparato son de 9.5 mm, y de 13 mm para el resto de la instalación, y pueden ser de los siguientes tipos:

- Acero galvanizado: son más económicas pero su tiempo de vida es reducido.
- Fierro negro: para distribución de gas natural o gas LP.
- Cobre tipo L: puede utilizarse siempre que las tuberías no estén ahogadas en el sistema constructivo, o expuestas a pesos o presión excesivos.
- Cobre rígido tipo K: para líneas de llenado.
- Cobre flexible: para instalaciones sencillas, en donde se prevén cambios de posición de muebles.
- Polietileno de alta densidad: para gas natural.

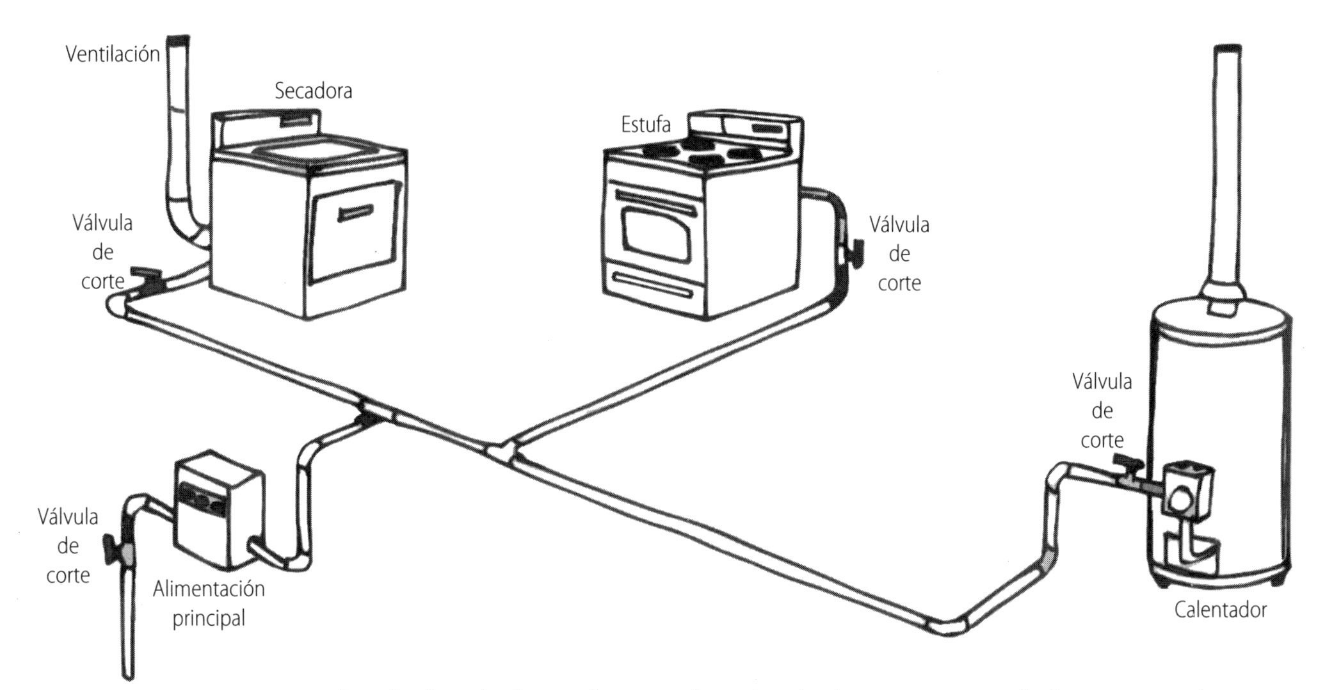

Figura 1.18. Instalación de gas de una vivienda. (Enríquez Harper, 2000; adaptado por el autor.)

Para las instalaciones de gas, existen las siguientes recomendaciones generales:

- No se permite instalar tuberías que conduzcan gas dentro de espacios habitables o que no estén adecuadamente ventilados, como baños, recámaras, cuartos de servicio, sótanos, huecos de plafones, cajas de cimentación, cisternas, entresuelos, debajo de pisos de madera, en cubos de elevadores, ductos de ventilación, etcétera.
- Se debe tener una altura de más de 10 cm sobre el nivel de piso terminado para las tuberías adosadas horizontalmente.
- No se permite la conexión de coples en longitudes menores a las de los tramos de la tubería que se disponga.
- Se deben separar al menos 20 cm las tuberías que conducen gas de otras tuberías como las de fluidos corrosivos, a alta presión o las de electricidad.
- Las tuberías enterradas en jardines o patios se deben colocar a una profundidad mínima de 60 cm.
- No se considera oculta una tubería que conduce gas si el tramo que se utiliza para atravesar muros es visible en la entrada y salida.

Con la información presentada hasta ahora, se han dado a conocer las características y recomendaciones generales para que la vivienda sea adecuada con base en las necesidades del usuario y las condiciones del contexto en que se ubica. En el capítulo 2 se presentan las características específicas para una región del país.

capítulo 2 Características regionales: bioclima cálido-seco

Como se explicó anteriormente, las respuestas de una vivienda al clima están dadas en función de la temperatura y la humedad de cada región. En México se han identificado tres tipos de bioclimas: semifrío, templado y cálido. De acuerdo con la humedad, cada uno de éstos se subdivide en seco, semihúmedo y húmedo. Para fines de este ejemplo se han seleccionado las características del bioclima cálido seco, que incluye, entre otras ciudades: Mexicali, Ciudad Obregón, Hermosillo, Culiacán, La Paz, Ciudad Juárez, Chihuahua, Gómez Palacio, Monterrey y Torreón (Conafovi, 2006).

CARACTERÍSTICAS DEL BIOCLIMA

En la *Guía para el uso eficiente de la energía en la vivienda* (Conafovi, 2006) las características y recomendaciones para este bioclima indican los meses en los que la temperatura está por debajo de la media (de diciembre a marzo), ésta se localiza por debajo de los rangos de comodidad, y en los meses en que la temperatura está por arriba de la media (julio a octubre) se ubica por arriba de dicho rango. En cuanto a la humedad se está dentro de los rangos en el periodo de lluvias, pero puede ser muy baja en la primavera.

Por tanto, las recomendaciones generales son las siguientes:

- Diciembre a marzo: es la época fría, por lo que se recomienda calentar los espacios, sobre todo por las mañanas. Se puede aprovechar lo envolvente del edificio para el intercambio con el calor. Para conservarlo se deben evitar las infiltraciones y los vientos fríos.
- Abril, mayo y noviembre: en éstos meses se recomienda la ventilación de los espacios y el uso de elementos para humidificar el aire por las tardes.
- Julio a octubre: son los meses de mayor temperatura en el año, por lo que se recomienda evitar la ganancia de calor en la vivienda, el uso de espacios enterrados o semienterrados, formas compactas y contiguas, usar patios para generar microclimas y el uso de ventilación natural, enfriando el aire antes de que entre a la vivienda.

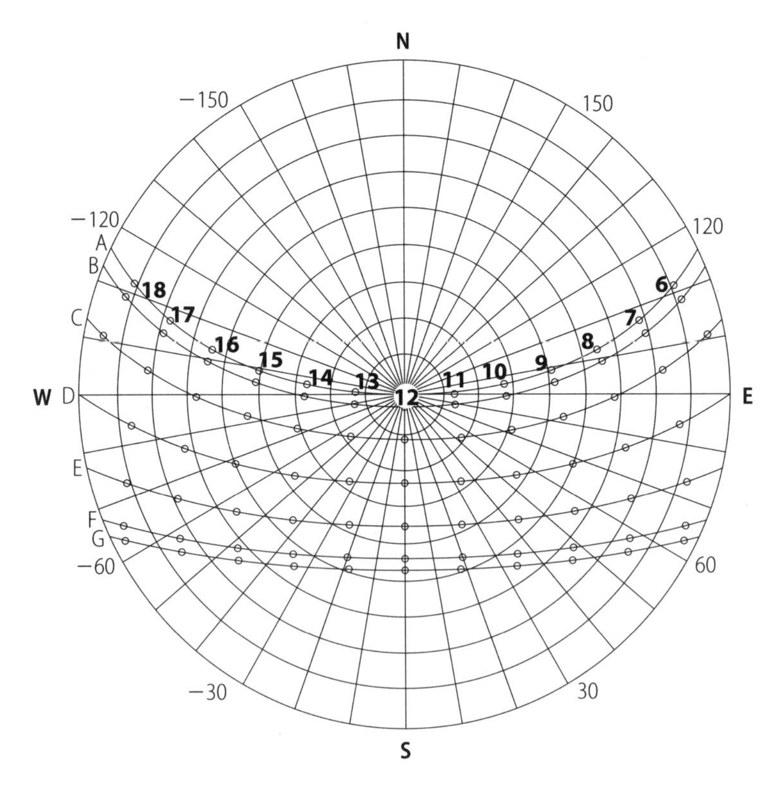

Figura 2.1. Montea solar, latitud 24° N.

Latitud 24° 00′

A 21 junio
B 21 jul.-mayo
C 21 ago.-abril
D 21 sept.-mar.
E 21 oct.-feb.
F 21 nov.-ene.
G 21 diciembre

Latitud 27° 00′

A 21 junio
B 21 jul.-mayo
C 21 ago.-abril
D 21 sept.-mar.
E 21 oct.-feb.
F 21 nov.-ene.
G 21 diciembre

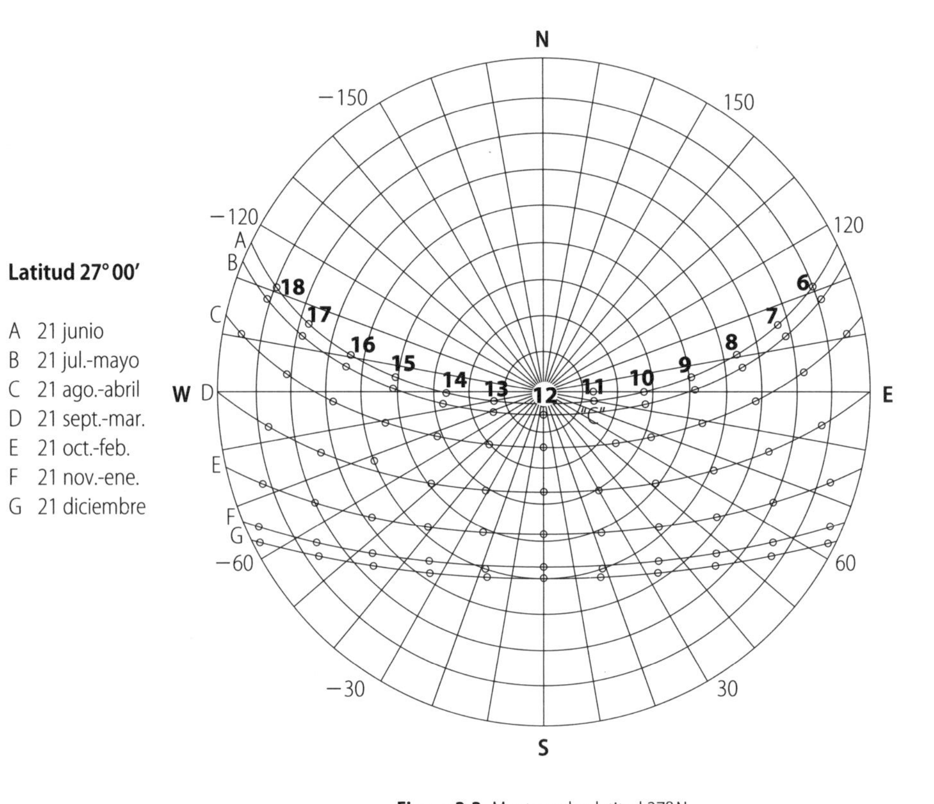

Figura 2.2. Montea solar, latitud 27° N.

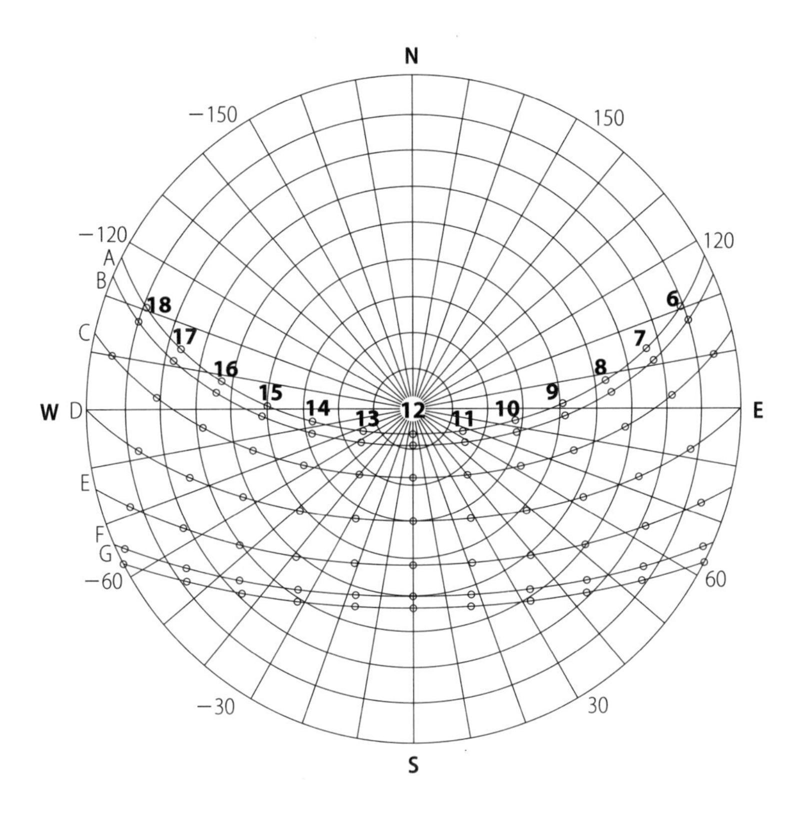

Latitud 30° 00′

A 21 junio
B 21 jul.-mayo
C 21 ago.-abril
D 21 sept.-mar.
E 21 oct.-feb.
F 21 nov.-ene.
G 21 diciembre

Figura 2.3. Montea solar, latitud 30° N.

Latitud 33° 00′

A 21 junio
B 21 jul.-mayo
C 21 ago.-abril
D 21 sept.-mar.
E 21 oct.-feb.
F 21 nov.-ene.
G 21 diciembre

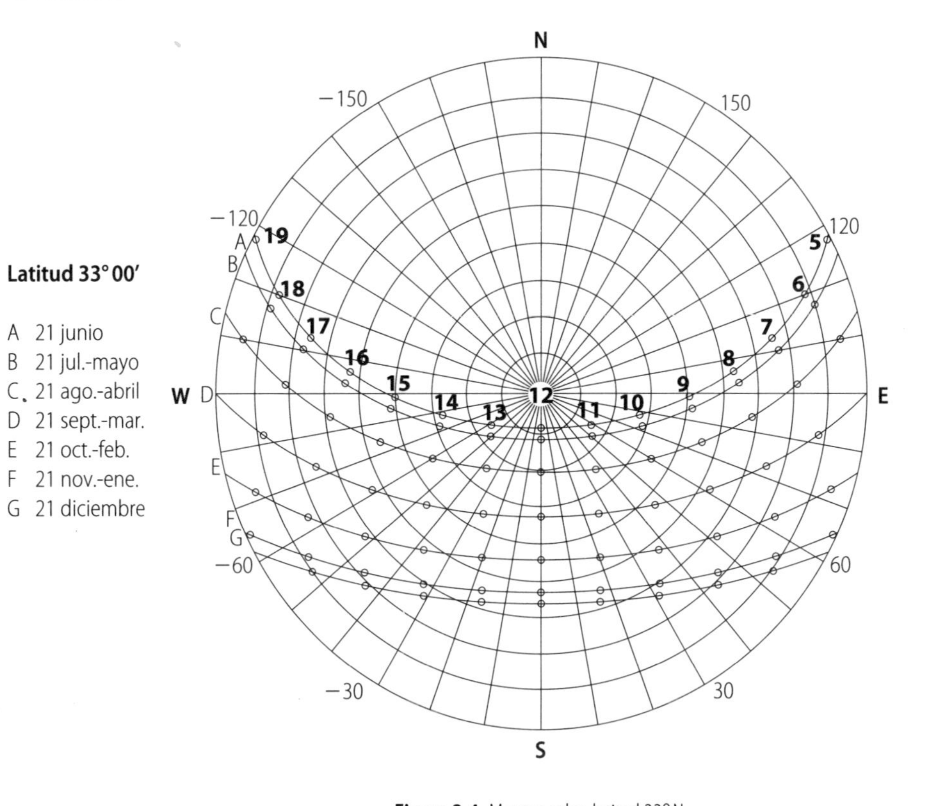

Figura 2.4. Montea solar, latitud 33° N.

FACTORES DEL CLIMA

Las principales ciudades en el bioclima cálido-seco se encuentran entre las latitudes 33 y 24° N. Las trayectorias solares para cuatro latitudes en este rango se observan en las figs. 2.1 a 2.4, servirán para determinar posteriormente el tamaño de los elementos para protección solar al calcular los ángulos de incidencia del Sol en las diferentes horas y fechas, y así poder aprovecharlos o evitarlos, dependiendo de las condiciones climatológicas.

Otros factores del clima mencionados en el primer capítulo que se deben considerar en cada ciudad son el relieve y las modificaciones del entorno, que son determinantes para los microclimas de cada localidad.

Elementos del clima

- Radiación: Conocer la radiación en la localidad nos permite saber la factibilidad del uso de sistemas alternos para la generación de energía, como los calentadores solares de agua o las celdas fotovoltaicas. Por ejemplo, en la ciudad de Monterrey los valores más altos se dan en el mes de julio (1037 W/h). Si observamos los promedios mensuales de la intensidad de radiación en la ciudad de Monterrey notaremos que es factible el uso de energía solar para colectores solares, tanto para la generación de energía solar como para electricidad.
- Nubosidad: Al saber las condiciones del cielo a lo largo del año podemos saber cuándo los sistemas solares deberán ser respaldados con otros medios de generación de energía. En el caso de Monterrey 46% de los días hay cielo despejado (enero, febrero, marzo, noviembre y diciembre), 31% medio nublado y 21% nublado. El conjunto de días despejados y medio nublados es de aproximadamente 80% al año, así que la captación de energía solar no puede hacerse de manera constante. Por tanto, éstos sistemas deben estar respaldados con elementos para la conservación del calor (tanques térmicamente aislados) y otros sistemas para el calentamiento de agua, como el calentador de gas, tradicionalmente usado en las viviendas.
- Viento: Es necesario saber la dirección del viento en las diferentes épocas del año, para aprovecharlo en la ventilación o evitarlo en las épocas de frío. Por ejemplo, en la zona metropolitana de Monterrey los vientos dominantes vienen del Este y del Sureste; excepto en invierno, cuando provienen del Norte y del Noreste.

En cuanto a velocidad, el viento en Monterrey presenta durante todo el año velocidades entre 0.7 y 1.92 m/s (tabla 2.1), por lo que es adecuado utilizarlo para ventilación de los espacios interiores. Sin embargo, para la utilización de este tipo de energía, llamada eólica para la generación de electricidad, las velocidades del viento en esta ciudad no son adecuadas, ya que se necesitan al menos 3 m/s para que dicha forma de generación de energía sea factible.

Tabla 2.1. Velocidades medias del viento, 1997-2007.

Mes	Enero	Febrero	Marzo	Abril	Mayo	Junio	Julio	Agosto	Septiembre	Octubre	Noviembre	Diciembre
m/s	0.81	1.03	1.31	1.54	1.72	1.92	1.85	1.70	1.26	1.14	0.91	0.77

FUENTE: SIMA.

- Temperatura y precipitación: Existe una tendencia de aumento en la temperatura que puede estar relacionada con el calentamiento global y con la isla de calor que se produce en las ciudades. Esto representa un incremento en la demanda de energía eléctrica para satisfacer las necesidades de aire acondicionado en los edificios. En las figuras 2.5 a 2.6 se observa el comportamiento de la temperatura y la precipitación en dos estaciones, cercanas a la ciudad de Monterrey. Con los datos de dichas estaciones se estiman las necesidades de calefacción o enfriamiento en un día promedio del mes más cálido y del mes más frío.

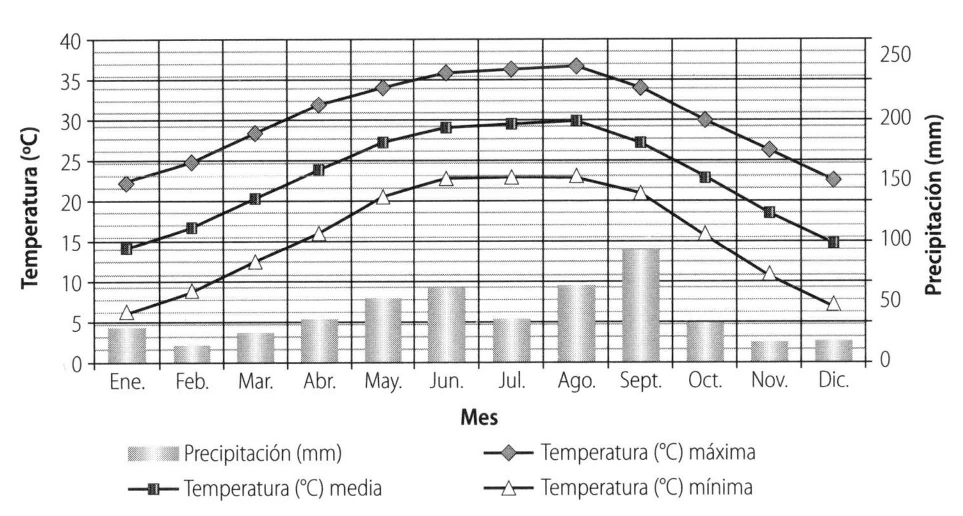

Figura 2.5. Promedio mensual de temperatura y precipitación en la estación Salinas Victoria. (Elaboración del autor, CNA, 2000.)

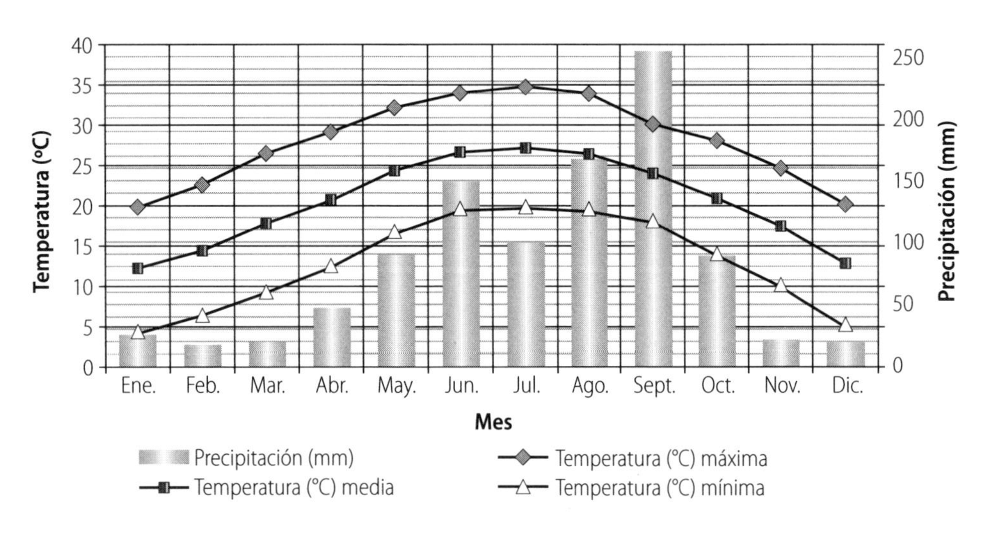

Figura 2.6. Promedio mensual de temperaturas y precipitación en la estación El Cerrito. (Elaboración del autor, CNA, 2000.)

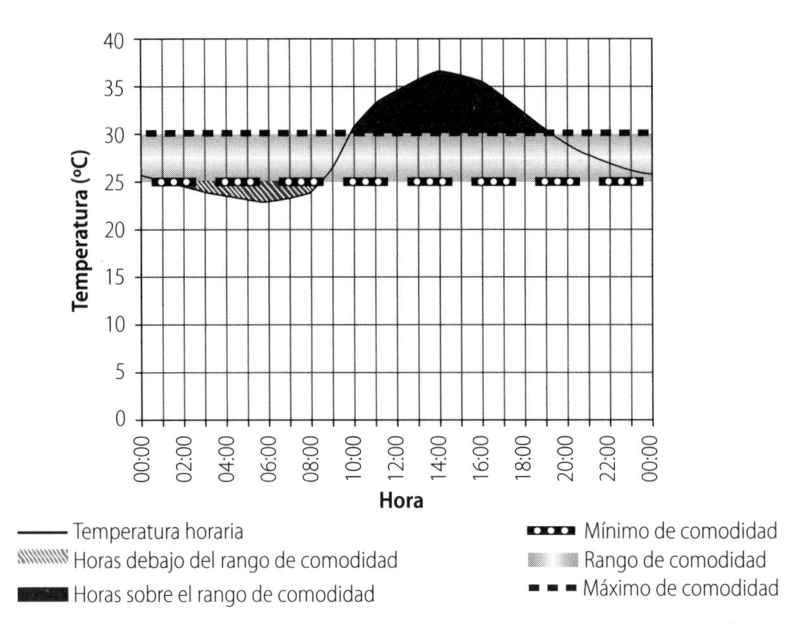

Figura 2.7.. Análisis de temperatura horaria para el mes de agosto, estación Salinas Victoria. (Elaboración del autor, CNA, 2000.)

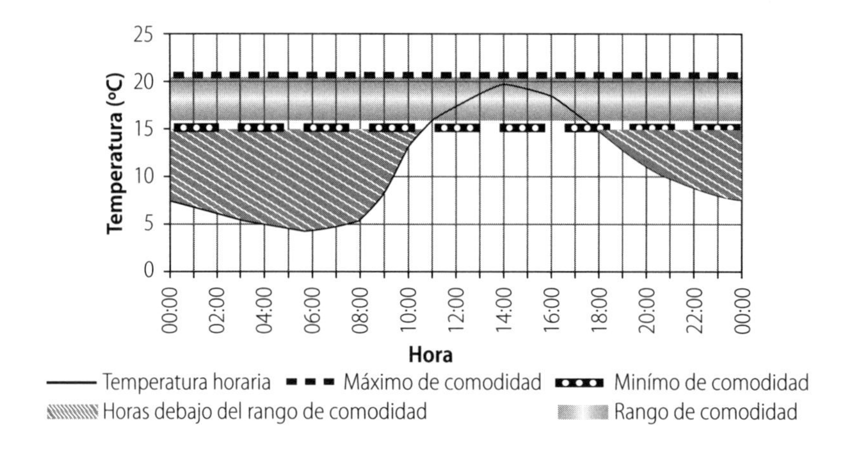

Figura 2.8. Análisis de temperatura horaria para el mes de enero estación El Cerrito. (Elaboración del autor, CNA, 2000.)

De las figuras 2.5 y 2.6 se puede inferir que dada la baja precipitación en los meses de mayor calor, es necesario humidificar el aire en esta temporada para generar mayor comodidad.

En cuanto a la temperatura, en las figuras 2.7 y 2.8 se muestra el cálculo para un día promedio del mes más cálido y del mes con menor temperatura. La temperatura horaria se compara con el rango de comodidad del día supuesto, pudiéndose observar así las horas en las que se está por encima o por debajo de dicho rango. El dato más alto se presenta en el mes de agosto en la estación Salinas Victoria y el más bajo en la estación El Cerrito, en el mes de enero.

De acuerdo con lo observado en las figuras, se sabe que para los meses más cálidos, sobre todo en agosto, se deben evitar las ganancias de calor desde las 10:00 hasta las 18:00 horas. Por tanto, los elementos de protección solares deben estar diseñados para evitar la incidencia solar al interior de los espacios durante este periodo de tiempo. Para el caso del mes más frío se observa que durante el día se está dentro del rango de comodidad, mientras que en la noche las temperaturas son menores y por tanto existe la necesidad de ganar calor. La recomendación es, entonces, permitir la ganancia de calor al interior, evitando los rayos solares al medio día para así prevenir un sobrecalentamiento de la vivienda; y conservar el calor ganado para el periodo nocturno. Esto se tiene que tener en cuenta para la aplicación del diseño bioclimático en las viviendas, tema que se desarrollará en el siguiente apartado.

APLICACIÓN DE DISEÑO BIOCLIMÁTICO

Se mencionaron anteriormente las recomendaciones generales para el bioclima cálido-seco. A continuación se presentan algunas recomendaciones para la aplicación de estrategias específicas del diseño bioclimático.

Orientación

Se recomienda la orientación de las manzanas para que el eje longitudinal sea Este-Oeste, de manera que las fachadas de las viviendas estén orientadas hacia el Norte-Sur. En cuanto a los espacios de la vivienda, se recomienda evitar la orientación Oeste, pues en esta orientación pueden ubicarse espacios de servicio con menor uso o espacios de almacenamiento que permitan generar un colchón térmico para los otros espacios de la vivienda. En las orientaciones Este, Sureste y Sur, se recomienda ubicar los espacios de la vivienda que se utilizan sobre todo en las tardes, como son el comedor, la sala y la estancia. De esta manera, se evita la radiación directa a éstos espacios cuando son utilizados (en la tarde) o se ubican en la orientación en la que resulta más fácil controlar la incidencia solar (Sur). La orientación Norte se recomienda para la cocina, ya que es un espacio en el que se genera calor por las actividades que allí se realizan; y las recámaras, puesto que de esta manera se evitan las ganancias de calor a lo largo del año, logrando que sean más cómodas.

Es importante tener en cuenta estas consideraciones respecto a la orientación por la trayectoria solar, con las posibilidades de aprovechamiento del viento durante la época de mayor calor, de acuerdo con la dirección del viento en cada localidad.

Control solar

Para el hemisferio Norte se recomienda evitar la exposición de la superficie del techo o cubierta a la radiación solar, utilizando techumbres planas con pretiles altos o incluso techos dobles. Otra opción es inclinar el techo hacia el Norte, para evitar así la incidencia solar directa prácticamente todo el año. Para proteger muros y ventanas se pueden extender los techos para formar aleros, especialmente al Este y Oeste.

Para establecer las dimensiones de los elementos de protección solar, se tiene en consideración la montea presentada en el capítulo anterior. Con base en ella y con el apoyo de una aplicación de diseño de parasoles, se eligió una proporción recomendada para sus dimensiones de acuerdo con cada orientación, para la ciudad de Monterrey (Gronback, 2008).

- Norte: la proporción elegida es 2:1 para altura de la ventana y profundidad del parasol, respectivamente. Otra opción para esta orientación, debido a que los ángulos son muy bajos viniendo principalmente del Noreste y Noroeste en verano, sería el uso de elementos verticales, con proporción 3:1 (ancho de ventana y profundidad de parasol).
- Noreste: la proporción sugerida para esta orientación es 4:3 (altura de ventana, profundidad de parasol).
- Este: la proporción elegida para esta orientación es 1:1 (altura de ventana, profundidad de parasol).
- Sureste: la proporción elegida para esta orientación es 4:3 (altura de ventana, profundidad de parasol).
- Sur: la proporción elegida para esta orientación es 2:1 (altura de ventana, profundidad de parasol).
- Suroeste: la proporción elegida para esta orientación es 1:1 (altura de ventana, profundidad de parasol).
- Oeste: la proporción elegida para esta orientación es 4:3 (altura de ventana, profundidad de parasol).
- Noroeste: la proporción elegida para esta orientación es 4:3 (altura de ventana, profundidad de parasol).

Ventilación

Se debe favorecer la ventilación cruzada, siempre y cuando el aire que entre a la vivienda venga de zonas sombreadas en donde se haya enfriado previamente. Una opción para ello son los patios interiores, que permiten tener un microclima a menor temperatura comunicado con toda la vivienda. Una técnica para fomentar el movimiento del aire al interior de la vivienda es el uso de chimeneas de viento, ya sea aprovechando el movimiento de convección del aire o los vientos dominantes.

Aislamiento térmico

Se deben aprovechar materiales masivos para los muros y los pisos, manteniéndolos a la sombra en las épocas de calor para aprovechar sus propiedades térmicas y se conserven a menor temperatura que la ambiental. De la misma manera, se pueden aprovechar en épocas de frío para almacenar calor que será liberado en las horas en las que la temperatura es más baja. Para los muros y techos también se recomienda el uso de colores claros para reflejar los rayos solares y evitar ganancias de calor excesivas.

Vegetación

La vegetación es un elemento muy importante para el diseño bioclimático de las viviendas. Ubicada adecuadamente, la vegetación permite tener áreas con sombra, generando un microclima más agradable contiguo a la vivienda. Además, provee servicios ambientales como la eliminación de CO_2, actúa como filtro natural del aire, previene la erosión del suelo sobre el que se desplanta y permite controlar los escurrimientos pluviales y mejora la calidad del agua. No se puede dejar de lado el valor estético que la vegetación da a la vivienda, así como la sensación de bienestar para sus habitantes.

El tipo de vegetación que se debe utilizar depende de la orientación de la vivienda que se quiere proteger. En general, para el Oeste se debe utilizar vegetación densa y perenne, para tener protección de los rayos solares todo el año; al Sur y al Este se puede utilizar vegetación caducifolia, para así permitir el paso de la radiación durante el invierno cuando son necesarias las ganancias de calor. Para la orientación Norte, la vegetación utilizada debe proteger de la radiación que proviene del Noroeste, es decir, ubicar hacia ese extremo vegetación perenne, para así evitar los rayos de la tarde en el verano. Todas estas recomendaciones se aplican a las zonas de clima cálido-seco.

También se debe considerar el espacio disponible a la hora de seleccionar vegetación, especialmente en el caso de los árboles. La figura 2.9 muestra las dimensiones mínimas necesarias, dependiendo del tamaño del árbol que se quiera plantar.

Para evitar problemas de crecimiento, la necesidad de riego excesivo o la selección de vegetación que no esté adaptada al clima de la región, se deben utilizar plantas que sean apropiadas al clima y de preferencia, plantas nativas.

En el cuadro 2.1 se presenta una lista de algunos árboles recomendados para la Zona Metropolitana de Monterrey.

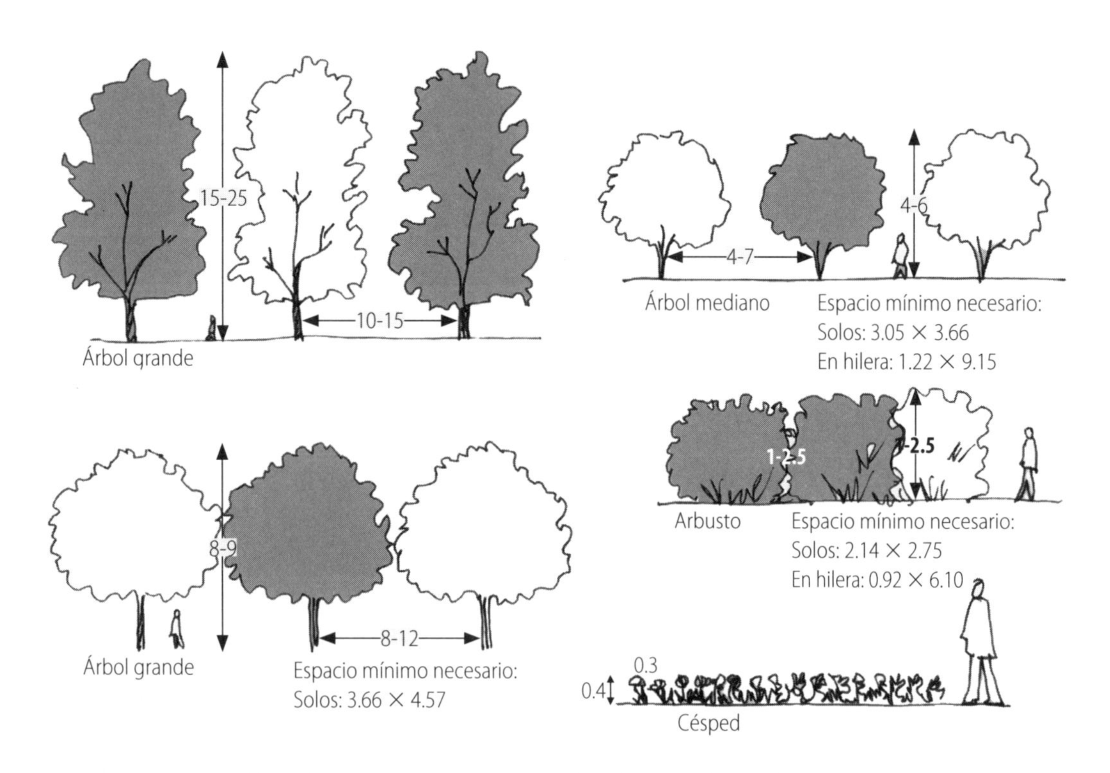

Figura 2.9. Espacio necesario para el crecimiento de árboles. (Elaboración del autor.)

Cuadro 2.1. Listado de árboles recomendados para la ZMM.

Nombre (Nombre científico)	*Tamaño*	*Follaje*	*Orientación*
Palo de azúcar (*Acer grandidentatum Nutt.*)	Medio	Caducifolio	Sur, Este
Arce o fresno de Huajuco, maple mexicano (*Acer negundo L.*)	Medio	Caducifolio	Sur, Este
Mimbre (*Chilopsis linearis* ([*Cav.*])	Pequeño	Caducifolio	Sur, Este
Anacahuita (*Cordia boissieri DC*)	Pequeño	Perenne	Oeste
Anacua (*Ehretia anacua* [*Berl.*] *I. M. Johnston*)	Medio	Perenne	Oeste
Chomonque, Ocote (*Gochnatia hypoleuca* [*DC*] *Gray*)	Medio (arbusto)	Caducifolio	Este, Sur
Corona de San Pedro (*Cornus florida L.*)	Medio	Caducifolio	Este, Sur

Cedro blanco (*Cupressus arizonica Greene*)	Grande	Perenne	Oeste
Junípero de la sierra (*Juniperus deppeana Steud.*)	Medio	Perenne	Oeste
Chapote negro (*Diospyros texana Scheele*)	Pequeño	Caducifolio	Este, Sur
Madroño (*Arbutus xalapensis H. B. K.*)	Pequeño	Perenne	Oeste
Encino roble (*Quercus polymorpha Schl. et Cham*)	Medio	Caducifolio	Sur, Este
Liquidambar (*Liquidambar stryaciflua L.*)	Grande	Caducifolio	Sur, Este
Nogal de nuez lisa (*Carya illionensis* [*Wang*] *K. Koch.*)	Grande	Caducifolio	Sur, Este
Nogal encarcelado (*Juglans mollis Engel*)	Medio	Caducifolio	Sur, Este
Encino molino o encino bravo (*Quercus fusiformis Small*)	Medio	Perenne	Oeste
Huizache (*Acacia farnesiana* [*L*] *Willd*)	Pequeño	Caducifolio	Sur, Oeste
Uña de gato (*Acacia wrightii Benth*)	Medio	Caducifolio	Sur, Este
Palo verde (*Cercidium macrum Johnst.*)	Pequeño	Caducifolio	Este
Duraznillo (*Cercis canadensis L.*)	Pequeño	Caducifolio	Este, Sur
Dormilón o tepehuaje (*Leucaena leucocephala* [*Lam.*] *DeWit*)	Pequeño	Caducifolio	Indistinta
Tepehuaje (*Leucaena pulverulenta Benth*)	Medio	Caducifolio	Sur, Este
Retama (*Parkinsonia aculeata L.*)	Pequeño	Caducifolio	Sur, Este
Guamúchil (*Pithecellobium dulce* [*Roxb*] *Benth*)	Medio	Perenne	Oeste
Ébano (*Pithecellobium ebano* [*Berl*] *Muller.*)	Medio	Perenne	Oeste
Tenaza (*Pithecellobium pallens* [*Benth.*] *Standl.*)	Medio	Perenne	Oeste
Mezquite (*Prosopis glandulosa Torrey*)	Medio	Caducifolio	Sur, Este
Colorín o frijolillo (*Sophora secundiflora* [*Ortega*] *Lag.*)	Pequeño	Perenne	Oeste
Escobilla o barreta china (*Fraxinus greggi A. Gray*)	Pequeño	Caducifolio	Este, Sur
Fresno de flor (*Fraxinus cuspidata Torr.*)	Pequeño	Caducifolio	Este, Sur
Pino piñonero de Galeana (*Pinus cembroides Zucc.*)	Medio	Perenne	Oeste

Cuadro 2.1. *(Continuación.)*

Nombre (Nombre científico)	*Tamaño*	*Follaje*	*Orientación*
Pino prieto o pino garabatillo (*Pinus greggii Engelm*)	Pequeño	Perenne	Oeste
Álamo de río o sicomoro (*Platanus occidentalis L.*)	Grande	Caducifolio	Este, Sur
Barreta (*Helietta parvifolia* [*Gray*] *Benth*)	Pequeño	Perenne	Oeste
Chapote amarillo o naranjillo (*Sargentia greggii S. Wats.*)	Pequeño	Perenne	Oeste
Álamo temblón (*Populus tremuloides Michx.*)	Medio	Caducifolio	Sur, Este
Sauce negro (*Salix nigra Marsh.*)	Grande	Caducifolio	Sur, Este
Monilla u ojo de venado (*Ungnadia speciosa Endl.*)	Pequeño	Caducifolio	Sur, Este
Coma (*Bumelia lanuginosa* [*Michx*] *Pers.*)	Pequeño	Perenne	Oeste
Coma (*Bumelia celastrina H. B. K.*)	Pequeño	Perenne	Oeste
Palo blanco (*Celtis laevigata Willd.*)	Grande	Caducifolio	Sur, Este
Olmo (*Ulmus crasifolia Nutt.*)	Grande	Caducifolio	Sur, Este

Fuente: Alanis, 2005.

Un ejemplo de la aplicación de éstos criterios de diseño adaptado al clima se da en la arquitectura bioclimática de la región.

ARQUITECTURA VERNÁCULA DE LA REGIÓN

Dado que la arquitectura vernácula es producto de la experiencia adquirida a través del tiempo es posible observar en ella un uso eficiente de los recursos, utilizando el mínimo de materiales y sistemas tradicionales para controlar el clima, respondiendo al lugar específico al que pertenecen y, por tanto, adecuándose a su paisaje. Éstos elementos, a su vez, sufren adaptaciones que tienen que ver con la cultura y la economía de la sociedad a la que pertenece esa arquitectura. En el caso de la arquitectura del Noreste de México, ejemplo al que se ha hecho referencia, todo lo anterior se traduce en una arquitectura de líneas sencillas, que hacen resaltar los contrastes de luz y sombra que se obtienen a través del volumen.

Las viviendas de este bioclima presentan la tipología de vivienda vernácula de las zonas Noroeste y Norte, según lo presentado en el primer capítulo. Es decir, son viviendas de una planta, hechas con adobe. Su cubierta es plana y las fachadas tienen pocos huecos, y presentan cornisas o rodapiés, además de celosías de madera en las ventanas.

La forma exitosa de adaptarse al clima puede observarse en las tipologías de arquitectura vernácula, pudiéndose rescatar de ella ciertas técnicas para ser aplicadas junto con el diseño bioclimático. Por ejemplo, el uso de colores claros en aplanados rugosos para el exterior, materiales masivos que retarden el paso del calor y el uso de postigos para proteger los vanos de la vivienda.

Todas estas características, que se han explicado en las secciones anteriores, tanto de las viviendas en la zona de clima cálido de la región, como de la vivienda adecuada en términos de sustentabilidad, funcionalidad y habilitabilidad se explicarán de manera práctica en el siguiente capítulo.

PARTE II

Cómo construir una vivienda sustentable

capítulo 3 El manual

CARACTERÍSTICAS Y ESTRUCTURA DEL MANUAL

El manual contiene la información básica para el diseño y planeación de una vivienda sustentable. Dicha información se presenta mediante esquemas generales de cada concepto que permiten tomar mejores decisiones respecto a la casa habitación en la etapa de diseño. Además, se puede generar un plan para la construcción de la vivienda, haciendo el proceso más eficiente en el uso de los recursos disponibles.

El manual tiene como objetivo proporcionar los conocimientos necesarios para diseñar una vivienda que ofrezca una buena calidad de vida mediante los criterios y estrategias sustentables a través de recomendaciones prácticas. La información se presenta de manera sencilla para ser aplicada con facilidad centrándose en los siguientes puntos:

- Habitabilidad y funcionalidad: se refiere a proveer al usuario de los espacios que necesita para el desarrollo de sus actividades diarias, y que dichos espacios cumplan con las condiciones mínimas para realizarlas en un entorno adecuado.
- Sustentabilidad: se busca lograr una vivienda cómoda mediante el uso eficiente de los recursos materiales, energéticos y del lugar en general, a la vez que se respeta el entorno.

Es importante aclarar que el programa arquitectónico de la vivienda que se describe responde a las necesidades de una familia de entre tres y cuatro miembros, y para una región de clima cálido-seco en el hemisferio Norte.

La segunda parte de este material consta de una breve introducción donde se establecen los objetivos que busca lograr, así como la organización de los contenidos del manual y cuatro secciones principales; la primera sección: Antes de empezar; la segunda: Cómo diseñar; la tercera: Crecimiento y extensión; y la cuarta: Para terminar. A través de estas secciones se desarrollan los elementos principales que constituyen los componentes de un diseño sustentable. A continuación se describe brevemente el contenido de cada una las secciones del manual como una guía rápida para familiarizarse con el contenido.

Antes de empezar. El objetivo de esta sección es informar al lector del manual sobre algunas decisiones que deben tomarse antes de iniciar el proceso de diseño de la vivienda, incluyendo los siguientes puntos:

- Lugares en los que no se puede construir.
- La necesidad de informarse sobre los trámites y permisos para construcción.
- Características climáticas de la región.
- Ejemplos de la arquitectura vernácula.
- Características del terreno: su ubicación y contexto, dimensiones y área, orientación, topografía, tipo de suelo y vegetación.
- Criterios para la selección de materiales, así como una breve descripción de los principales materiales y sistemas de construcción.

Con la descripción de los elementos antes mencionados se busca que el lector tenga una idea general sobre el contexto de la vivienda, para así poder empezar a diseñarla.

Cómo diseñar: En esta sección se busca guiar al lector del manual a través del proceso de diseño de la vivienda, tratando de seguir una secuencia lógica que lleve a una solución óptima para cada caso. Los puntos que se tratarán en esta sección son los siguientes:

- Información básica: determina lo primero que hay que hacer, como averiguar algunas cosas sobre el lugar, y las leyes de construcción para poder tomar decisiones sobre el diseño de la vivienda.
- Ubicación: establece el sitio que ocupará la vivienda en el terreno, considerando porcentajes de área libre obligatoria, la conservación de la vegetación existente, la topografía, las dimensiones y la orientación del terreno. Al final de este punto se determina la zona más favorable en el terreno para construir, definiendo la zona que se dejará sin afectar; así como el máximo de superficie que la vivienda puede ocupar.
- Distribución de espacios o funcionalidad: presenta los criterios de distribución de los diferentes espacios, de acuerdo con la relación que existe entre ellos, determinados por las actividades que allí se realizan.
- Iluminación y ventilación: describe la manera de conseguir espacios bien iluminados y ventilados naturalmente, explicando también la importancia del control solar para definir la forma de las ventanas de acuerdo con las actividades que allí se realizan.
- Instalaciones: describe la manera en que se deben diseñar las instalaciones básicas de agua, electricidad y gas. Se incluyen criterios para el ahorro de recursos como la reutilización de agua jabonosa, el uso de focos, calentadores de gas, y otros accesorios ahorradores.
- Acabados: se dividen en exteriores e interiores y se describen los más usados actualmente.

- Jardines y huertos: explica qué hacer con las áreas exteriores como jardines y pavimentos, enfatizando el uso de vegetación nativa y la conservación de áreas permeables.
- Crecimiento y extensión: considera los cambios posibles que una vivienda puede tener a lo largo de su vida útil y cómo hay que planear su posible crecimiento para que no pierda sus características de sustentabilidad.

Con la descripción de los elementos antes mencionados se busca que el lector del manual tenga una idea general sobre el contexto en el que se diseña, así como las consideraciones que debe tener en cuenta en el diseño de la vivienda.

Crecimiento y extensión: En esta sección se muestra cómo llevar a cabo la construcción de una vivienda sustentable por etapas, lo que permite que la inversión sea de manera gradual.

Para terminar: Por último, esta sección presenta al lector varios ejemplos de viviendas sustentables en donde se emplean las estrategias de diseño como la selección de materiales o la orientación, que se han presentado en este manual, con el fin de ratificar la importancia de su utilización para poder obtener una vivienda sustentable.

MANUAL DE VIVIENDA SUSTENTABLE. PRINCIPIOS BÁSICOS DE DISEÑO

Objetivo

Acerca del manual

Este manual tiene como objetivo ofrecer la información necesaria para que cualquier persona pueda diseñar y planear su vivienda, para después poder construirla de acuerdo con las características de la región cálida-seca.

¿Cómo debe ser una vivienda?

Una vivienda se relaciona con su entorno. Recibe luz, calor, viento, agua, electricidad, etc., y al mismo tiempo, de ésta salen desechos, agua de escurrimientos, aguas grises, calor, ruido, etcétera.

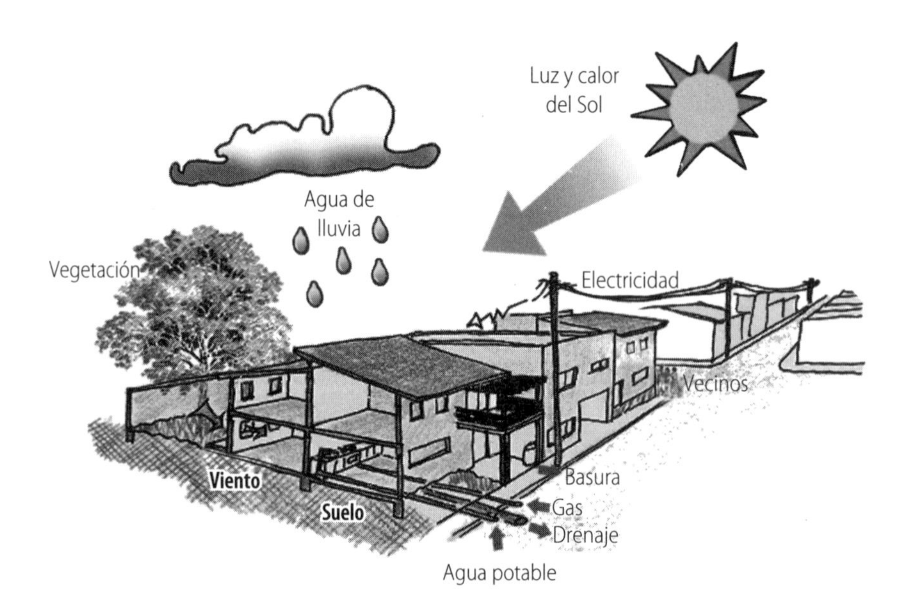

Entendiendo estas relaciones podemos aprovechar lo que "entra" y disminuir lo que "sale".

Para lograrlo, la vivienda debe cumplir con ciertas características, así podemos vivir en ella cómodamente.

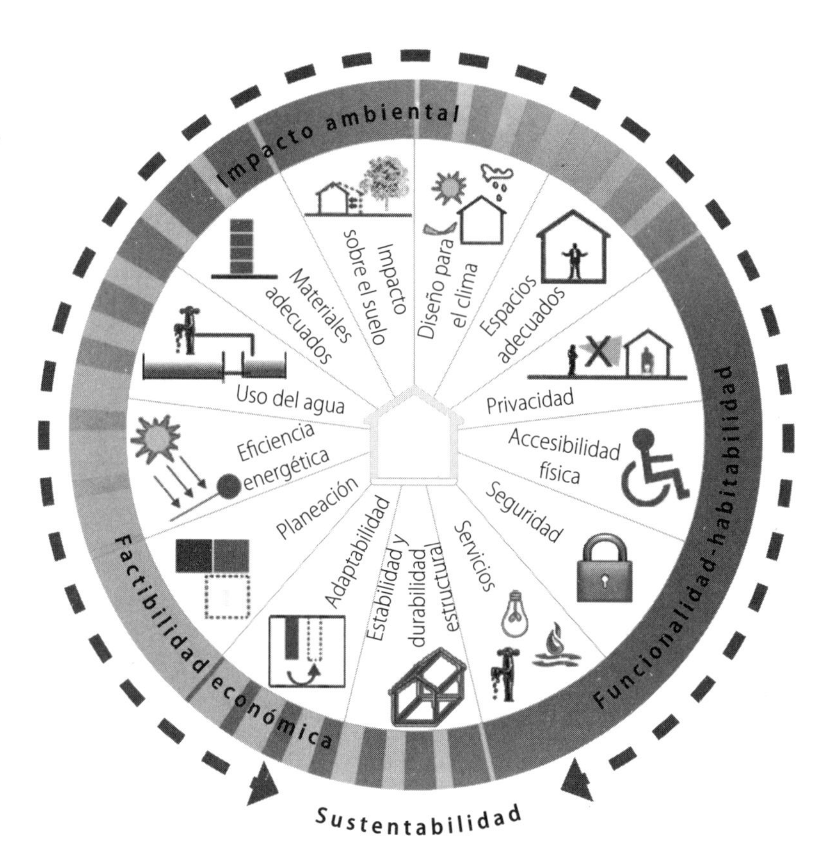

¿Qué logramos?

Si nuestra vivienda cumple estas características entonces ahorramos energía. Una casa que ahorra energía, ahorra en electricidad, gas, agua y, en resumen, es más barata de mantener y contamina menos.

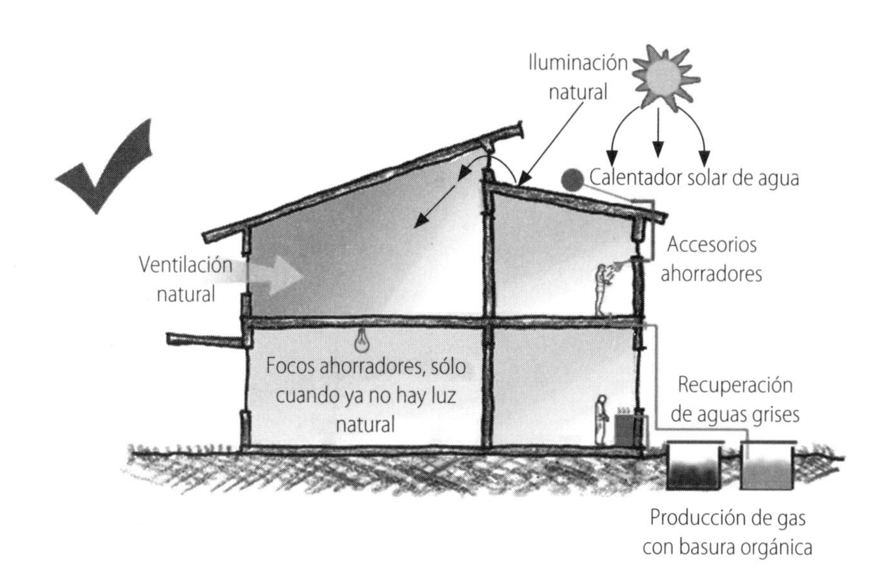

Así evitamos

No hay iluminación ni ventilación natural

Mucha radiación, los cuartos se calientan

El agua de lluvia corre directo a la calle

El viento no pasa

Hay que usar ventiladores

Nuestra vivienda es un mejor lugar para vivir cuando:

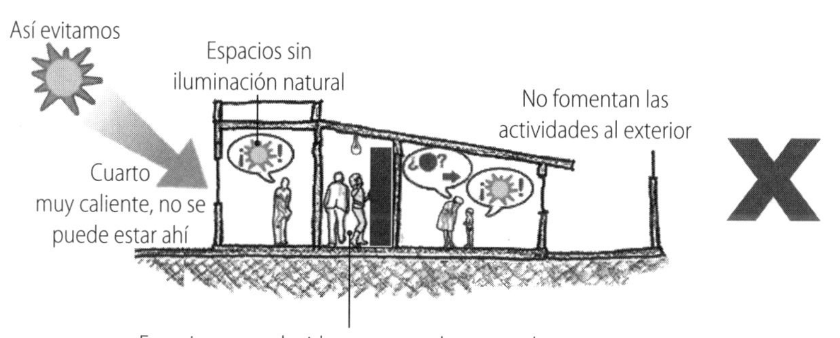

También logramos un mejor conjunto

Entonces, el manual nos ayuda a diseñar la vivienda que queremos. Así, aunque la construyamos por etapas, toda nuestra vivienda funcionará bien.

¿Cómo se usa el manual?

Conseguir la vivienda que queremos será más fácil si seguimos un proceso:

1. Información En esta etapa recabamos la información que se necesita para empezar a diseñar. ⬇	→ así → **sabemos**	*a*) Si podemos o no construir en nuestro terreno. *b*) Algunos elementos del clima cálido seco. *c*) ¿Cuáles son las características que necesitamos saber de nuestro terreno? *d*) Algunos de los materiales con los que podemos construir nuestra vivienda y cómo pueden ser los muros y losas. *e*) ¿Cómo representar la vivienda en dibujos?	Por eso, las secciones del manual se organizan así: **Antes de empezar** ⬇
2. Diseño En esta etapa definimos cómo será la vivienda. ⬇	→ así → **decidimos**	*a*) ¿En qué parte del terreno nos conviene ubicar la vivienda? *b*) ¿Cuál será la forma de nuestra vivienda?, ¿cómo son los diferentes cuartos, su tamaño, ubicación, etcétera? *c*) ¿Cómo deben estar iluminados y ventilados los espacios? *d*) ¿Cómo debe ser el exterior de la vivienda? *e*) Las características de las instalaciones de agua, gas y electricidad.	**¿Cómo diseñar?** ⬇
3. Planeación Establecemos qué parte se construye primero y cómo seguirá creciendo la casa con el paso del tiempo. ⬇	→ así → **decidimos**	*a*) Las etapas de la vivienda y cómo iremos haciéndola crecer.	1 2 3 **Crecimiento o extensión** ⬇
4. Ejemplos		A lo largo del manual se irá desarrollando un ejemplo. Las hojas del manual que tengan este símbolo, serán aquéllas en donde se explica el ejemplo. Se verán algunos ejemplos de mejores prácticas de edificación que utilizan algunas de las estrategias aquí descritas. ➡	**Para finalizar…**

Una vez que tengamos en cuenta lo anterior, podemos construir nuestra vivienda, pues ya sabemos cómo va a ser.

Antes de empezar

Lo primero que debemos hacer es *averiguar* algunas cosas sobre el lugar en el que queremos vivir, para después poder tomar *decisiones* adecuadas sobre nuestra vivienda.

Otro aspecto que conviene saber es la manera de *presentar* una vivienda dentro de un proyecto arquitectónico sustentable. Existen tres formas básicas:

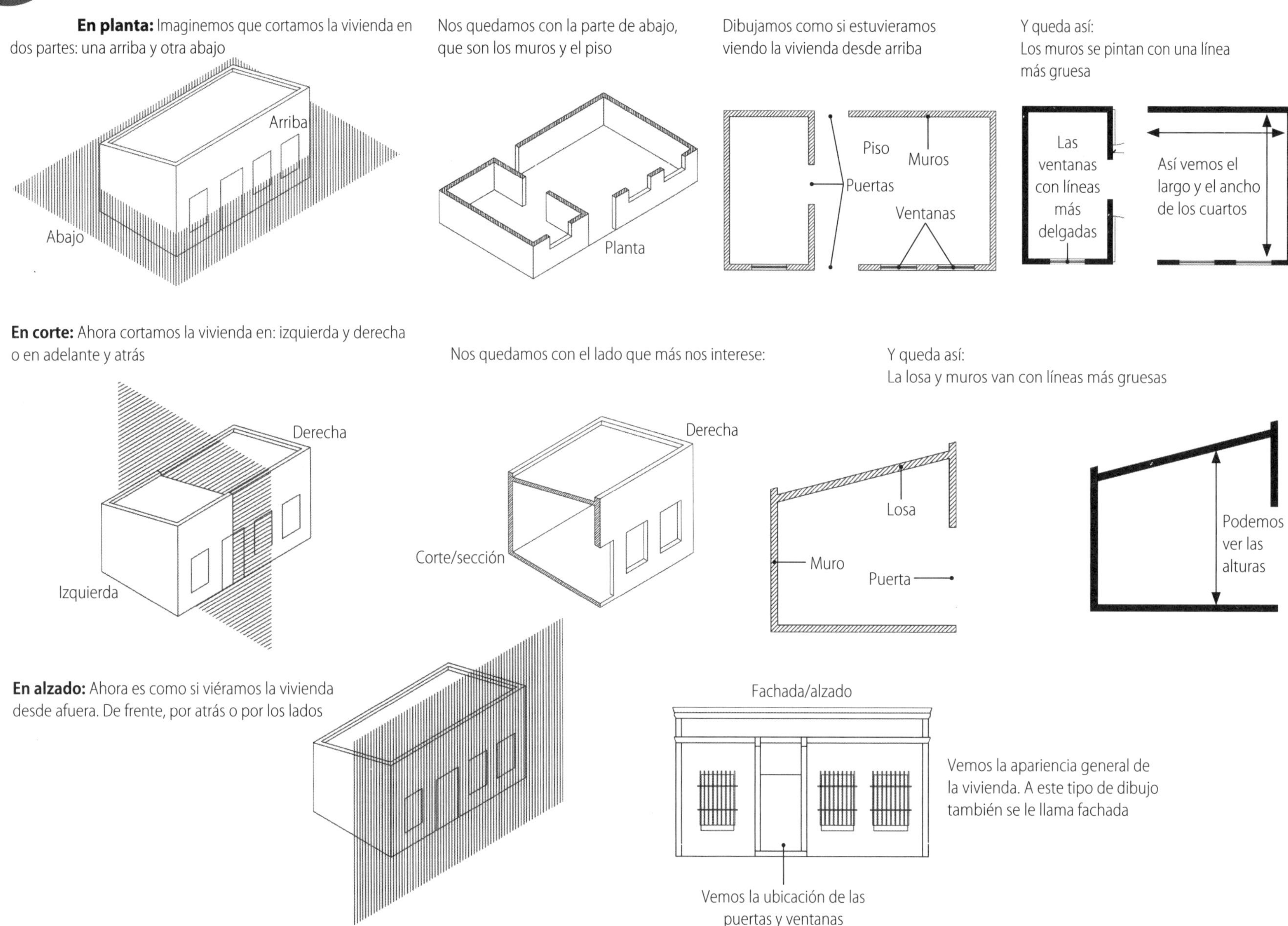

Información básica

Es muy importante conocer el *lugar* en que planeamos vivir, para saber si es *apto* para construcción, cómo es su *clima*, así como las *leyes* que lo rigen.

a) *Lechos de ríos*. Aunque estén secos la mayor parte del año, en temporada de lluvias se llenan de agua.

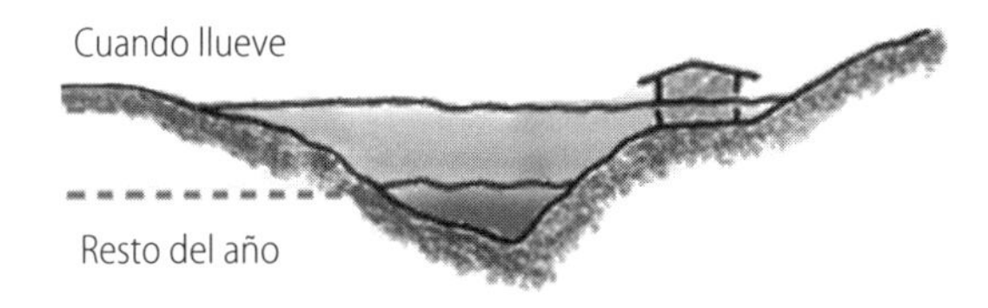

b) *Suelos inestables*. En ellos puede haber derrumbes que afecten nuestra vivienda.

c) *Zonas inundables*. Aun cuando no estén cerca de los ríos, son zonas a un nivel más bajo, así que el agua de lluvia inunda el terreno.

Para saber esto podemos ir a la oficina de desarrollo urbano de nuestra localidad. Además, ahí nos informan sobre:

- Los permisos que necesitamos para construir.
- Los trámites que hay que hacer para conseguir los permisos.
- Los reglamentos de construcción vigentes.
- Los servicios disponibles en la zona donde está nuestro terreno.

Es muy importante saber si nuestro terreno es adecuado para la construcción, ya que hay zonas en las que no se puede construir como:

d) *Pendientes* muy altas.

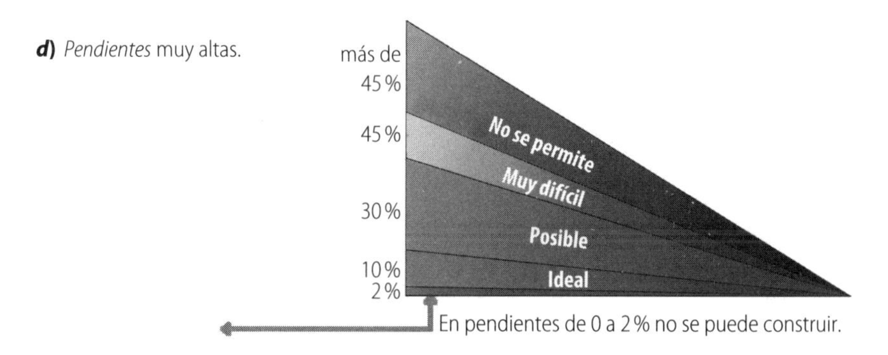

Una vez que sabemos que sí es posible construir en nuestro terreno, podemos empezar a identificar las características del lugar donde viviremos.

El clima

Nuestra vivienda debe adaptarse al clima para estar más cómodos a lo largo del año, por tanto, debemos saber:

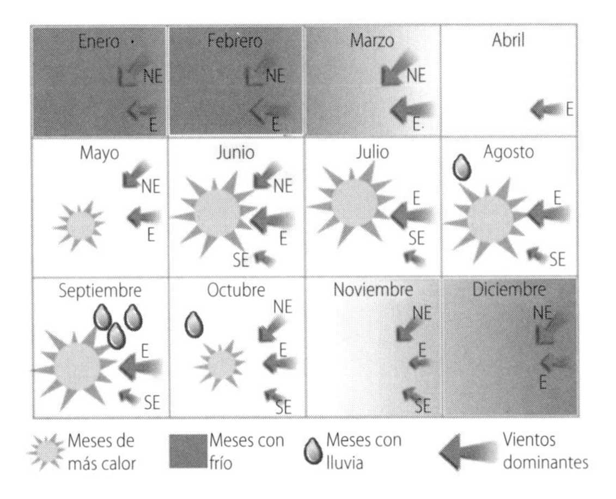

NOTA: Los vientos y lluvia de este calendario pertenecen la ciudad de Monterrey.

También es necesario saber cuál es el recorrido del Sol para aprovechar o evitar el calor que produce.

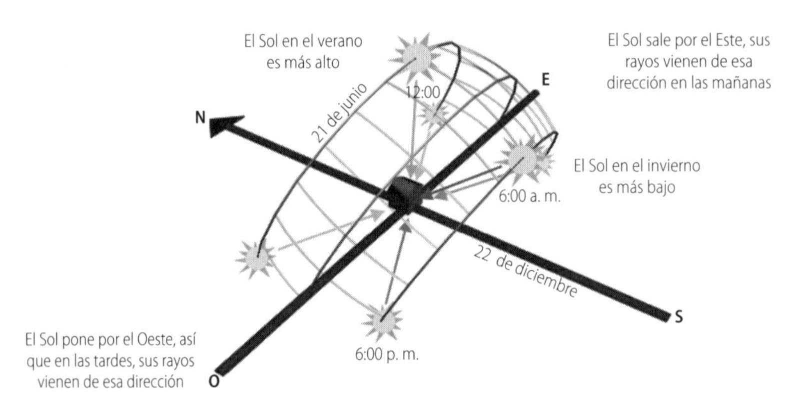

Además, al entender cómo se comporta el viento, también podemos evitarlo o aprovecharlo.

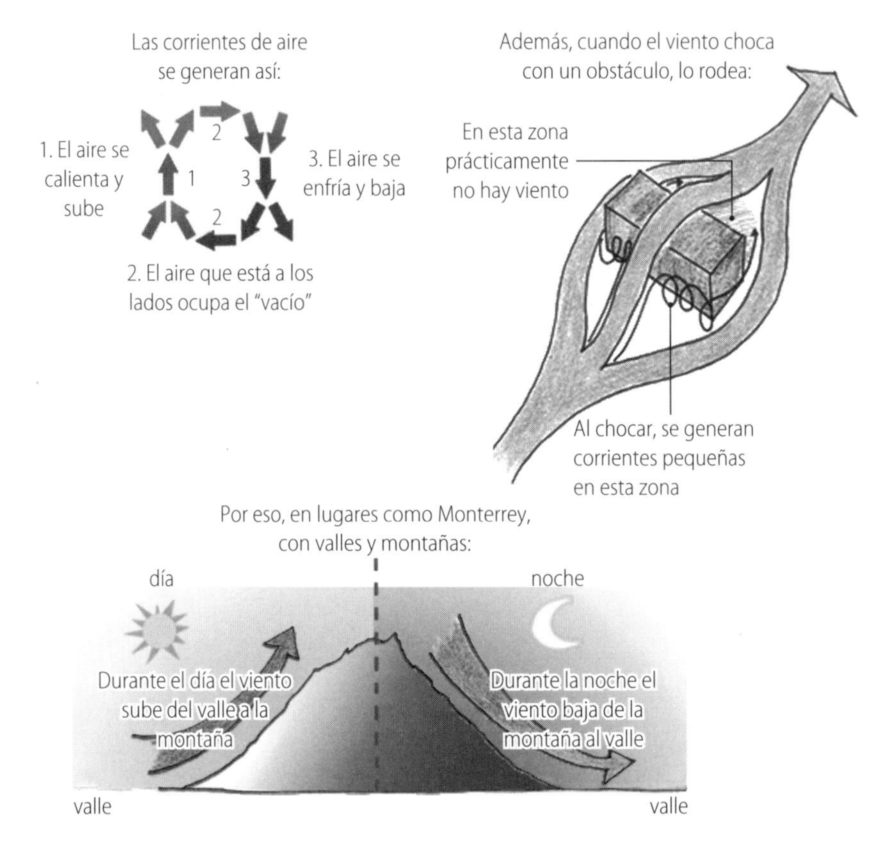

Por ello, debemos evitar que en los meses de calor los rayos del Sol entren a la vivienda y aprovechar el viento (enfriándolo antes de que entre)

En tanto que en los meses de frío es necesario ganar y conservar el calor de los rayos del Sol

Algunos ejemplos de cómo aplicar lo anterior los podemos encontrar en la arquitectura de la región, en el caso del clima cálido-seco para Monterrey:

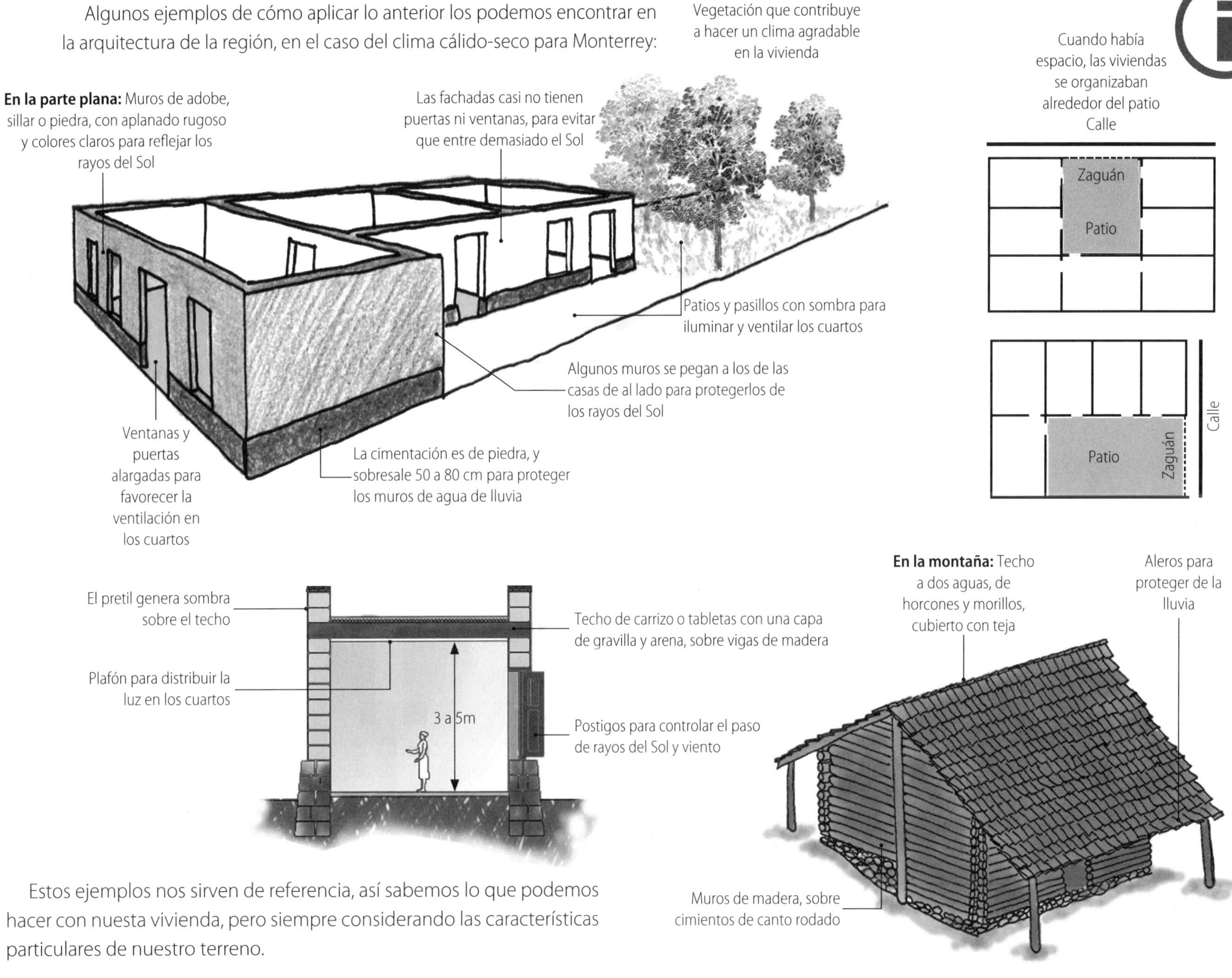

Estos ejemplos nos sirven de referencia, así sabemos lo que podemos hacer con nuesta vivienda, pero siempre considerando las características particulares de nuestro terreno.

Materiales y sistemas constructivos

Es necesario conocer los materiales con los que podemos *construir* nuestra vivienda, además de la manera en que se combinan para formar su *estructura*.

¿Con qué construir?

Existen muchos materiales disponibles para construir una vivienda, sin embargo, debemos seleccionar el adecuado considerando lo siguiente:

a) *Disponibilidad*. Los materiales locales suelen ser más baratos porque no hay que traerlos de otros lados, además casi siempre se adaptan al clima en el que estamos.
Un material importado cuesta más por su traslado, puede ser más difícil de conseguir y su transportación genera contaminación.

b) *Durabilidad*. Los materiales de la vivienda deben durar mucho tiempo para garantizar que ésta se mantenga en buenas condiciones toda la vida. También deben ser materiales resistentes, que sirvan para la estructura de la vivienda.

c) *Propiedades*. Para Monterrey se deben buscar materiales que impidan el paso del calor (o del frío) al interior de nuestra vivienda, esto se puede lograr si el material:

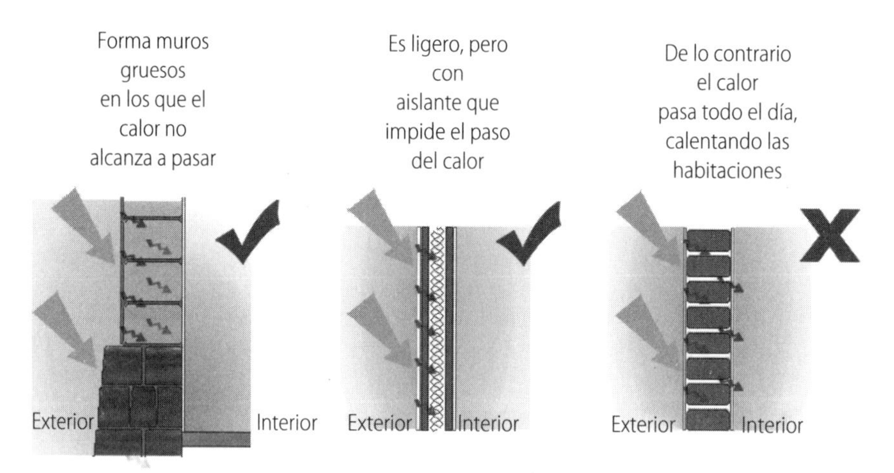

d) *Dimensiones*. El espesor de los muros y de los claros que se permiten depende del tipo de material que ocupemos.

Entonces, ¿qué materiales podemos usar?

Tierra

Es un material que se utiliza desde hace mucho tiempo en las construcciones. Generalmente se mezcla con arena o paja para mejorar sus propiedades. Se utiliza para la construcción de muros de carga. Por su grosor, mantiene estable la temperatura en los interiores.

Existen muchas formas de construir con tierra, como las siguientes:

Adobe. Son bloques formados mediante la combinación de tierra (arcilla), arena, paja y agua.

Tierra apisonada. La tierra se va compactando en capas hasta formar los muros, conteniéndola en moldes durante el proceso.

Criterio de selección:

a) *Disponibilidad*. Puede obtenerse del terreno mismo, lo que lo hace un material muy barato en cuanto a costos. Solamente hay que revisar si las propiedades del suelo de nuestro terreno nos permiten usarlo.

b) *Durabilidad*. Hay construcciones de tierra desde la Antigüedad, así que es un material que cumple muy bien con este criterio.

c) *Propiedades*. Funciona muy bien para proteger del calor o del frío y su espesor lo hace un material estructural muy resistente.

d) *Dimensiones*. El espesor de los muros crece dependiendo de las distancias y alturas que queramos cubrir. El ancho mínimo es de 25 cm aproximadamente.

Cob. Se hace una mezcla con paja y arena similar a la del adobe, sólo que en vez de hacer bloques se hacen los muros directamente.
Espesor de muros: mín. 25 cm.
Altura: va en relación con el ancho del muro

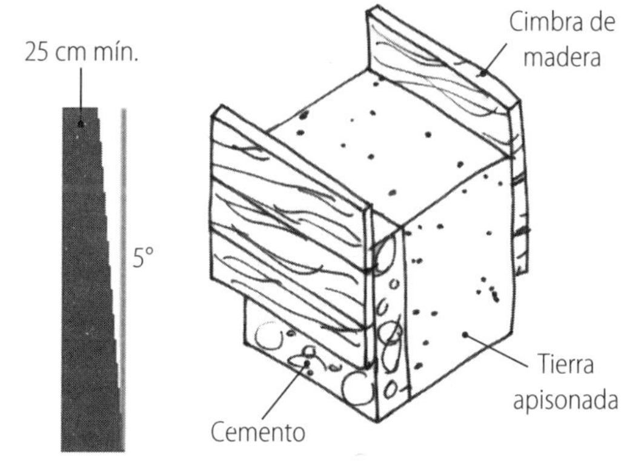

Algunas variaciones de la tierra apisonada. La tierra es compactada, las llantas y las bolsas sirven de "molde" para darle forma al muro

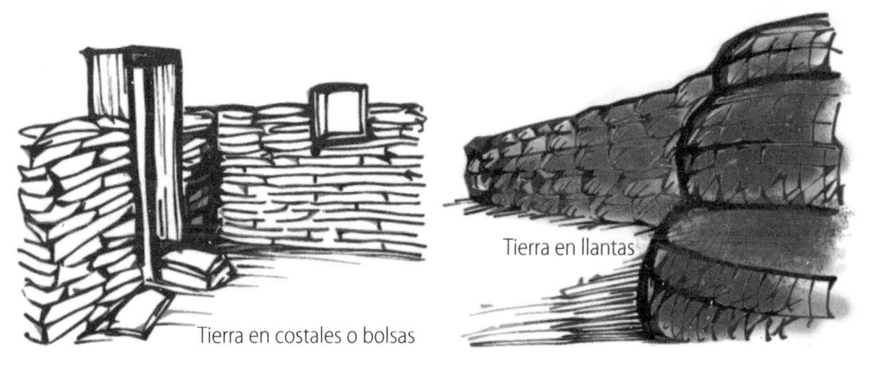

Piedra

Como la tierra, es un material utilizado desde hace mucho tiempo en la construcción. Cada piedra tiene propiedades diferentes de acuerdo con su origen pero, en general, puede ser utilizada para la estructura por su resistencia y porque no presenta problemas con la humedad. Las piedras son unidas unas con otras mediante algún tipo de mortero para formar muros o cimentaciones. Algunas de las que se utilizan en Monterrey son:

Piedra laja: Es una piedra lisa, que se extrae en piezas delgadas de forma irregular

Canto rodado: Son piedras con forma redondeada que normalmente provienen de los ríos. Son de hasta 25 cm de diámetro

Piedra artificial. Son bloques formados artificialmente, cuyas propiedades son similares a las de las piedras naturales. Por sus componentes, pueden alcanzar mayor resistencia que un bloque de piedra natural del mismo tamaño. Existen diferentes formas y tamaños de bloques y normalmente se fabrican a partir de los siguientes materiales:

Cemento-arena o barro cocido. Normalmente requieren de refuerzo estructural con cadenas y dalas de concreto armado, para un mejor funcionamiento

Criterio de selección:

a) *Disponibilidad*. Existe una gran cantidad de tipos de piedra que se pueden utilizar en la construcción. Es mejor utilizar las que se extraigan localmente, puesto que tendrán menos problemas respecto al clima, además que no las tendrán que transportar grandes distancias.

b) *Durabilidad*. Es un material que bien colocado puede durar siglos. Así que en este sentido es un muy buen material para construir la vivienda.

c) *Propiedades*. Funciona muy bien para proteger del calor o del frío y su espesor la hace un material estructural muy resistente.

d) *Dimensiones*. Los muros son desde 40 cm de espesor.

Sillar: Son piedras a las que se les da una forma regular después de su extracción

Criterio de selección:

a) *Disponibilidad*. La piedra artificial es el material más utilizado actualmente en la construcción ya que es fácil de conseguir, sobre todo la de cemento-arena.

b) *Durabilidad*. Es un material que puede durar cientos de años, así que en este sentido también es ideal para la construcción de la vivienda.

c) *Propiedades*. Sus propiedades estructurales permiten que los muros sean más delgados que los de piedra natural. Sin embargo, esto mismo hace que no protejan de calor o frío, por lo que es necesario complementarlos con algún tipo de aislante.

d) *Dimensiones*. Los muros son de entre 15 y 20 cm de espesor.

Concreto armado

Es un material que se forma con concreto (cemento, arena, grava y agua) y acero que sirve para refuerzo. Algunas veces se usan fibras como la de vidrio para el refuerzo, pero el material más utilizado es el acero. Tiene la ventaja de que se le puede dar cualquier forma, puesto que la mezcla es moldeable cuando se aplica; posteriormente endurece. Puede, por sí mismo, ser la estructura de la vivienda, pero normalmente se usa junto con muros de carga (como los de block de cemento-arena o tabique de barro recocido).

Concreto. El concreto es la mezcla de cemento, arena, grava y agua en diferentes proporciones de acuerdo con su uso. Es la parte de la mezcla que es moldeable, así que normalmente necesita de cimbra (molde de madera) para su aplicación.

Acero. Es un metal formado de hierro y carbono. Complementa las propiedades del concreto, por eso se dice que es refuerzo. El acero puede usarse por sí solo para columnas, trabes, vigas, etcétera.

Criterio de selección:

a) *Disponibilidad*. Todos los materiales utilizados para el concreto reforzado son de fácil acceso en el área de Monterrey.
b) *Durabilidad*. Es un material que puede durar cientos de años, así que en este sentido también es ideal para la construcción de la vivienda.
c) *Propiedades*. Sus propiedades estructurales permiten que los muros sean muy delgados. Al igual que con la piedra artificial, esto hace que no protejan del calor o frío, por lo que es necesario complementarlos con algún tipo de aislante.
d) *Dimensiones*. Un muro de concreto armado para una casa puede ser de aproximadamente 10 cm de espesor.

Paja

La paja es un material natural que puede utilizarse para construir, compactándola para formar blocks (pacas). Forma muros de carga agregándole el refuerzo adecuado. Es necesario protegerla de la humedad, sobre todo durante la construcción cuando los bloques deben estar completamente secos.

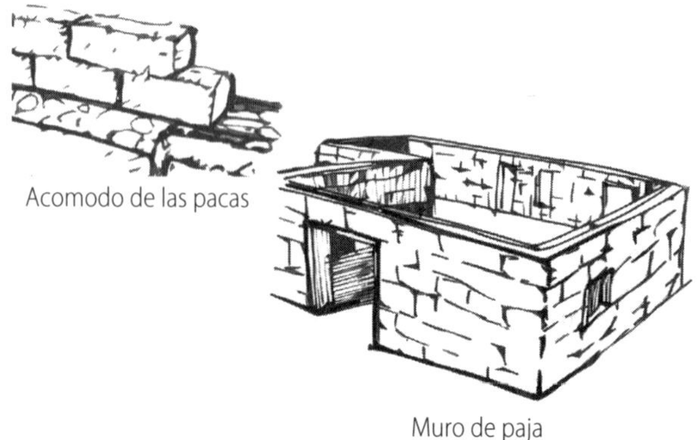

Acomodo de las pacas

Muro de paja

Criterio de selección:

a) *Disponibilidad*. La paja es un material muy fácil de conseguir, por lo que es factible construir con ella en Monterrey.
b) *Durabilidad*. Bien protegido, es un material muy durable, adecuado para una vivienda.
c) *Propiedades*. Con el refuerzo adecuado puede utilizarse para la estructura de la vivienda. Su espesor y características lo hacen un excelente material para proteger el interior de los cambios de temperatura.
d) *Dimensiones*. Los muros son de entre 35 y 60 cm de espesor, dependiendo del bloque.

Madera

Material natural obtenido del tronco de los árboles. Funciona como estructura para la vivienda o algunas veces como muros divisorios. Las características de la madera varían dependiendo del árbol del que proviene. Es importante que la madera provenga de zonas de tala autorizadas por el Gobierno.

Estructura de madera

Criterio de selección:

a) *Disponibilidad*. La madera es un material disponible en Monterrey, lo importante es verificar que no provenga de tala clandestina.
b) *Durabilidad*. Es un material que puede durar décadas, pudiendo remplazar partes deterioradas.
c) *Propiedades*. Se utiliza para la estructura de la vivienda con tratamiento contra la humedad y el fuego. Es un material que sí protege del paso del calor, pero es mejor complementarlo con un aislante.
d) *Dimensiones*. Varía de acuerdo con el elemento estructural y los claros por cubrir.

Carrizo

Material natural que proviene de la planta del mismo nombre. A diferencia de la madera, el tronco del carrizo se utiliza tal cual, sin cortes. Puede utilizarse como estructura o para muros divisorios, dependiendo de su tamaño.

Muro de carrizo

Criterio de selección:

a) *Disponibilidad*. Es un material fácil de conseguir, con la ventaja de crecer a un ritmo más rápido que la madera.
b) *Durabilidad*. Debe ser remplazado cada 10 años aproximadamente.
c) *Propiedades*. Puede ocuparse para la estructura, pero debe tratarse contra la humedad. Tiene buena capacidad de aislar contra el calor o el frío externos.
d) *Dimensiones*. Los muros son del espesor del carrizo.

El sistema constructivo es un conjunto de elementos que organizados forman la estructura de la vivienda, incluyendo cimentaciones, muros y techos.

Estructuras de madera. Son livianas y económicas, si se emplean maderas baratas. Se construyen en poco tiempo y sin obra pesada.

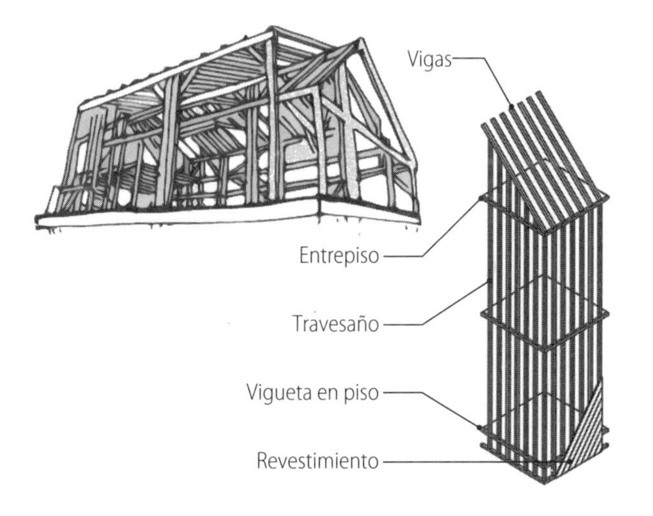

Estructuras de acero. Son más costosas y requieren de mano de obra especializada.

Estructuras de concreto.

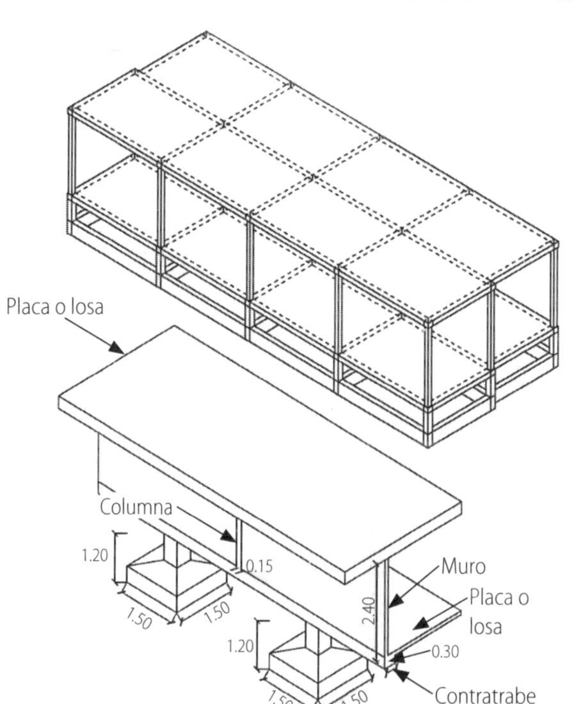

En México la construcción usualmente es de mampostería y concreto armado. Sin embargo, se pueden considerar otros materiales como tierra apisonada, adobe, carrizo y paja, los cuales se pueden combinar, produciendo una construcción híbrida con materiales de la región.

Estructura de madera con sacos de arena

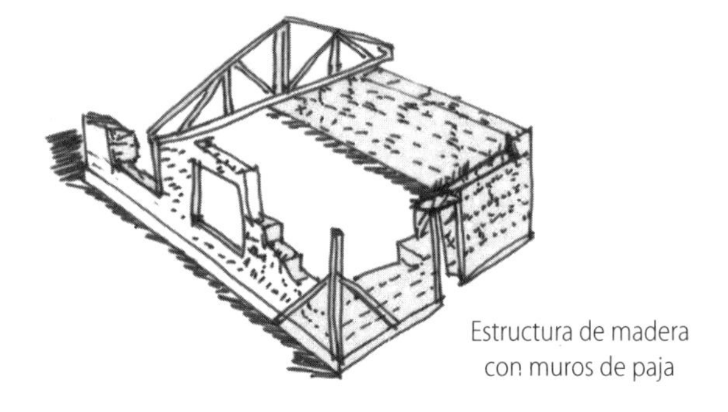
Estructura de madera con muros de paja

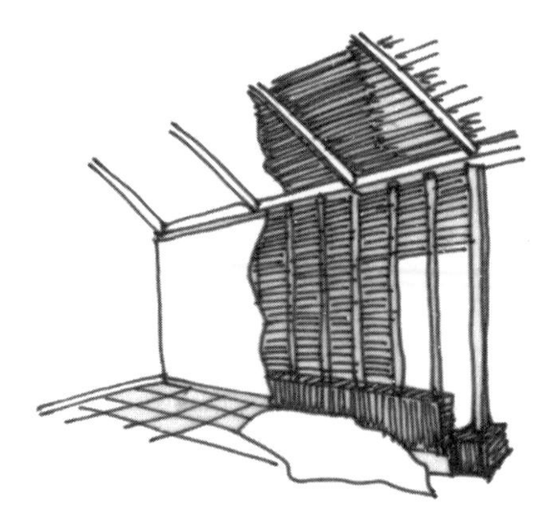
Estructura de madera con tierra, o bajareque

Cimentaciones

Las cimentaciones son las que soportan la estructura de la casa y protegen los muros de la humedad. Es la parte estructural de la vivienda que está en función de las condiciones del terreno. Se hacen pruebas de resistencia del terreno para localizar la tierra amarilla o la capa de suelo estable.

Contratrabes y dalas de cimentación.

Cimbra y armado de la dala de cimentación

Zapatas. Pueden ser de concreto armado. Cuando son aisladas su planta es cuadrada o rectangular.

La zapata aislada como ésta descansa en un solo pedestal

Colado de dala de cimentación

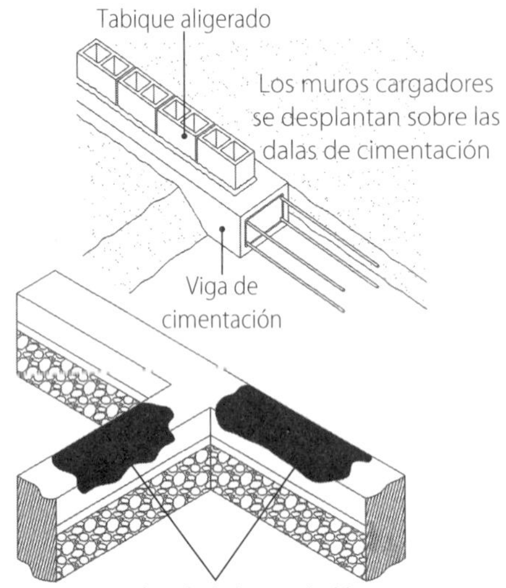

Para protegerlos de la humedad hay que impermeabilizar desde la cimentación

Muros

Los muros gruesos retardan el paso del calor y se pueden construir de diversos materiales. Mientras que las ventanas actúan como un filtro para nuestra vivienda, los muros y techos le dan forma y la protegen, por eso, deben tener ciertas características.

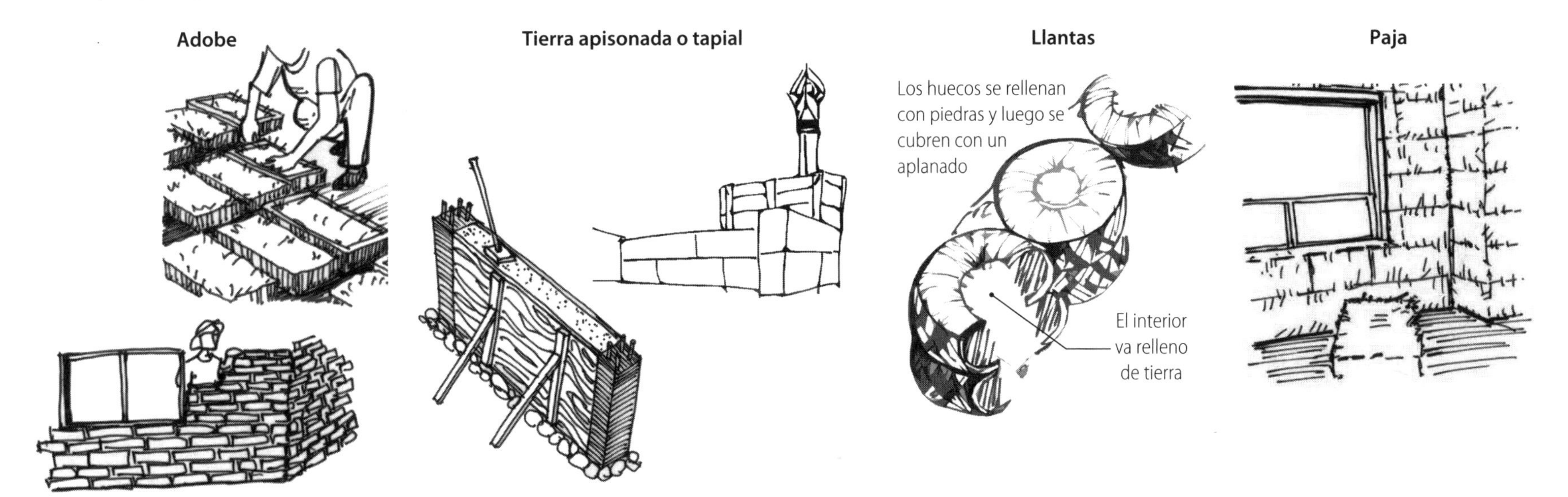

Hay otros tipos que también se pueden utilizar:

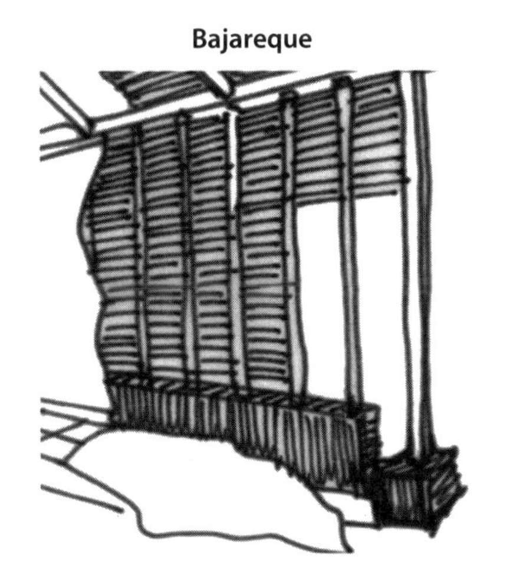

Los muros contienen las instalaciones y se recubren con los acabados

Losas

Algunos materiales recomendados para construir los techos son:

Techumbres, para terrazas o porches

Carrizo, tierra y teja

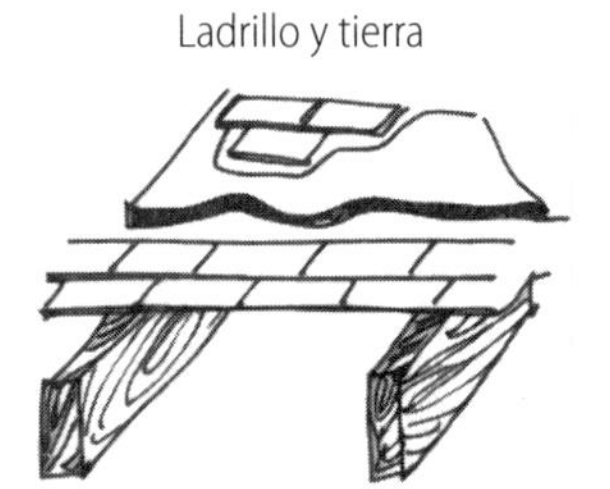

Ladrillo y tierra

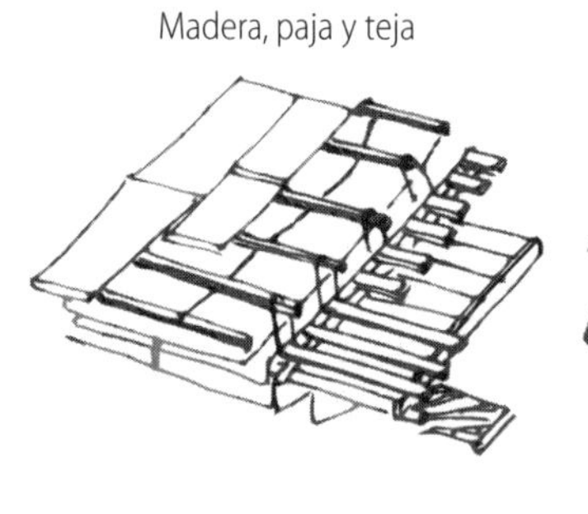

Madera, paja y teja

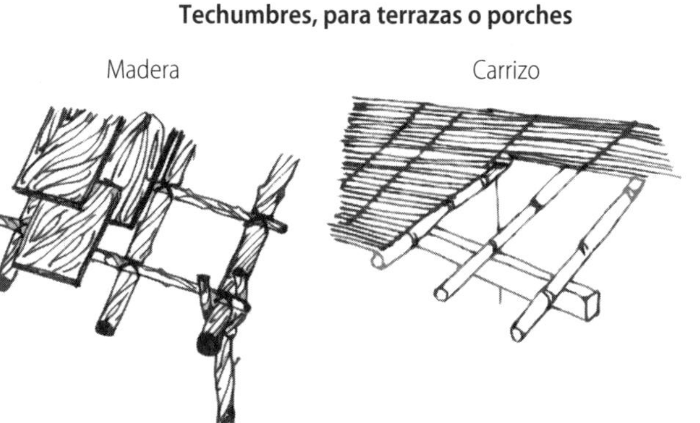

Madera

Carrizo

Algunas otras que se utilizan:

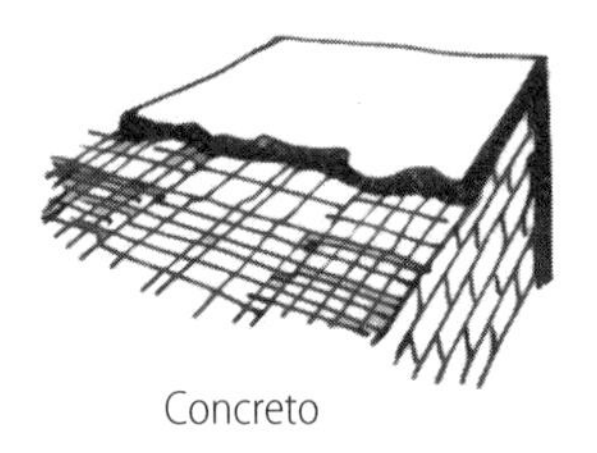

Concreto

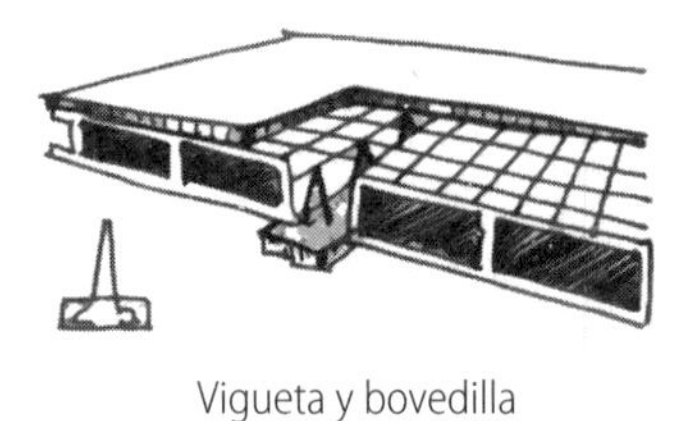

Vigueta y bovedilla

Acero

Para las losas de concreto, vigueta y bovedilla, se prepara una estructura para soportar la cimbra y la losa mientras está lista. La losa de azotea es la última losa que se coloca en la construcción.

Existe también la losa de entrepiso que se encuentra entre una planta baja y una alta.

Estructura

Cimbra

Colocación de armado y bovedilla (aligerantes)

Para que las losas se calienten menos:

Las orientamos al Norte

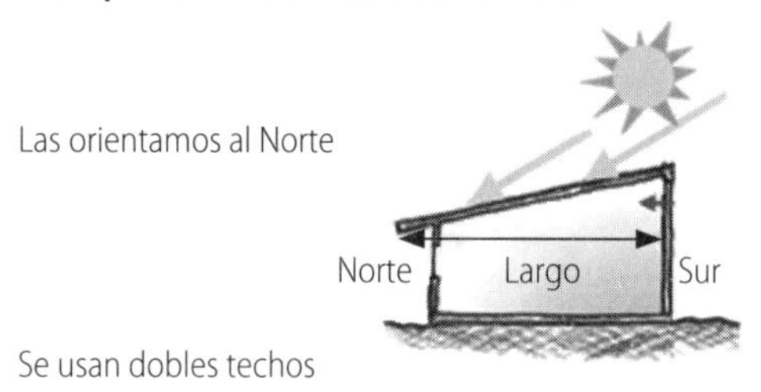

Se usan dobles techos

Techumbre o techo ligero

Terraza/área de techo con sombra

La losa de azotea se puede recubrir de vegetación convirtiéndose en un techo verde

Información del sitio

Antes de empezar a diseñar hay que saber algunas *características* de nuestro terreno, como su forma, tamaño y orientación. Para aprovecharlo mejor necesitamos saber:

Ubicación

Hay que identificar las características alrededor de nuestro terreno y marcar el lado que da a la calle, pues esa será nuestra entrada.

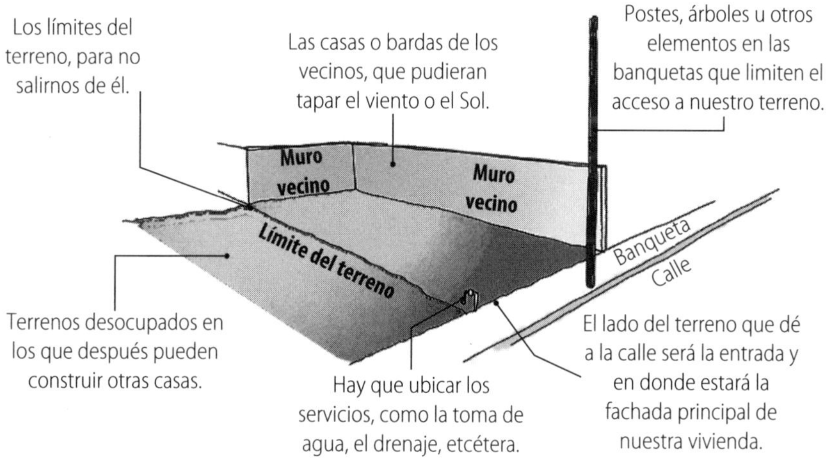

Así se consideran estos elementos para que no estorben.

Dimensiones y área

Si el terreno es rectangular:

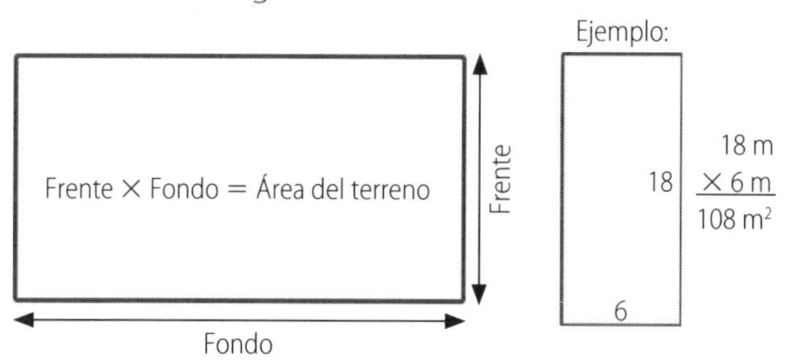

Si es de forma irregular se puede dividir en varias secciones para saber su área y después se suman. Algunas figuras que se pueden utilizar son:

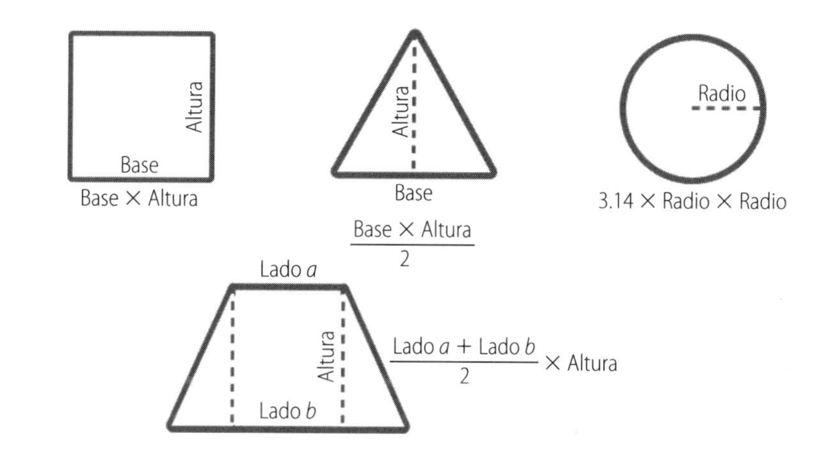

Por ejemplo:

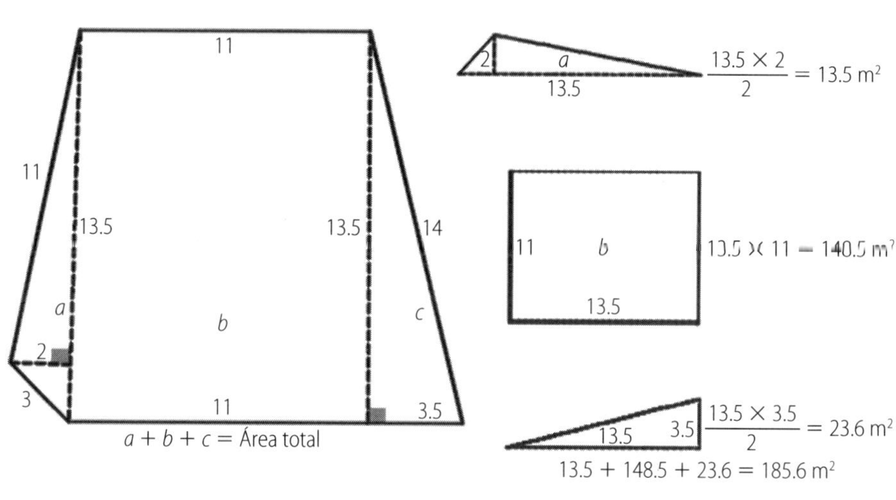

Orientación

Como ya se vio en la sección del clima, es importante saber la orientación del terreno respecto al Norte para entender cómo pasa el Sol y de dónde provienen los vientos.

a) Lo primero que hay que hacer es ubicar el Norte.

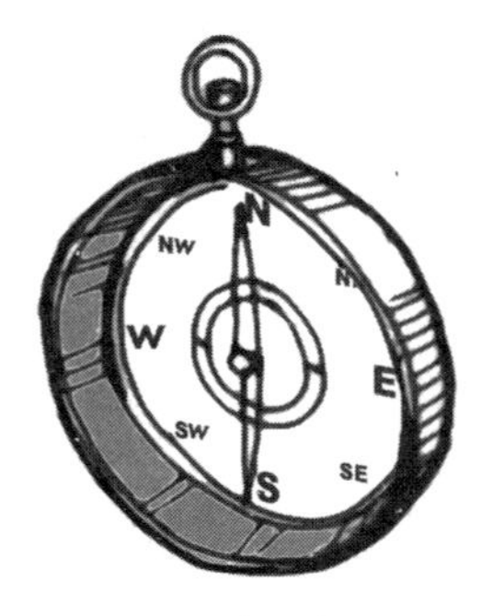

b) Después hacemos coincidir el Norte del esquema con el del terreno y sabemos:

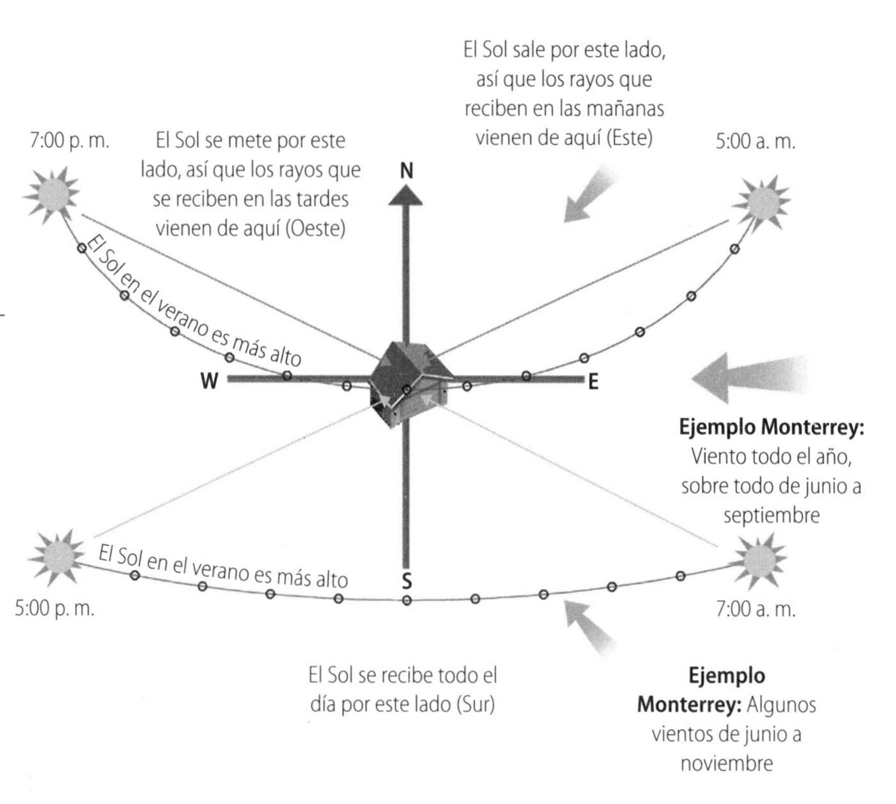

Esto nos servirá más adelante, cuando decidamos cómo proteger la vivienda del calor excesivo y veamos cómo ventilarla adecuadamente.

Topografía

Hay que identificar si el terreno está en pendiente o en plano.

En pendiente:

En esta parte, la pendiente es más pronunciada

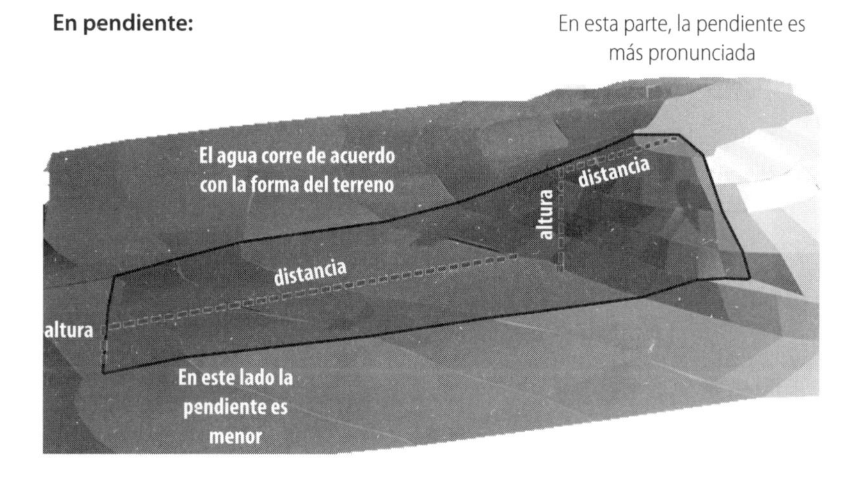

Para calcular la pendiente en porcentaje:

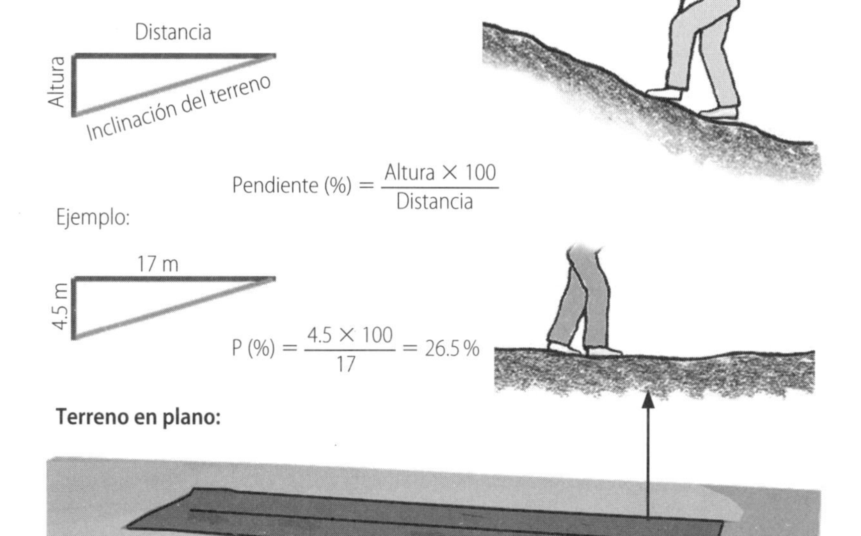

$$\text{Pendiente (\%)} = \frac{\text{Altura} \times 100}{\text{Distancia}}$$

Ejemplo:

$$\text{P (\%)} = \frac{4.5 \times 100}{17} = 26.5\,\%$$

Terreno en plano:

En los terrenos con poca pendiente, hay que tener cuidado que cuando llueva, el agua no se estanque

Vegetación existente

Las plantas y árboles son muy importantes para lograr que la vivienda sea un buen lugar para vivir (véase "Jardines y huertos", pág. 148). Por eso, se debe identificar la vegetación que hay en el terreno, para así considerarla a la hora de ubicar la vivienda en vez de tener que quitarla.

La resistencia del suelo

Esto nos sirve para decidir qué tipo de cimentación se requerirá en el terreno, según los grados de resistencia del suelo:

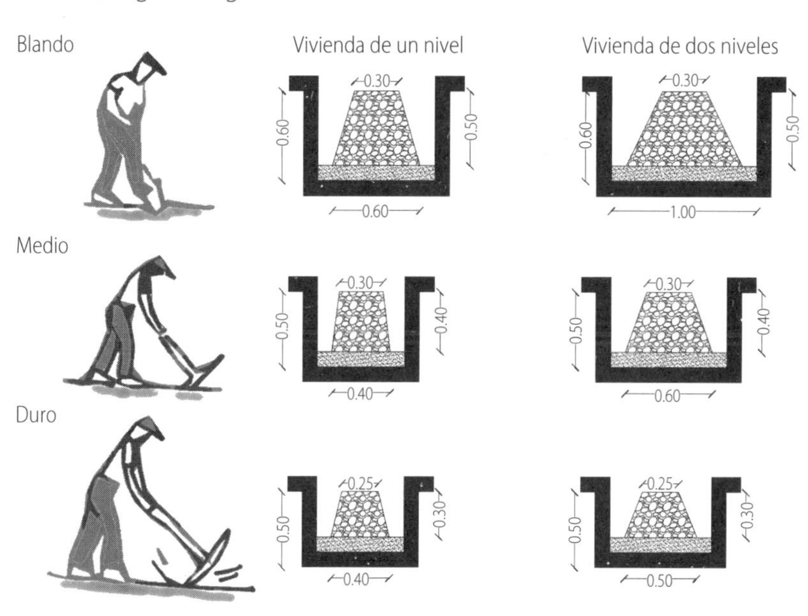

Con lo anterior, podemos integrar todas las características del terreno en un esquema que nos servirá más adelante.

El siguiente símbolo aparecerá en las partes del manual en donde se desarrolle el ejemplo:

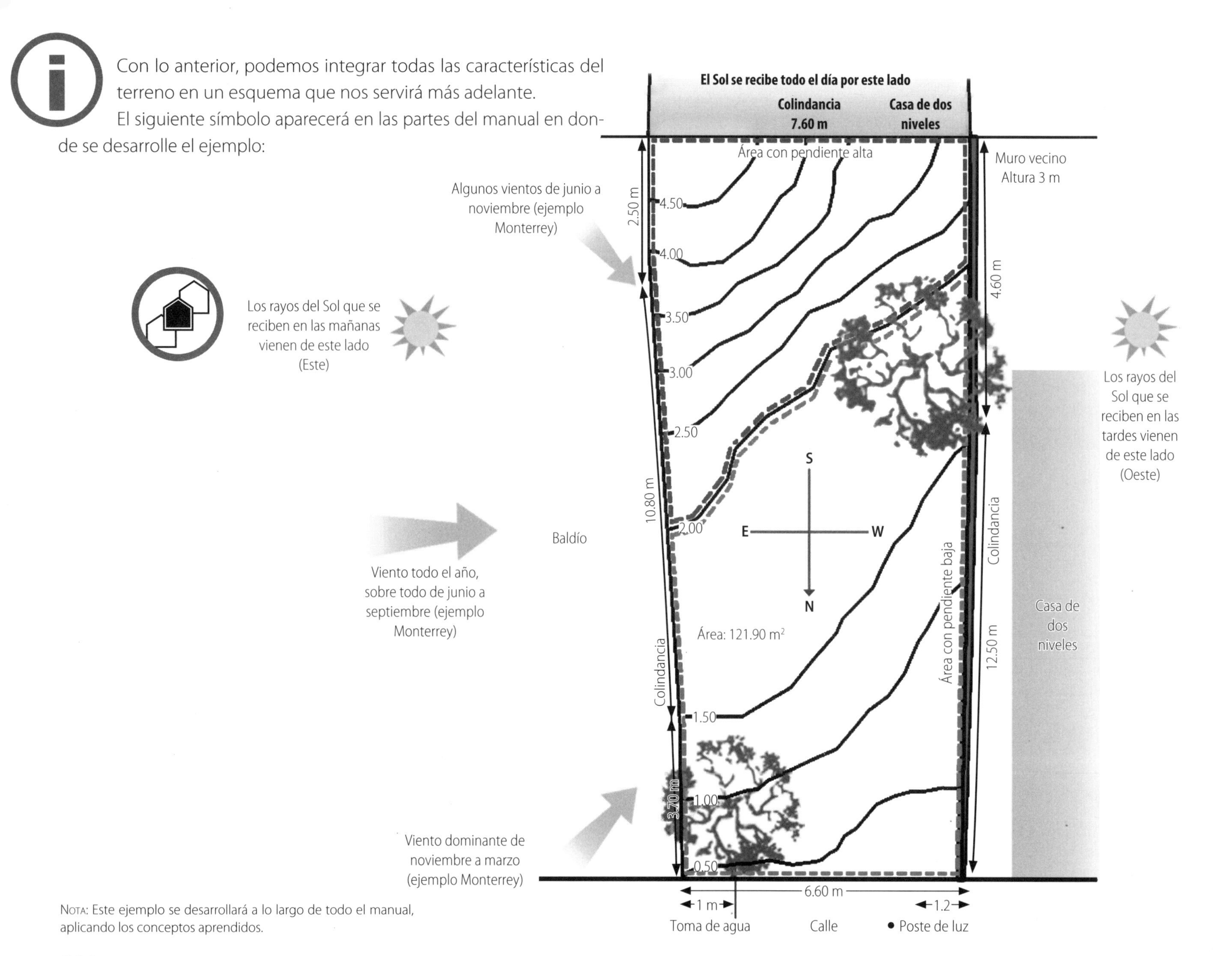

NOTA: Este ejemplo se desarrollará a lo largo de todo el manual, aplicando los conceptos aprendidos.

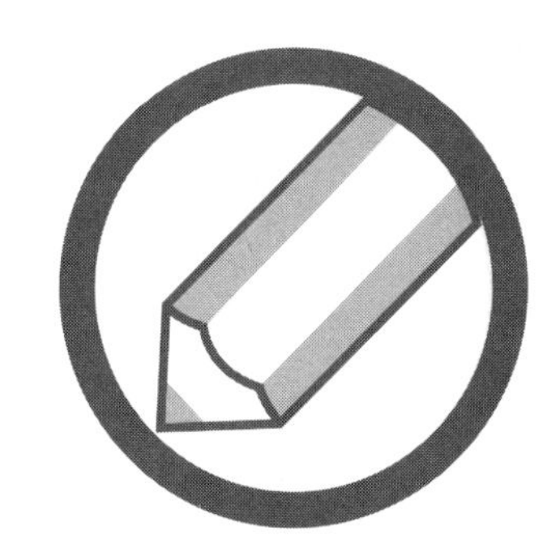

¿Cómo diseñar?

Una vez que tenemos la información necesaria, podemos tomar decisiones acerca de cómo será la vivienda.

Ubicación en el terreno

De acuerdo con las características del terreno, ubicaremos la vivienda en la sección más conveniente.

Lo primero que se debe identificar es la parte del terreno en donde conviene ubicar la vivienda.

¿Dónde ubicar la vivienda?

No podemos ocupar todo el terreno con la vivienda. Hay que dejar de 20 a 30 % del terreno sin construir. Para saber cuánto es en metros cuadrados se puede calcular de la siguiente manera:

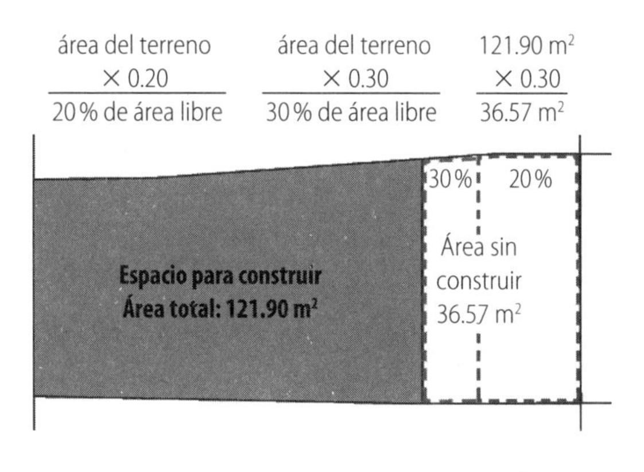

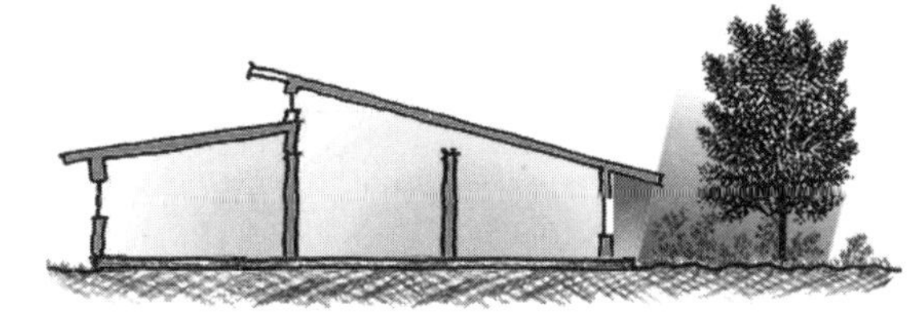

Es mejor si la parte que no se ocupa para la construcción se aprovecha para jardín, como veremos más adelante, la vegetación nos ayuda a mejorar la vivienda.

También se deben dejar al menos dos lados de la vivienda separados de los límites del terreno o dando a la calle.

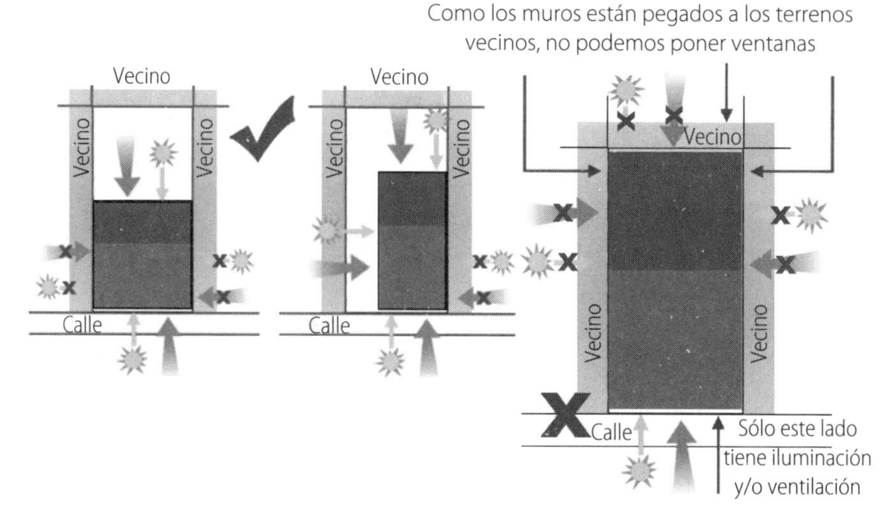

Las partes sin construir nos permiten ubicar las ventanas que iluminarán y ventilarán los cuartos. Además, ahí podemos tener jardín.

Entonces utilizamos las características que investigamos en la sección pasada para saber qué área dejar sin construir y cuál es el mejor lugar para la vivienda.

Vegetación

Hay que conservar las zonas con árboles o vegetación importante que ya habíamos identificado. Es mejor establecer desde un principio que estas zonas no deben ser utilizadas, así nos aseguramos que estén protegidas.

Topografía

En terrenos con pendiente. Se recomienda construir en niveles o terrazas:

Hay que tomar la parte menos inclinada

Cuidar que en la parte más baja no se estanque el agua

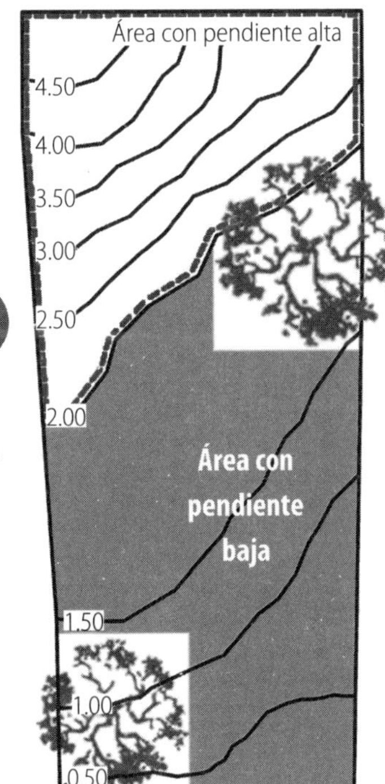

Haciendo la cimentación de la misma manera:

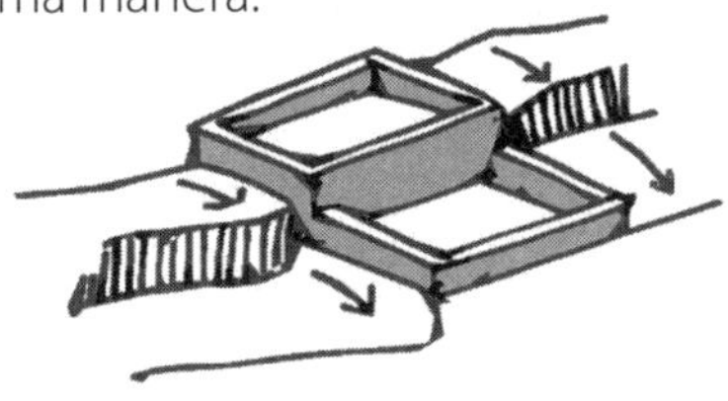

Y aprovechando las zonas menos adecuadas para el área libre por conservar.

Además, hay que evitar aquellas zonas en donde normalmente corre el agua:

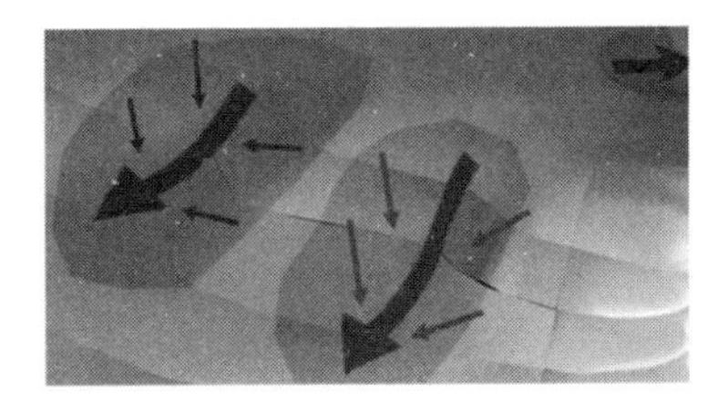

En terrenos planos:

No construir en las zonas más bajas o en donde se pueda encharcar el agua

Dimensiones

En terrenos muy angostos (menos de 7 m) es mejor ocupar todo el ancho para la vivienda, dejando el área libre adelante o atrás.

En terrenos donde hay más espacio la vivienda puede separarse de los límites sin perjudicar las dimensiones de los cuartos de la vivienda.

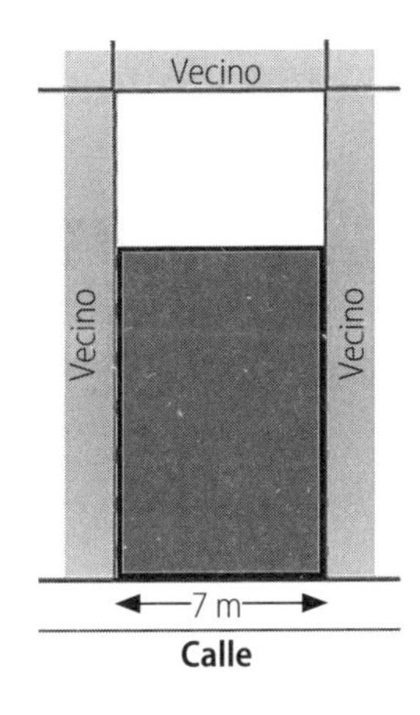

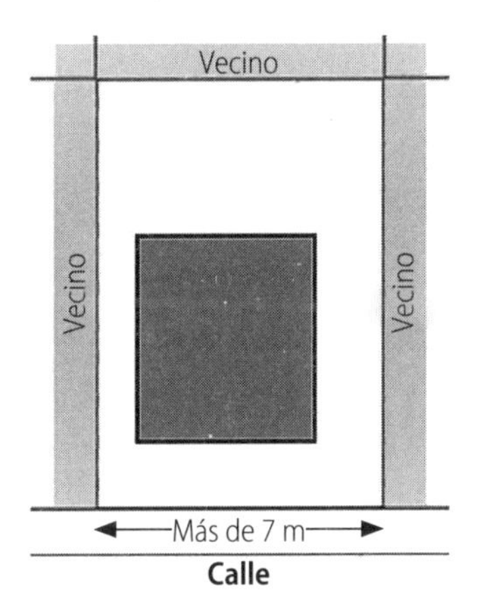

Las dimensiones también influyen sobre las distancias que hay que cubrir para tuberías y demás instalaciones que vienen de la calle.

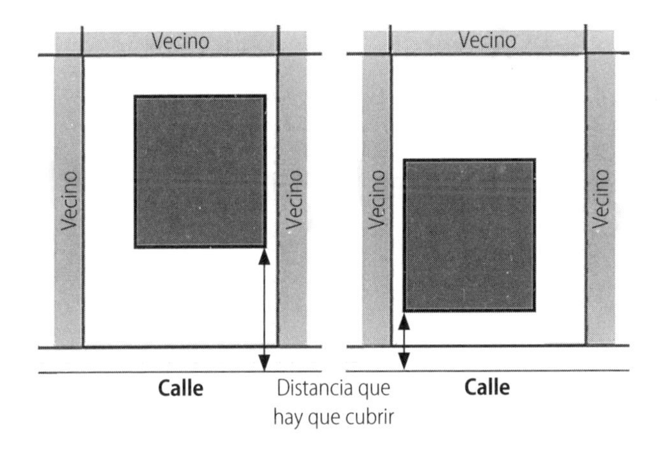

Orientación

El área libre debe ayudar a proteger del Sol y el viento cuando sea necesario. Por eso se recomiendan las siguientes ubicaciones de acuerdo con la orientación:

Por eso, las áreas libres deberán seguir diferentes estrategias:

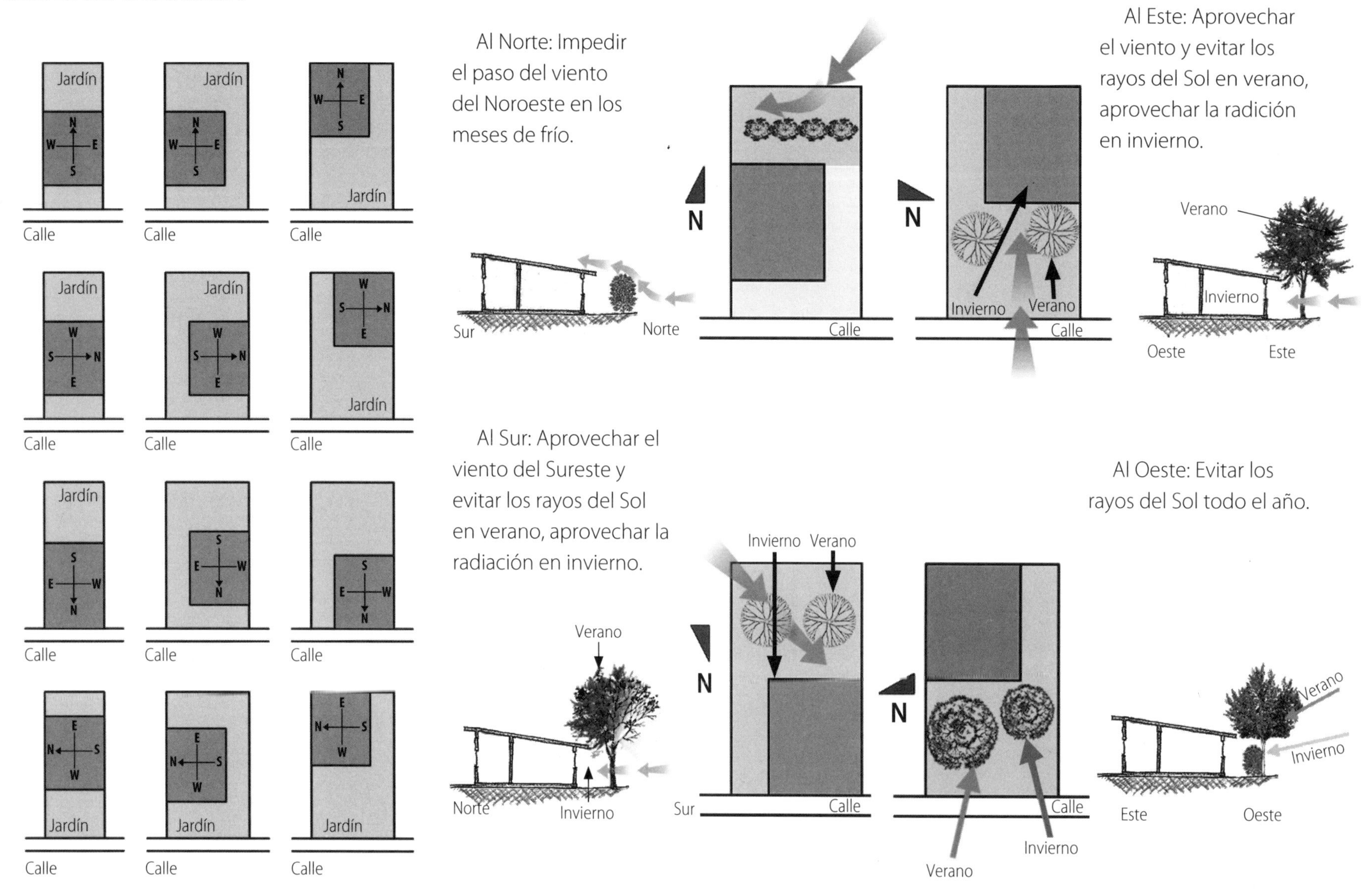

Al Norte: Impedir el paso del viento del Noroeste en los meses de frío.

Al Este: Aprovechar el viento y evitar los rayos del Sol en verano, aprovechar la radición en invierno.

Al Sur: Aprovechar el viento del Sureste y evitar los rayos del Sol en verano, aprovechar la radiación en invierno.

Al Oeste: Evitar los rayos del Sol todo el año.

Tenemos un terreno de: 121.90 m²
Significa un área construible de: 85.33 m²
Necesitamos dejar un área libre de al menos: 36.57 m²

En el dibujo podemos observar:

- Áreas con mayor pendiente
- Áreas con vegetación por conservar
- Área más apta para construir
- Área de posible inundación
- Límite propuesto del área construible

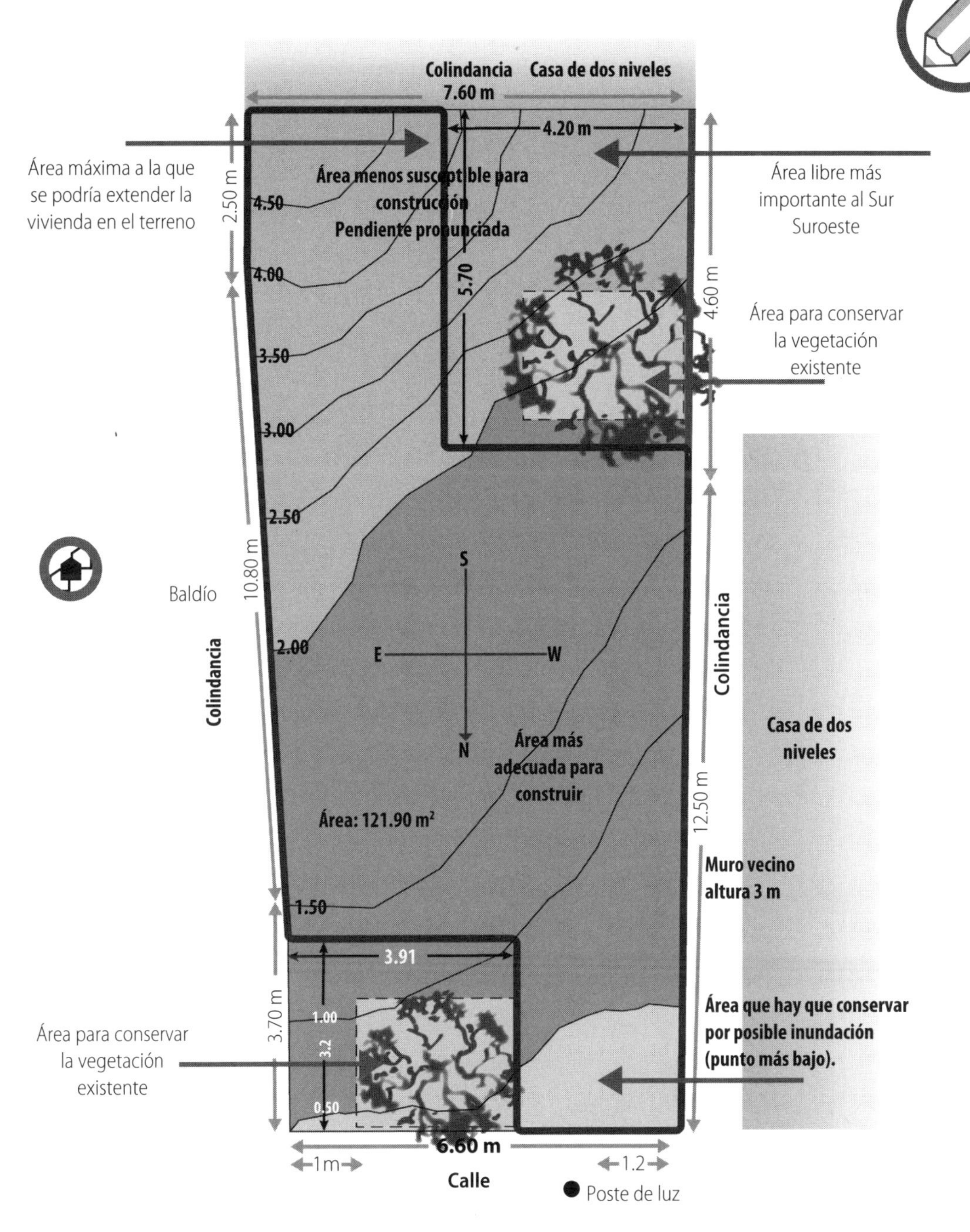

Entonces, en el ejemplo que habíamos visto:

Ahora que ya sabemos en dónde podemos ubicar vivienda tendremos una idea más clara de cómo será.

Distribución de espacios

La vivienda contiene una serie de *espacios* donde habitamos y realizamos nuestras actividades. Éstos deben estar bien *distribuidos* y relacionados entre sí.

La vivienda que queremos

Para iniciar la construcción de la vivienda es conveniente definir su forma.

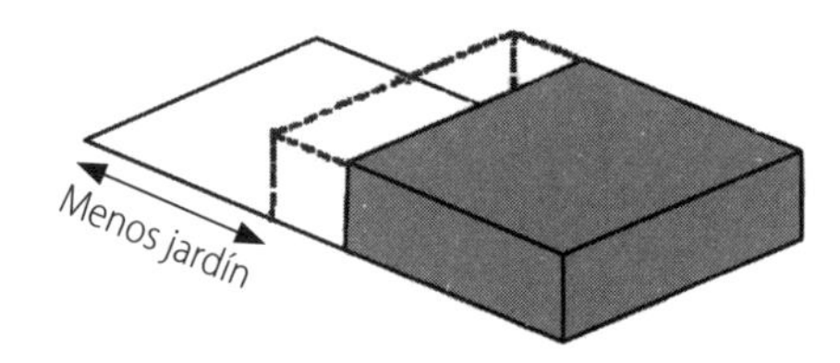

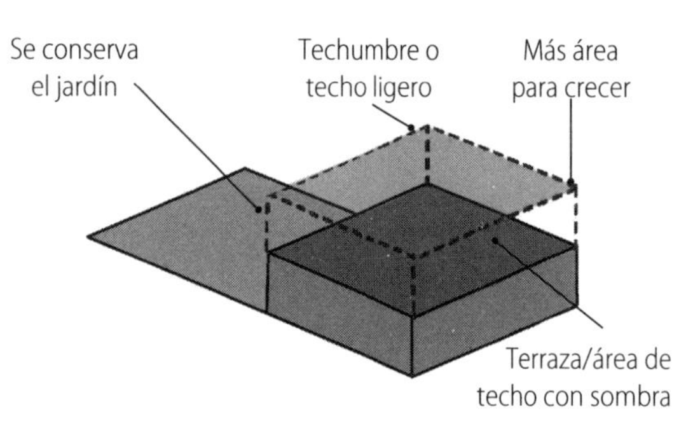

Ya sabemos que debe incorporarse a la forma del terreno. Si está en pendiente, es mejor construir en varios niveles.

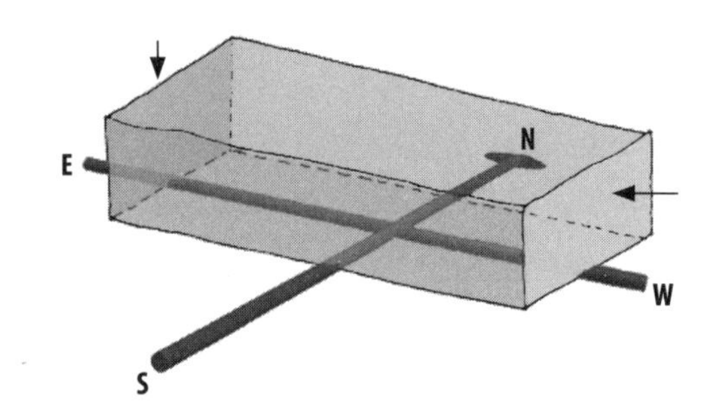

Considerando el espacio disponible, es mejor crecer hacia arriba.

Cuando sea posible, la vivienda tendrá forma alargada (con la siguiente orientación), así

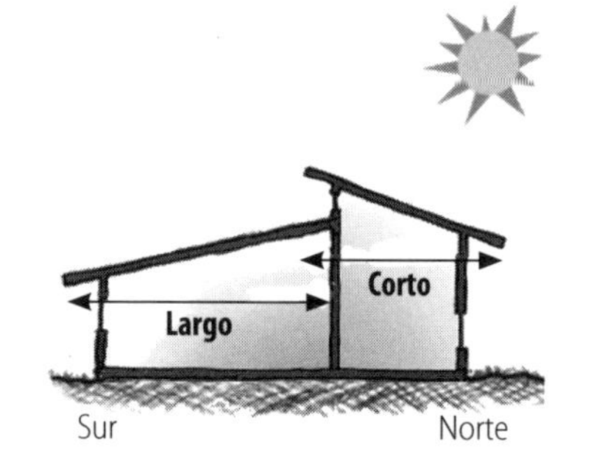

las fachadas Este y Oeste tienen menor área expuesta a los rayos del Sol.

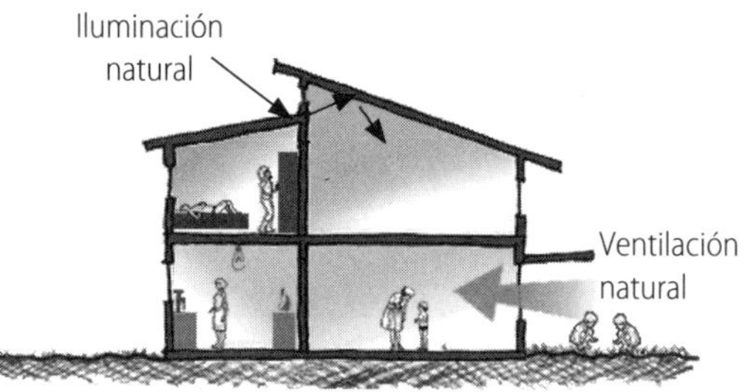

Hay espacio suficiente para realizar diferentes actividades

Además, si ponemos el techo inclinado, con la siguiente orientación los rayos del Sol llegan indirectamente, calentando menos el techo.

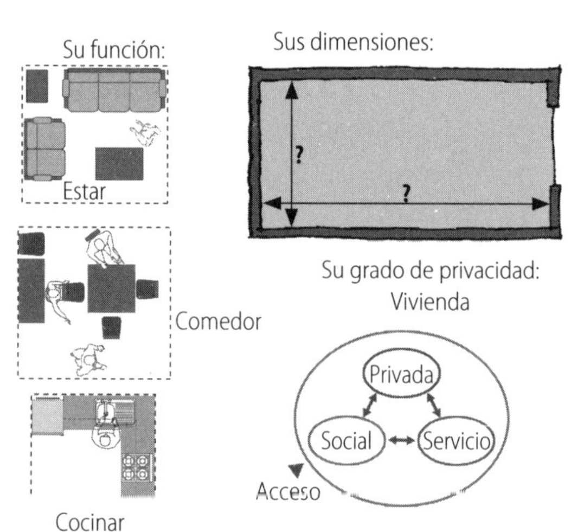

Ahora veamos las características de los espacios que integrarán nuestra vivienda:

Cada cuarto de la vivienda es diferente, de acuerdo con diversos factores.

Ahora seleccionamos los espacios que queremos incluir en la vivienda (programa).

Normalmente, una vivienda contiene uno o varios de los siguientes espacios:

Recámara
Recámara
Baño
Privada
Lavado
Social
Servicio
Estudio
Sala
Comedor
Cocina

El número de recámaras, baños, etc., depende del tamaño de la familia. Por ejemplo:

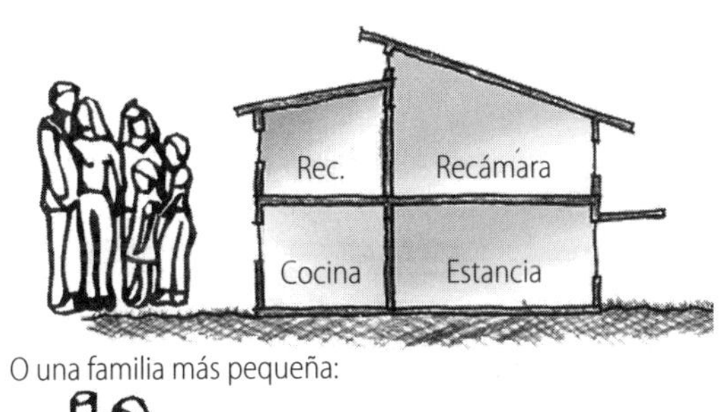

O una familia más pequeña:

Determinamos su tamaño de acuerdo con las costumbres de la familia, por ejemplo, si se usa mucho la cocina:

Según las necesidades de ventilación e iluminación:

En cuartos muy profundos, la luz no llega a todo el cuarto.

Para adaptaciones a futuro cuando la familia crece:

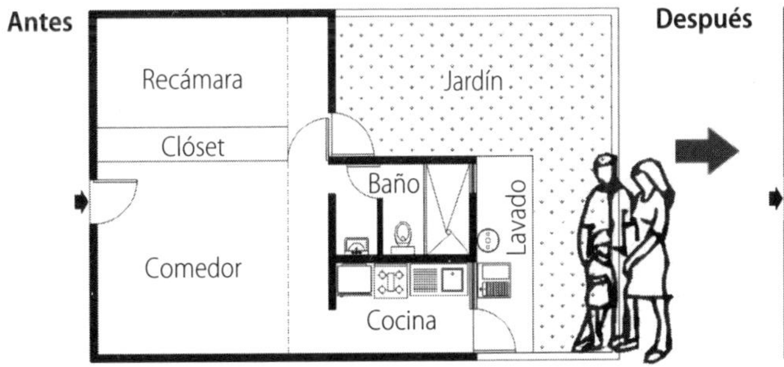

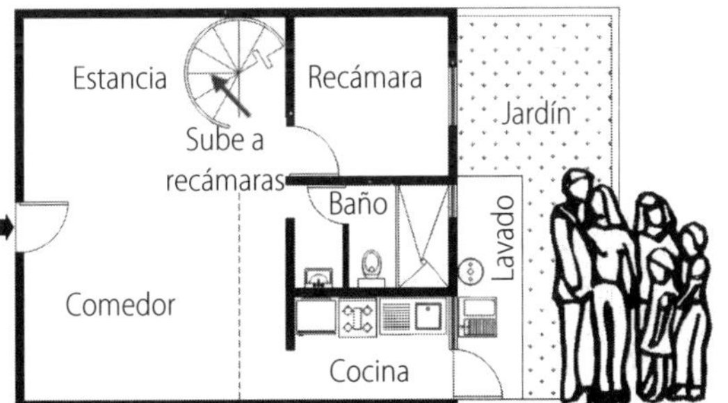

En cambio, si se usan más las áreas sociales:

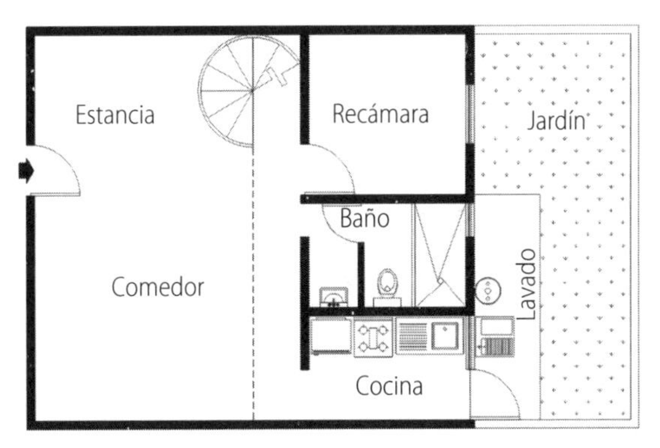

En cuartos más altos, el aire caliente está más lejos de donde nosotros estamos.

El tamaño de cada habitación puede variar, pero lo importante es que nunca sean más chicos que las siguientes medidas:

Sala/estancia

Área mínima: 7.3 m^2
Lado mínimo: 2.6 m
Altura mínima: 2.3 m

Opciones para cumplir con el área mínima:
2.60 × 2.80 m
2.65 × 2.75 m
2.70 × 2.70 m

Comedor

Área mínima: 8.40 m^2
Lado mínimo: 2.85 m
Altura mínima: 2.30 m

Opciones para cumplir con el área mínima:
2.95 × 2.85 m

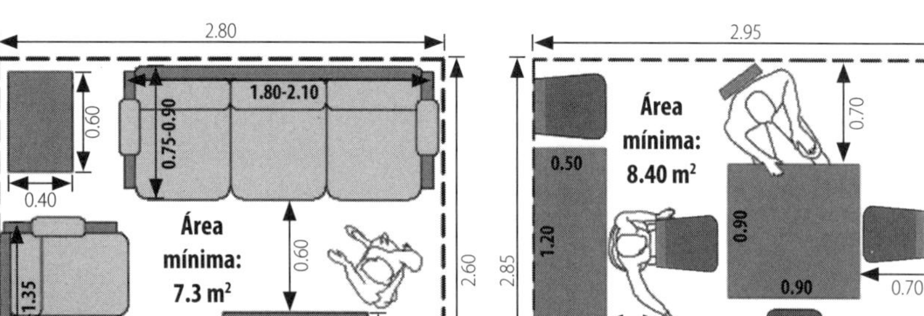

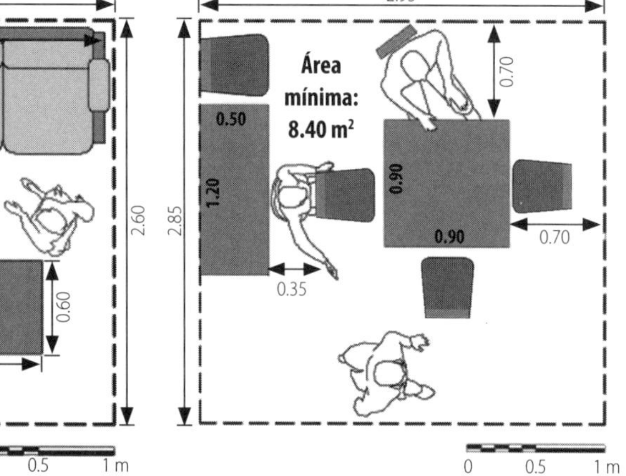

Recámaras

Principal
Área mínima: 7.0 m^2
Lado mínimo: 2.4 m
Altura mínima: 2.3 m

Opciones para cumplir con el área mínima:
2.40 × 2.90 m
2.45 × 2.85 m
2.50 × 2.80 m
2.55 × 2.75 m
2.60 × 2.70 m

Secundaria o alcoba
Área mínima: 6.0 m^2
Lado Mínimo: 2.2 m
Altura mínima: 2.3 m

Opciones para cumplir con el área mínima:
2.20 × 2.70 m
2.25 × 2.65 m
2.30 × 2.60 m
2.35 × 2.55 m
2.40 × 2.50 m
2.45 × 2.45 m

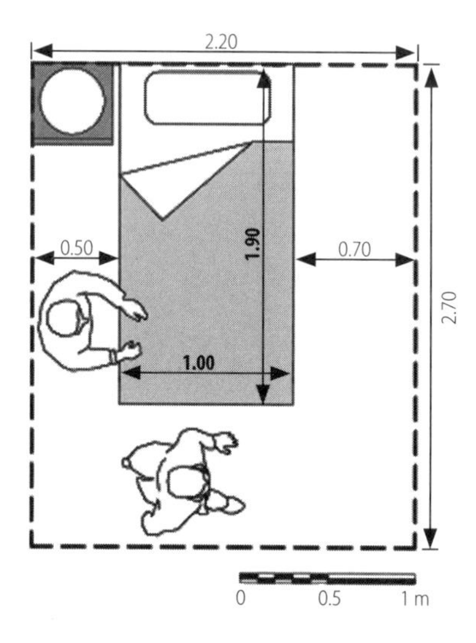

Baño

Espacio mínimo para cada mueble:

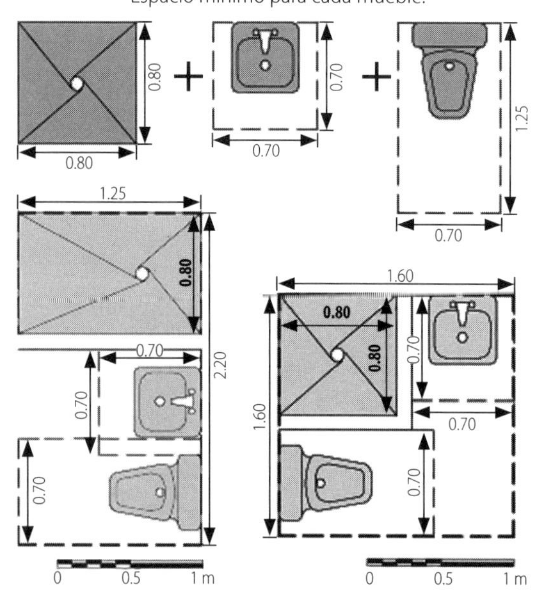

Cocina

Área mínima: 4.70 m^2
Lado mínimo: 1.94 m
Altura mínima: 2.30 m

Opciones para cumplir con el área mínima:
1.94 × 2.40 m

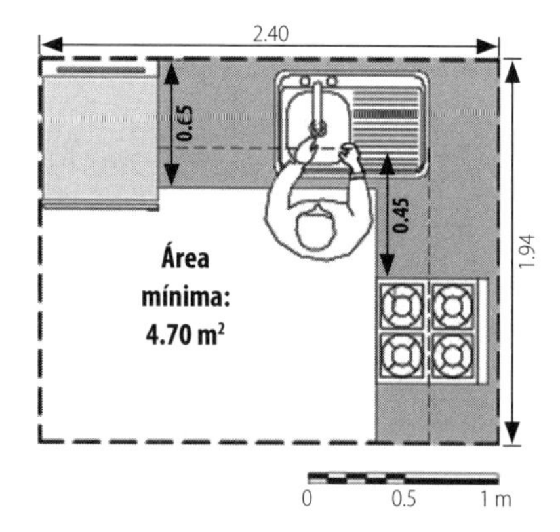

Cuarto de lavado

Área mínima: 2.31 m^2
Lado mínimo: 1.40 m
Altura mínima: 2.30 m

Opciones para cumplir con el área mínima:
1.65 × 1.40 m

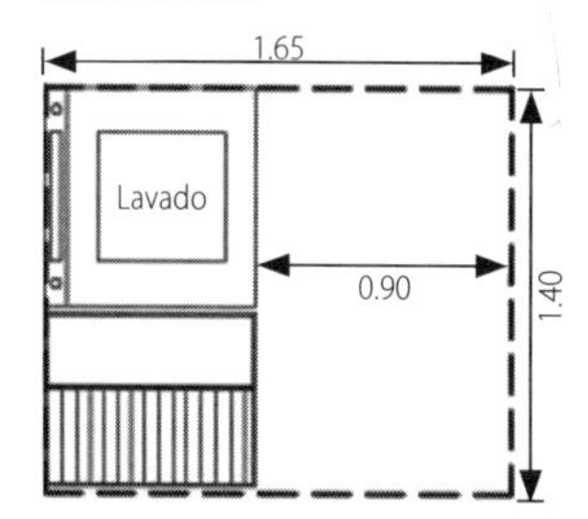

Estas medidas son las mínimas indispensables, recomendadas cuando se tiene muy poco espacio. A continuación se presentan otras opciones para cada tipo de habitación de mayores dimensiones.

Función. Es un espacio de reunión de la familia, en donde se realizan actividades como: conversar, leer, escuchar música, ver televisión, y descansar.

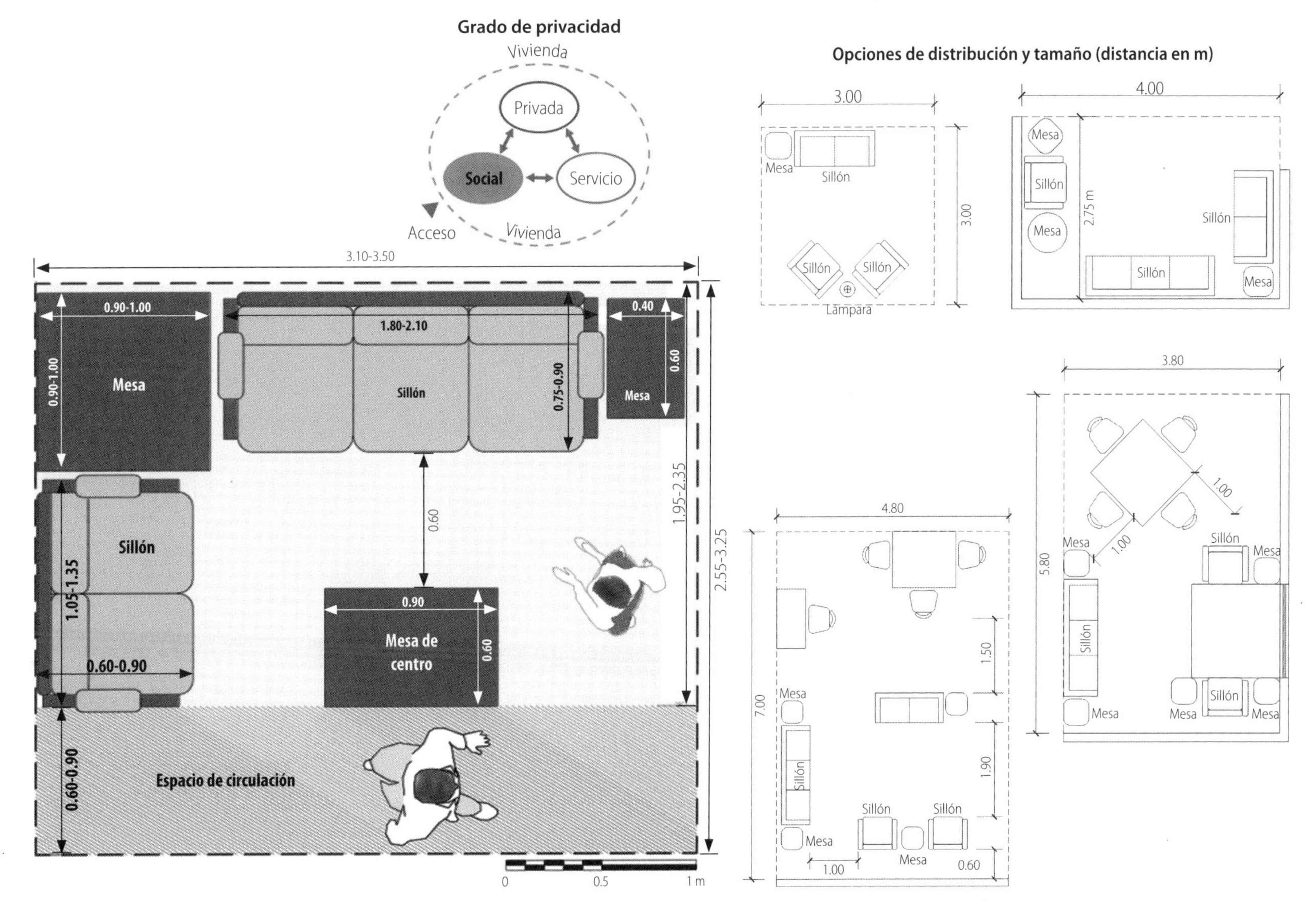

Comedor

Función. Lugar de reunión para tomar los alimentos, pero que se aprovecha para otras funciones como estudio, lectura, conversar, etcétera.

Grado de privacidad

Vivienda
Privada
Social
Servicio
Acceso
Vivienda

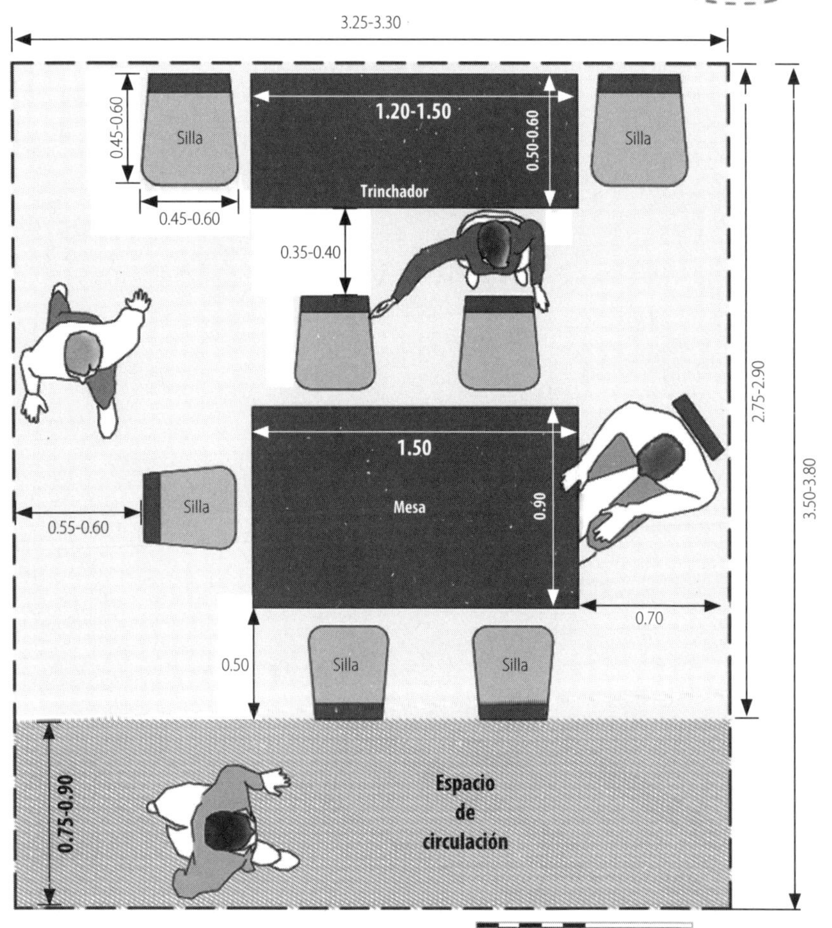

Opciones de distribución y tamaño (distancia en m)

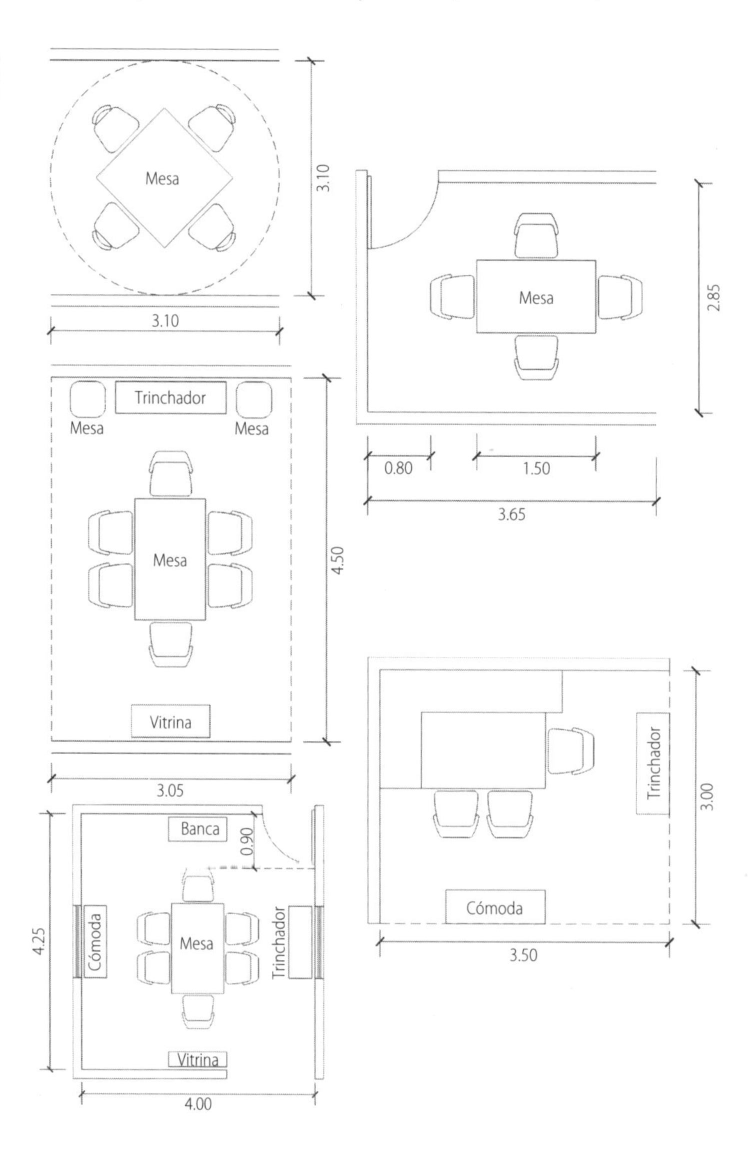

Función. Área para dormir, además de otras actividades como lectura, estar, vestir, estudio, etcétera.

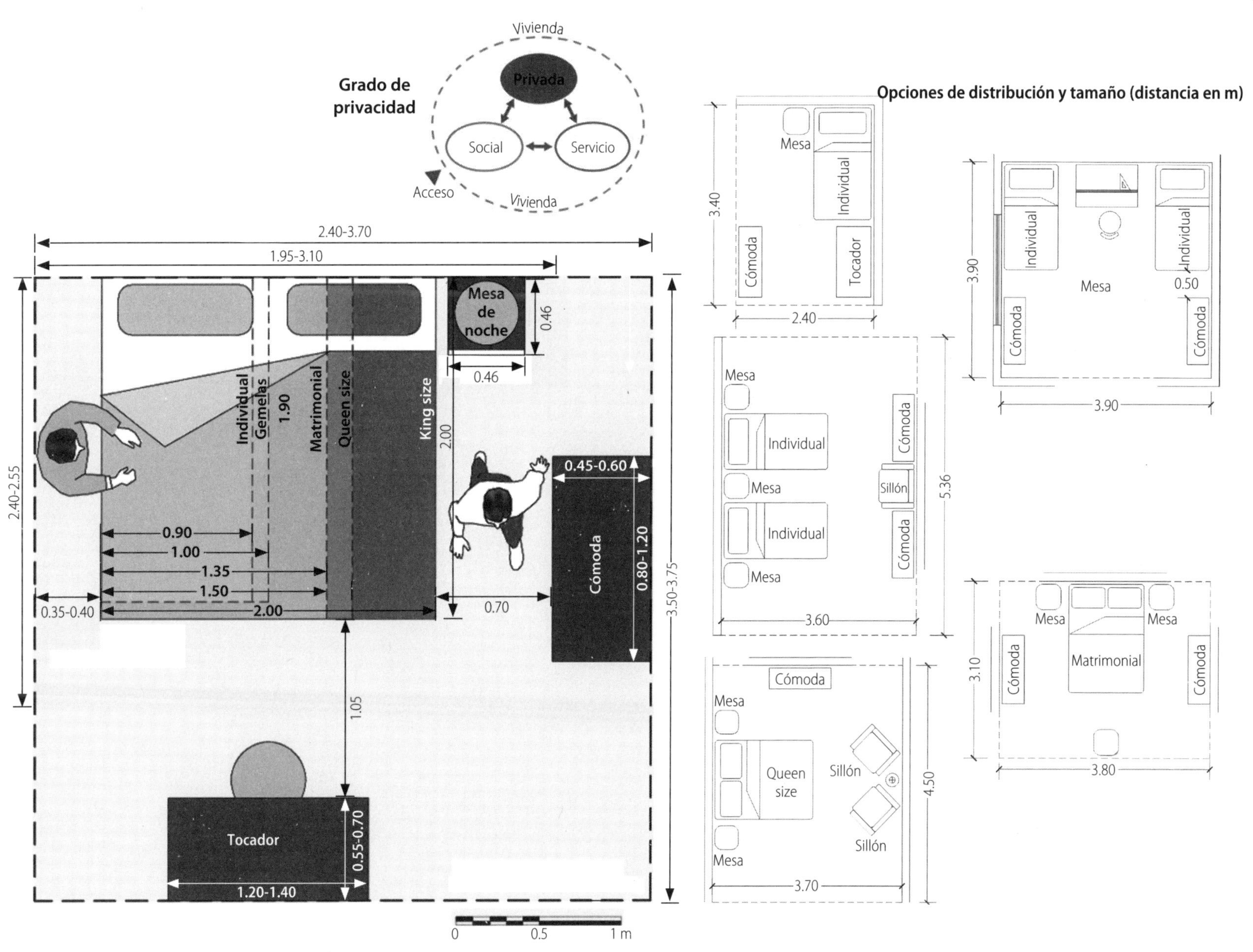

Cocina

Función. Es el área de preparación de alimentos. Su tamaño y distribución responden a la secuencia de dicha actividad, con espacios para almacén, preparación y servicio.

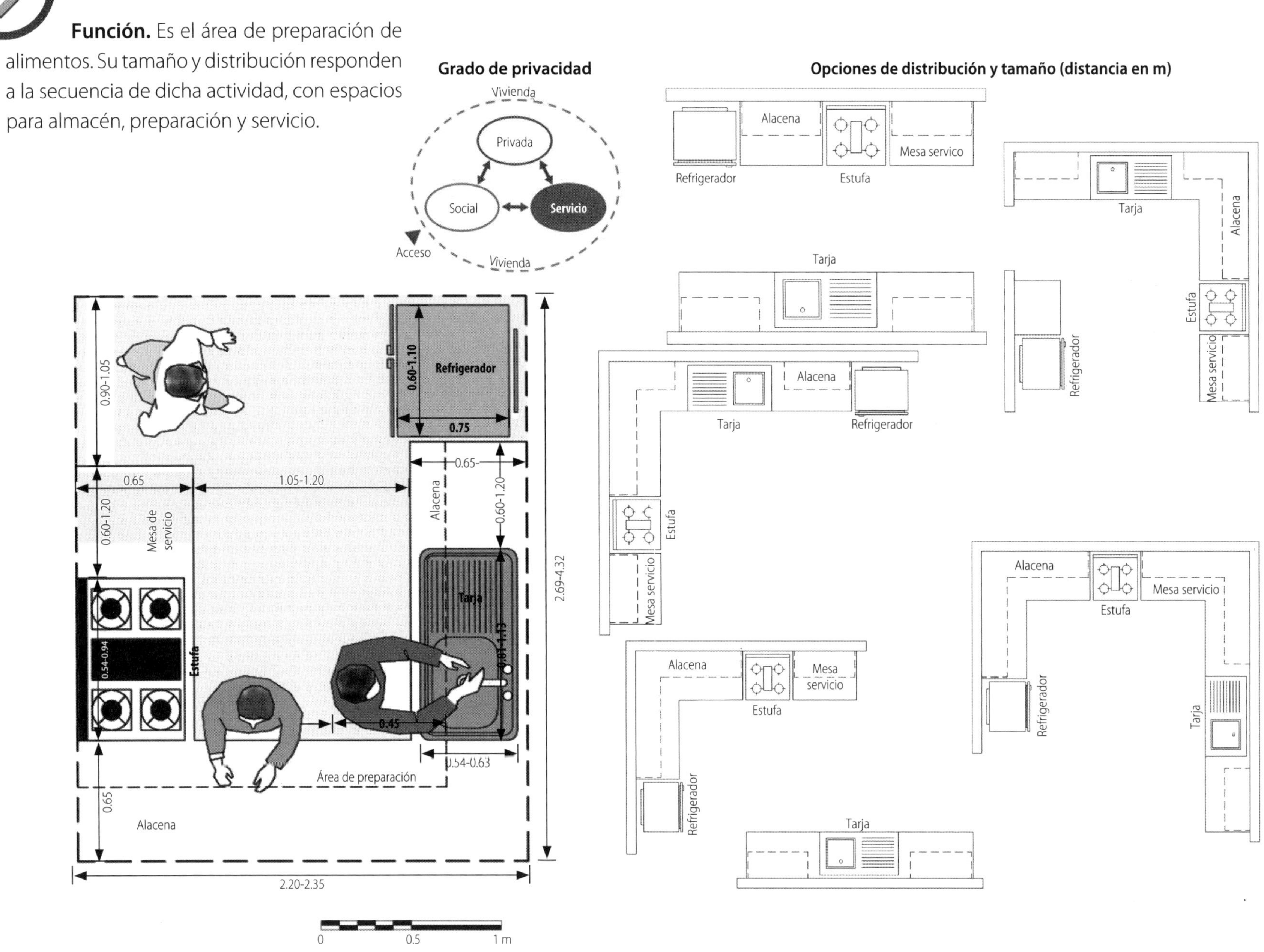

Baño

Función. Lugar de aseo personal. Sus dimensiones dependen de si se necesita utilizar por más de un habitante a la vez, así como de la disposición de los muebles (WC, lavabo y regadera) y accesorios.

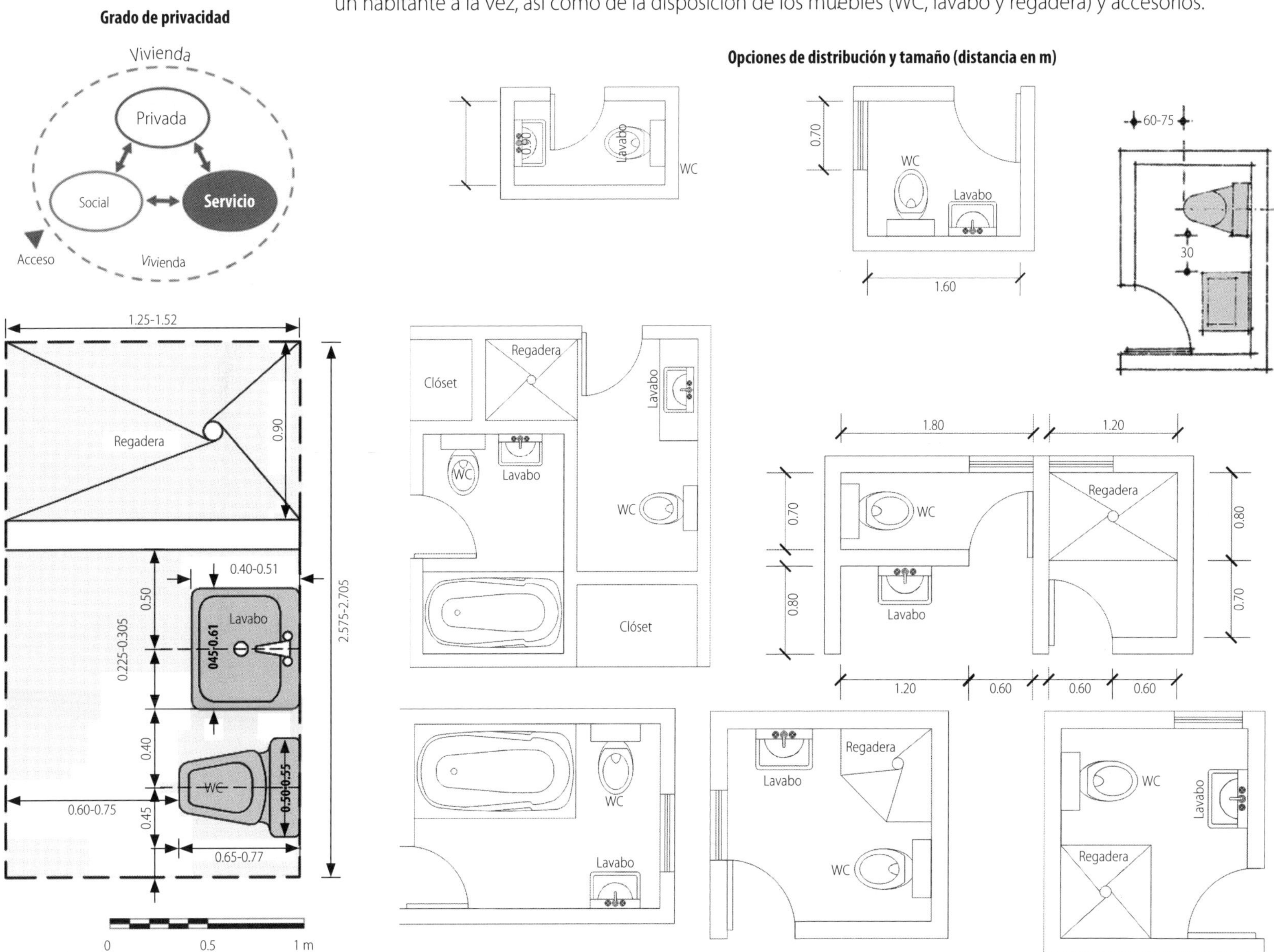

Lavado

Función. Lavado y planchado de ropa. En su diseño se debe favorecer una secuencia lógica de funcionamiento.

Espacios complementarios

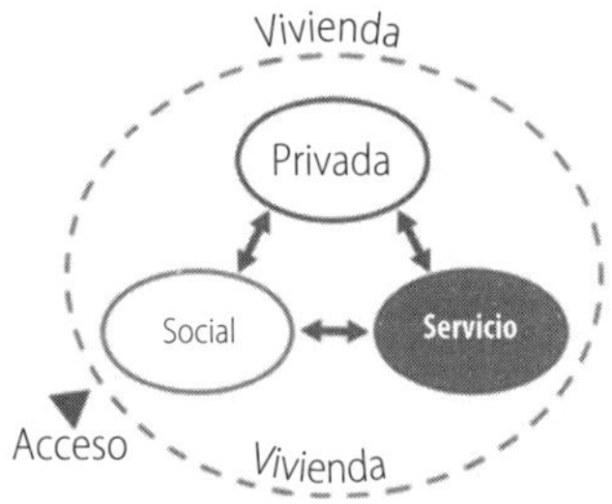

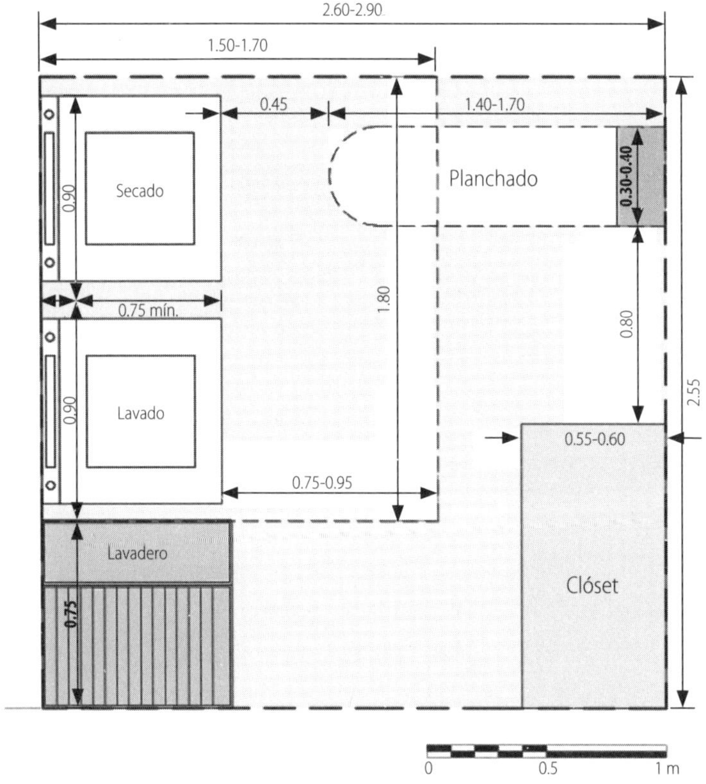

Estudio

Función. Área de estudio, escritura, dibujo, lectura. Su tamaño depende del número de muebles que se necesiten, la cantidad de libros por almacenar, etcétera.

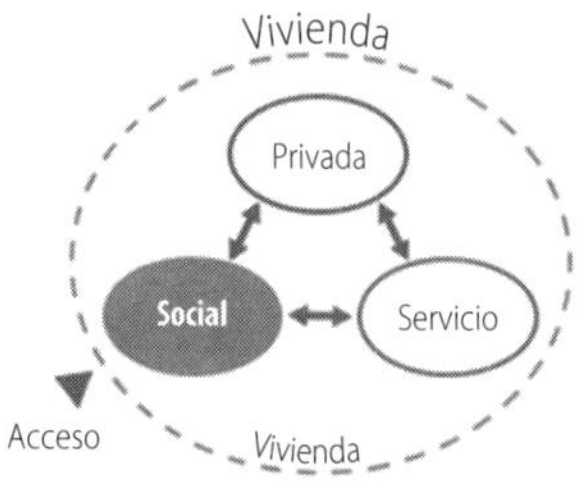

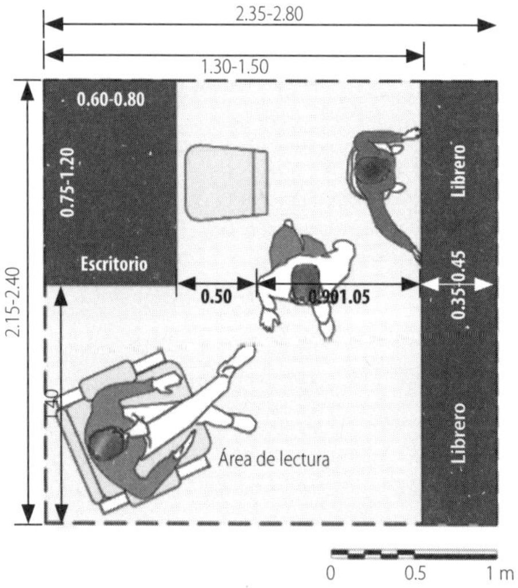

Sala TV

Función. Área de estar familiar en donde se coloca el televisor, en ésta también pueden realizarse actividades de descanso, lectura o juegos.

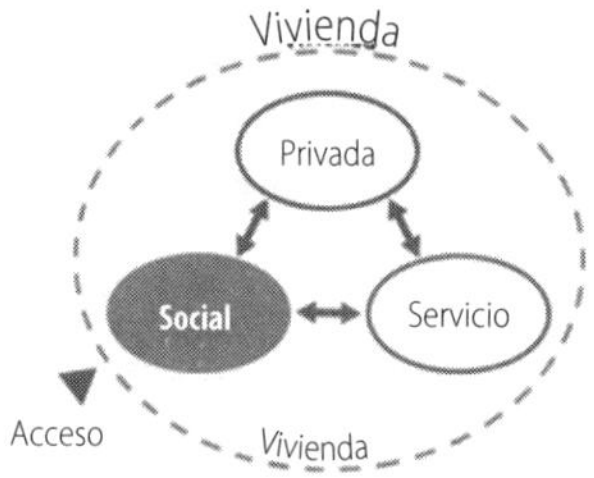

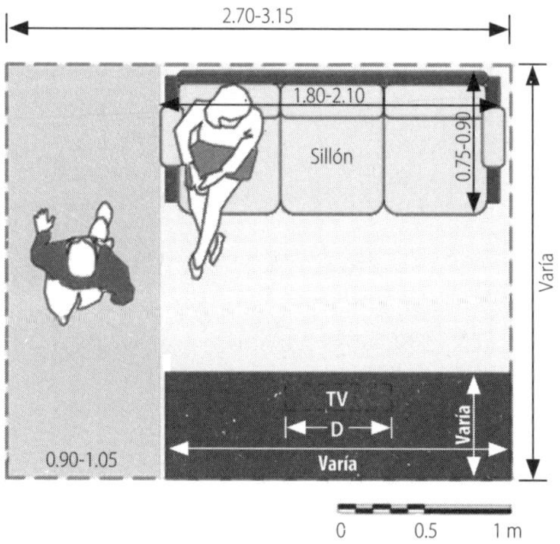

Ahora hay que organizar o distribuir las habitaciones que decidimos incluir, considerando siempre lo siguiente:

Colocar los espacios de acuerdo como se relacionan unos con otros.

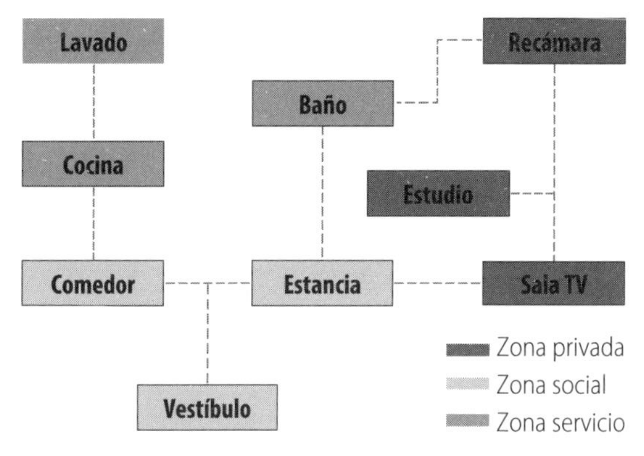

Es mejor si se agrupan aquellos que requieren instalaciones similares. Así se ahorra en materiales.

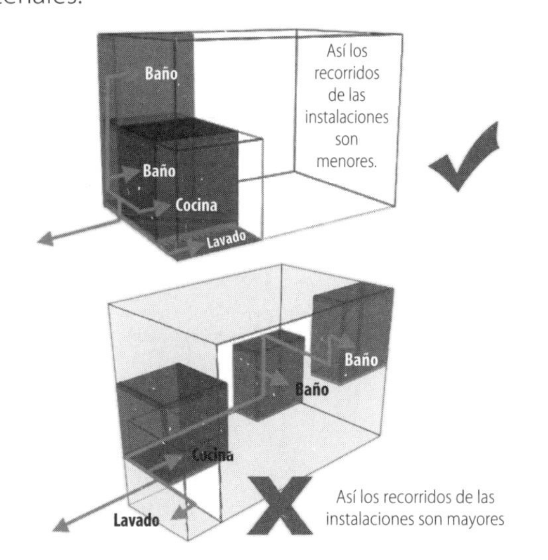

También hay que separarlos de acuerdo con su grado de privacidad.

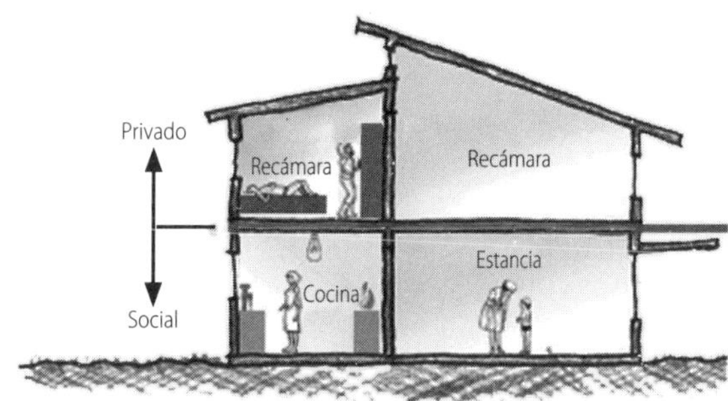

Es decir, podemos aprovechar que se construirá en varios niveles para separar las zonas sociales (que se comparten) de las privadas.

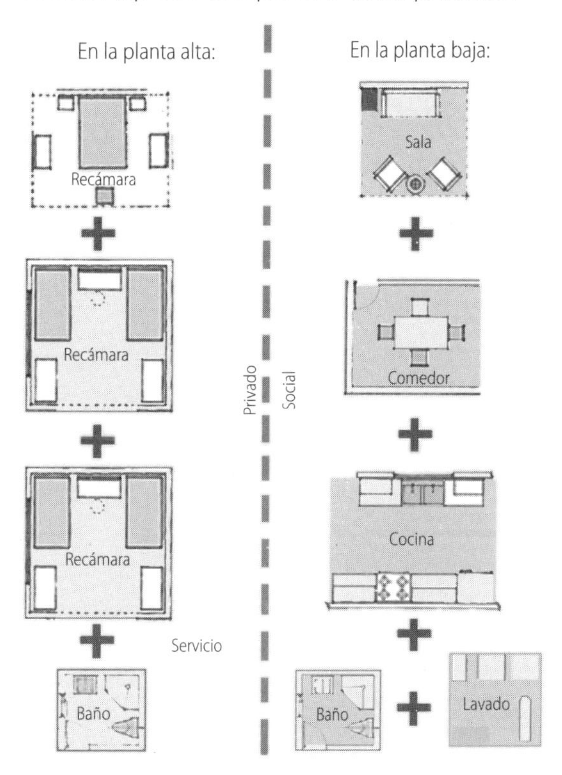

Para procurar que las habitaciones no estén muy frías o muy calientes hay que ubicarlas de acuerdo con su orientación:

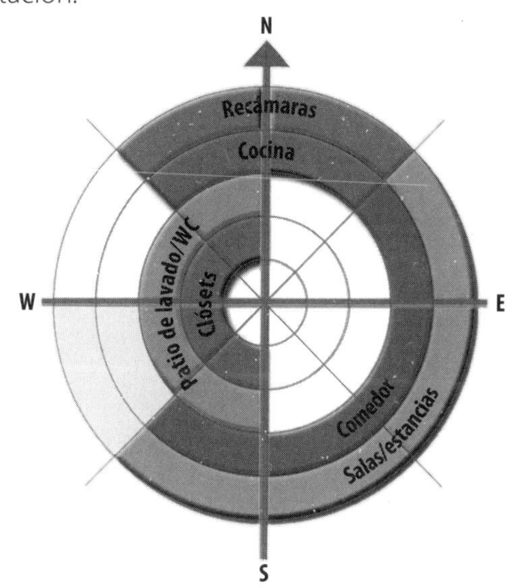

El criterio general para orientar los espacios es el siguiente:

- Norte: Para espacios que necesitan evitar calor, que se utilizan todo el día o en los que se genera calor, como la cocina.
- Sur: Para espacios que necesiten ganar calor en invierno o aquellos espacios que se ocupan a lo largo del día.
- Este: Los espacios que se utilizan normalmente por la tarde, o en los que pasemos más tiempo, para aprovechar el viento.
- Oeste: Todos aquellos cuartos que se ocupan menos, como patio de lavado, baños incluso clósets o bodegas.

Para acomodarlos, se recomienda evitar que:

Existan espacios muy alargados o muy angostos:

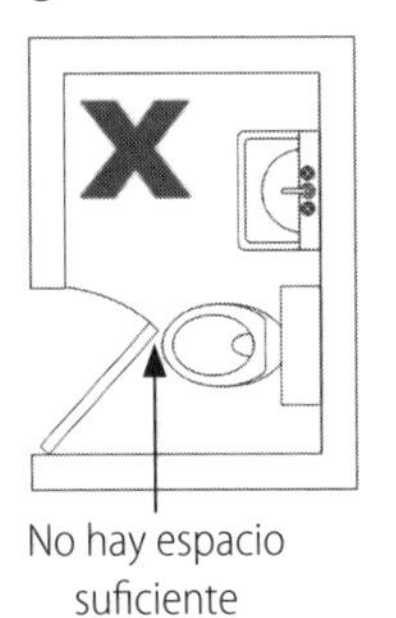

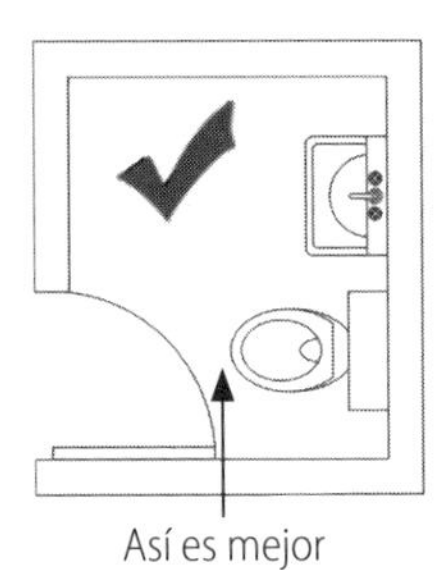

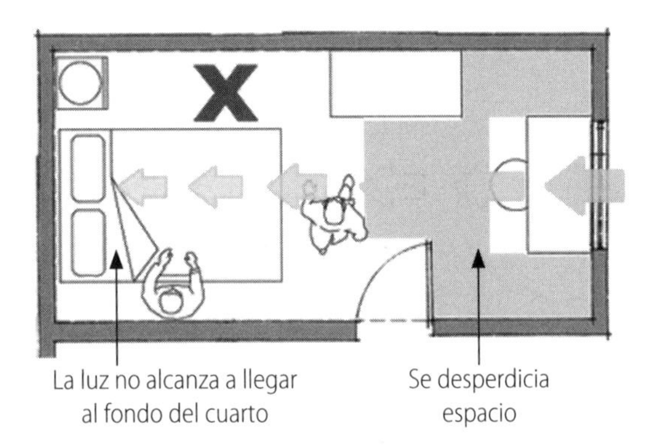

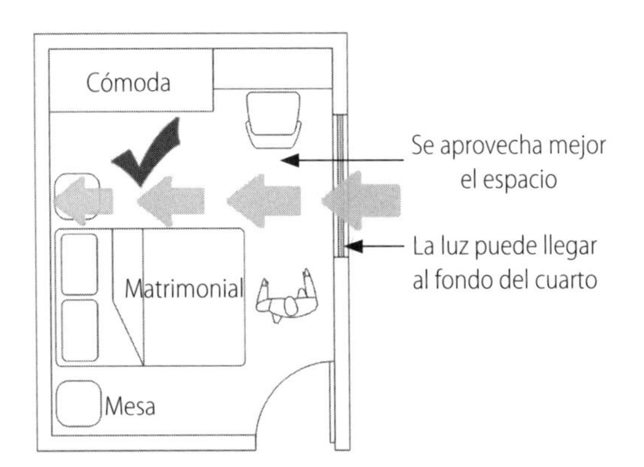

Que se necesite atravesar una habitación para llegar a otras:

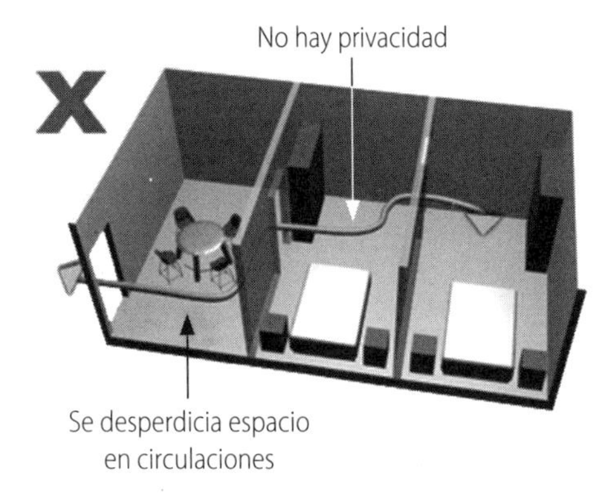

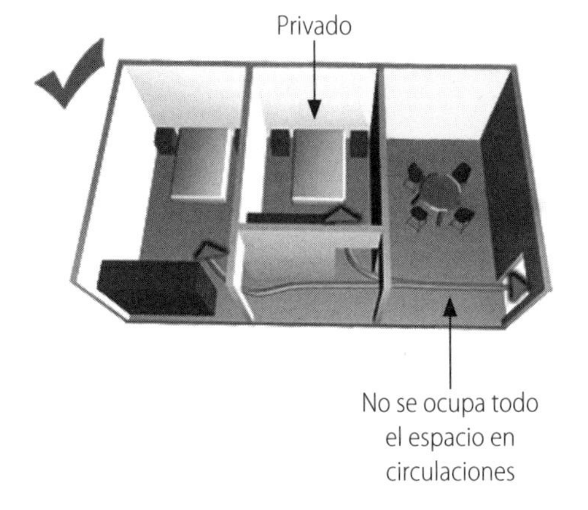

Que queden cuartos sin ventanas, desde el principio o por crecimiento:

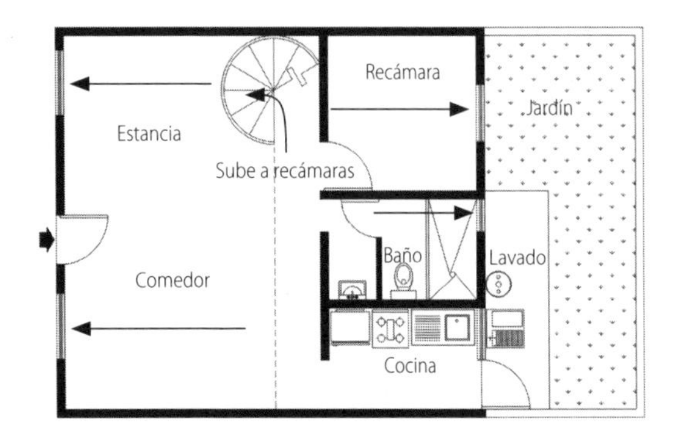

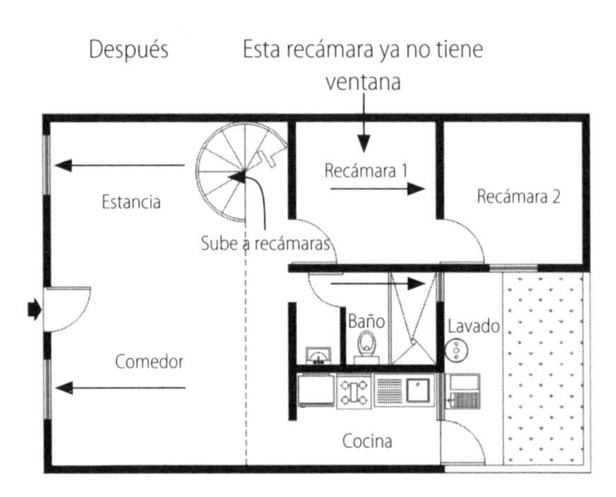

Por eso, la vivienda se debe diseñar para adaptarse a futuros cambios. Aun cuando no la construyamos de una sola vez, es bueno prever dónde ubicaremos los cuartos en el futuro para evitar las situaciones antes mencionadas.

Asimismo, hay que pensar cómo conectamos unas habitaciones con otras. Esto se hace mediante las circulaciones.

En un solo nivel conectamos mediante pasillos

Su ancho depende de cuántas personas deben pasar al mismo tiempo:

Para espacios casi nunca utilizados, no habitables

Mínimo recomendado

0.35

1.20-1.40

0.55-0.60

1.05-1.20

0.90

1.00

0 0.5 1 m

Los niveles se conectan mediante escaleras

Las dimensiones de los escalones deben ser las siguientes:

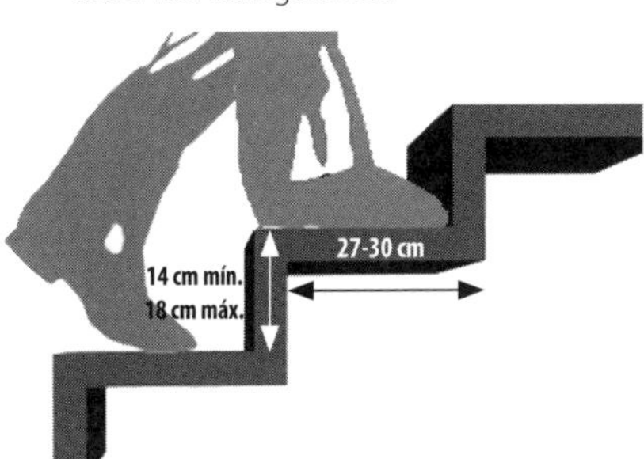

Para las escaleras completas

Para calcular el número de escalones necesarios:

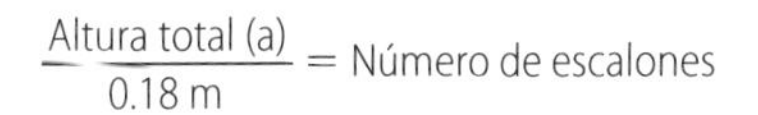

$$\frac{\text{Altura total } (a)}{0.18 \text{ m}} = \text{Número de escalones}$$

Ejemplo:

$$\frac{2.70 \text{ m}}{0.18 \text{ m}} = 15 \text{ escalones}$$

Así, se recomienda:

	Escalones	
Altura (*a*) (m)	*Número de escalones*	*Altura* (*b*) (m)
2.35	14	0.168
2.40	14	0.171
2.45	14	0.175
2.50	14	0.179
2.55	15	0.17
2.60	15	0.173
2.65	15	0.177
2.70	15	0.18
2.75	16	0.172
2.80	16	0.175
2.85	16	0.178
2.90	17	0.171
2.95	17	0.174
3.00	17	0.176
3.05	17	0.179
3.10	18	0.172
3.15	18	0.175
3.20	18	0.178
3.25	19	0.171
3.30	19	0.174

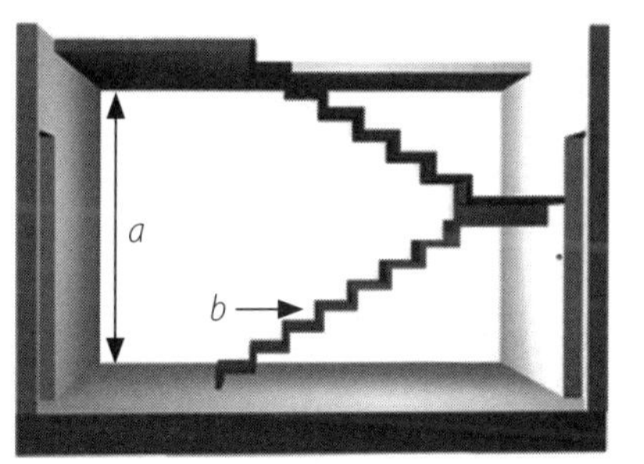

También podemos calcular al revés, definir la altura con base en los escalones:

Número de escalones	*Altura* (b)
13	2.34
14	2.52
15	2.7
16	2.88
17	3.06
18	3.24
19	3.42
20	3.6

Cuando ya sabemos cuántos escalones necesitamos, vemos cuál es la forma de la escalera que más nos conviene.

Existen diversas opciones en cuanto a escaleras, algunos ejemplos se muestran a continuación.

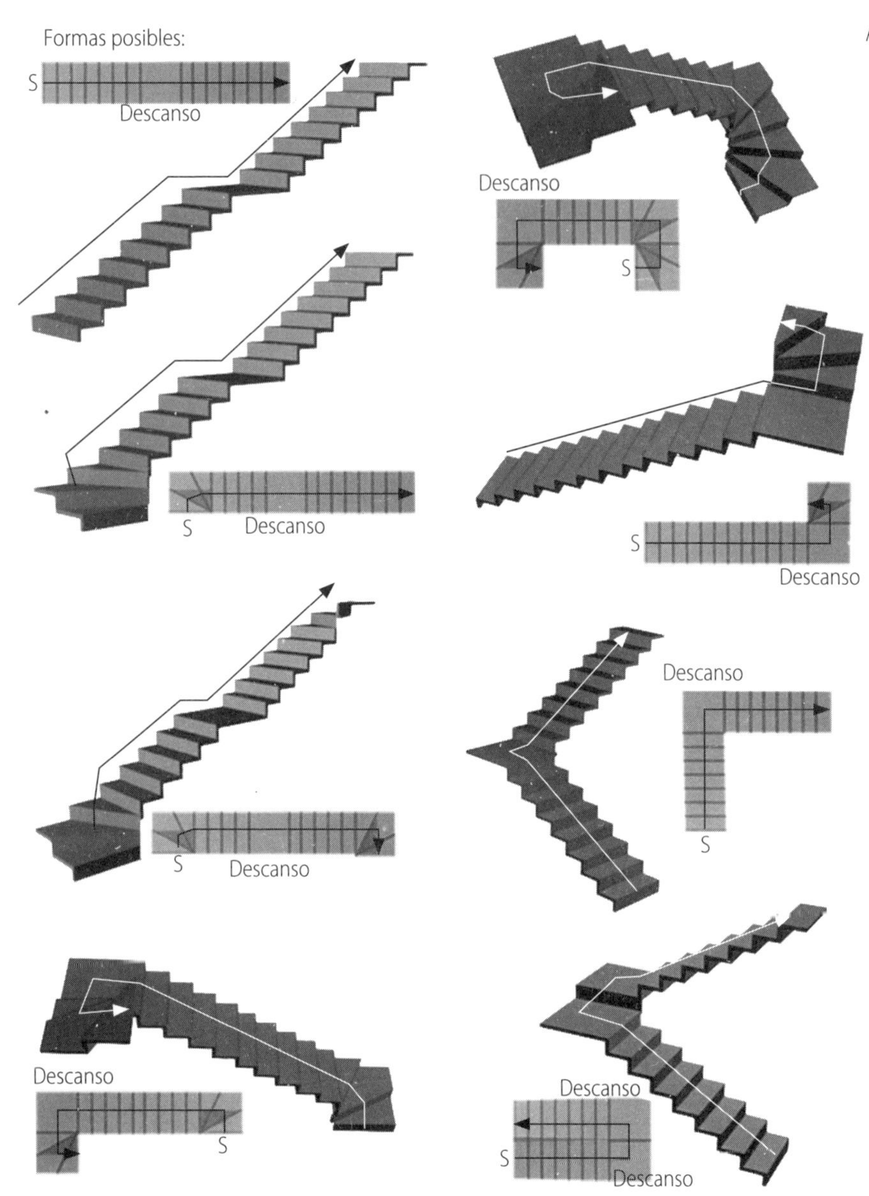

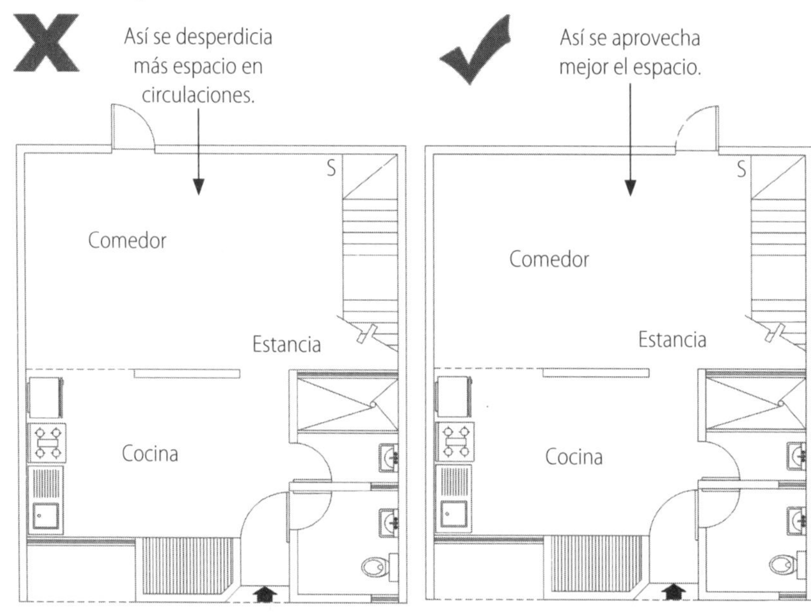

Ahora sí ya tenemos los elementos que necesitamos para la distribución de la vivienda:

- Los espacios que queremos.
- Sus dimensiones aproximadas.
- La orientación recomendada.
- Las circulaciones.
- El espacio disponible.

Así podemos definir cómo será la vivienda, veamos algunos ejemplos.

Ejemplo 1

(Distancia en m)

Orientación

Planta baja

Planta alta

Criterio de distribución:

- Circulaciones al centro: comunican todos los cuartos y no se desperdicia área.
- Servicios agrupados: localizados en un lado de la vivienda para gastar menos en instalaciones.
- Áreas exteriores: con suficiente tamaño para poder realizar actividades en ellas.
- Iluminación/ventilación natural: todos los espacios habitables tienen al menos una ventana.
- Estructura: formada por los muros, así que coinciden los de la planta alta con los de la planta baja.
- Orientación: espacios más utilizados orientados al Sur, asumiendo que estarán protegidos del calor en verano.

Ejemplo 2

(Distancia en m)

Orientación

Planta baja

Planta alta

Criterio de distribución:

- Circulaciones al centro: comunican todos los cuartos y no se desperdicia área.
- Servicios agrupados: localizados en un lado de la vivienda para gastar menos en instalaciones.
- Áreas exteriores: con suficiente tamaño para poder realizar actividades en ellas.
- Iluminación/ventilación natural: todos los espacios habitables tienen al menos una ventana.
- Estructura: formada por los muros, así que coinciden los de la planta alta con los de la planta baja.
- Orientación: espacios más utilizados orientados al Sur, asumiendo que estarán protegidos del calor en verano.

NOTA: Estos ejemplos son considerando las áreas mínimas establecidas en la pág. 99, aplicadas a terrenos pequeños.

Ejemplo 3

(Distancia en m)

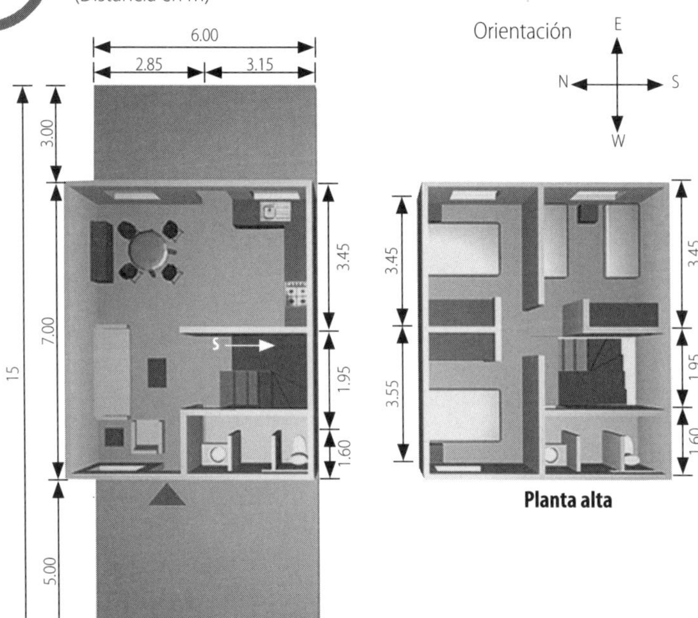

Criterio de distribución:

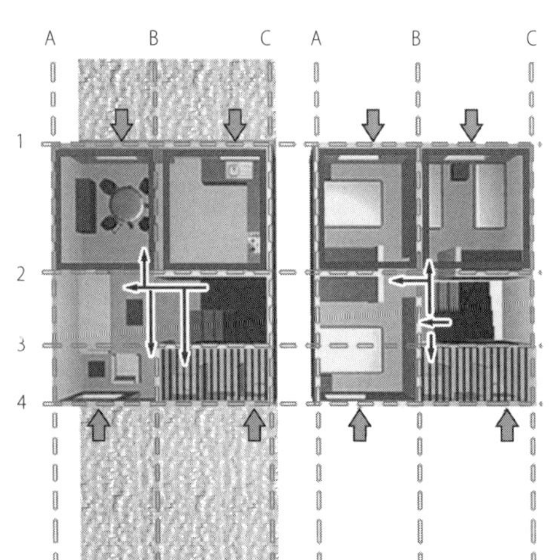

- Circulaciones al centro: comunican todos los cuartos y no se desperdicia área.
- Servicios agrupados: localizados en un lado de la vivienda para gastar menos en instalaciones.
- Áreas exteriores: con suficiente tamaño para poder realizar actividades en ellas.
- Iluminación/ventilación natural: todos los espacios habitables tienen al menos una ventana.
- Estructura: formada por los muros, así que coinciden los de la planta alta con los de la planta baja.
- Orientación: espacios más utilizados orientados al Este. Al Oeste se deben aprovechar las áreas libres para vegetación que proteja del Sol.

Ejemplo 4

(Distancia en m)

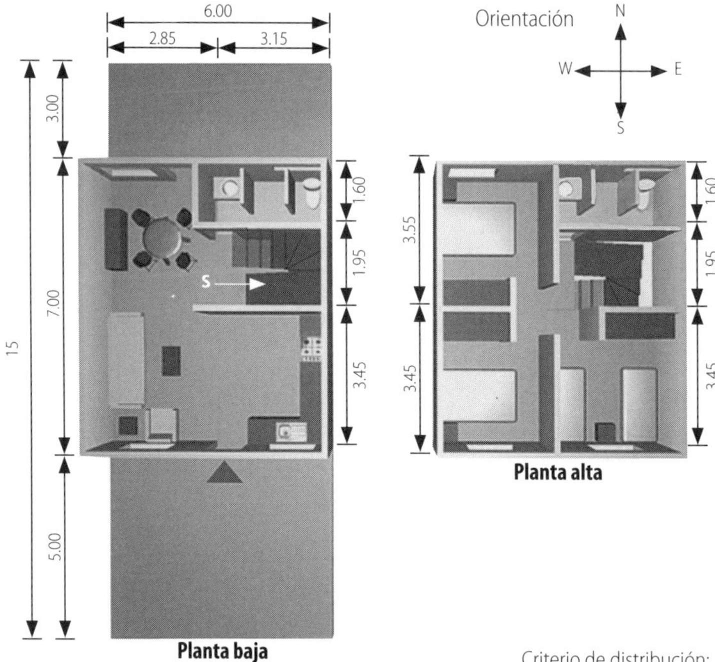

Criterio de distribución:

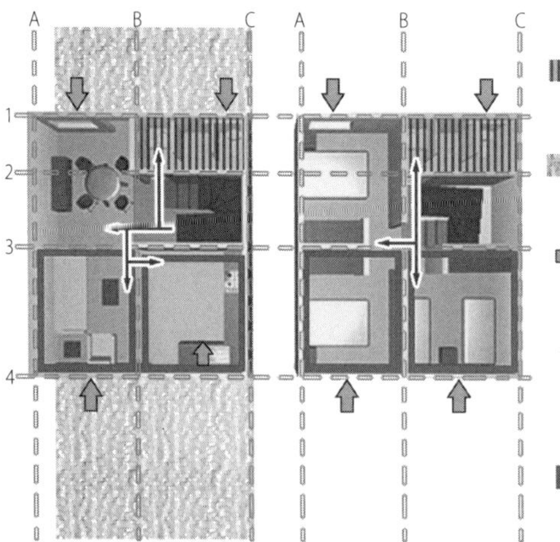

- Circulaciones al centro: comunican todos los cuartos y no se desperdicia área.
- Servicios agrupados: localizados en un lado de la vivienda para gastar menos en instalaciones.
- Áreas exteriores: con suficiente tamaño para poder realizar actividades en ellas.
- Iluminación/ventilación natural: todos los espacios habitables tienen al menos una ventana.
- Estructura: formada por los muros, así que coinciden los de la planta alta con los de la planta baja.
- Orientación: espacios más utilizados orientados al Este, los espacios al Oeste deben estar protegidos del Sol todo el año.

Entonces, para el ejemplo que hemos estado desarrollando retomamos el espacio disponible en el predio.

Colindancia
7.60 m
4.20
2.50 m
4.50
4.00
3.50
3.00
2.50
2.00
5.70
4.60 m
10.80 m
Colindancia
2.50 m
2.50 m
Colindancia
12.50 m
1.50
1.00
3.91
0.50
3.70 m
3.23
6.60 m
1 m
12
Calle ●

Es un terreno angosto, así que la vivienda no puede ser de forma alargada. Entonces pegamos la vivienda a las colindancias al Este y Oeste para proteger esas paredes de la radiación excesiva.

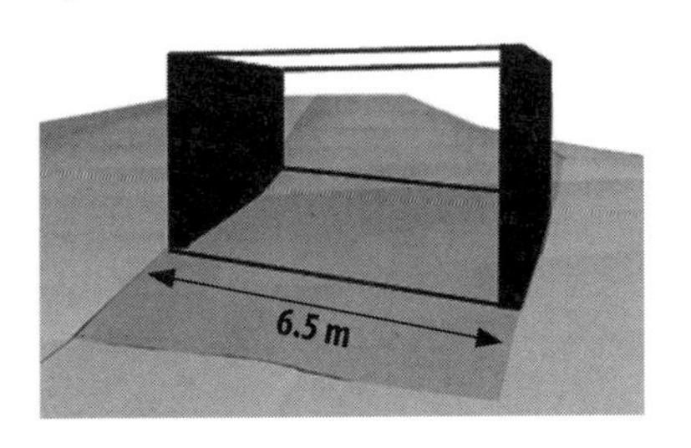

Construiremos en varios niveles.

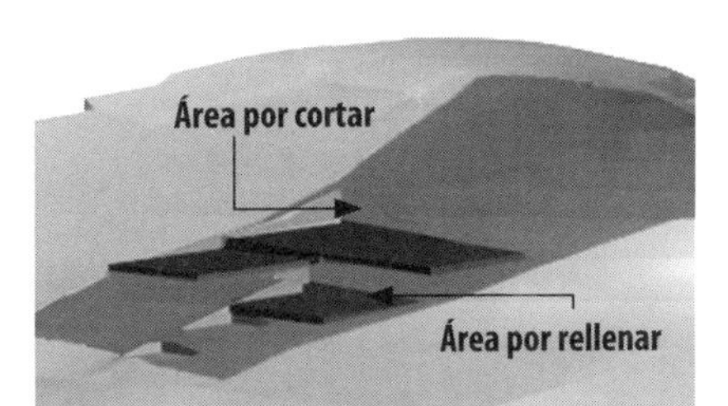

Las circulaciones serán en su mayoría escaleras.

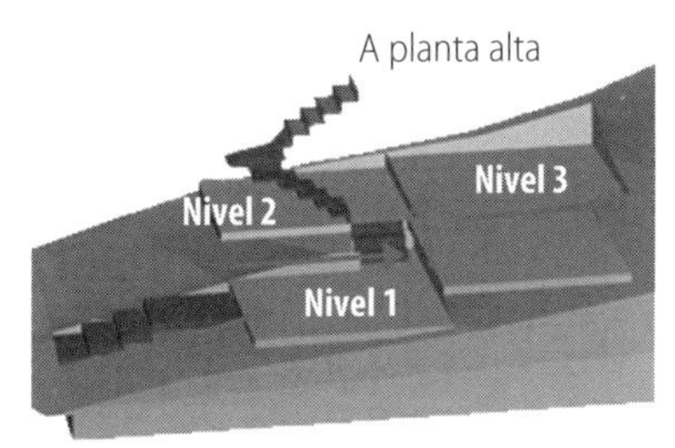

Para las escaleras a los niveles superiores.

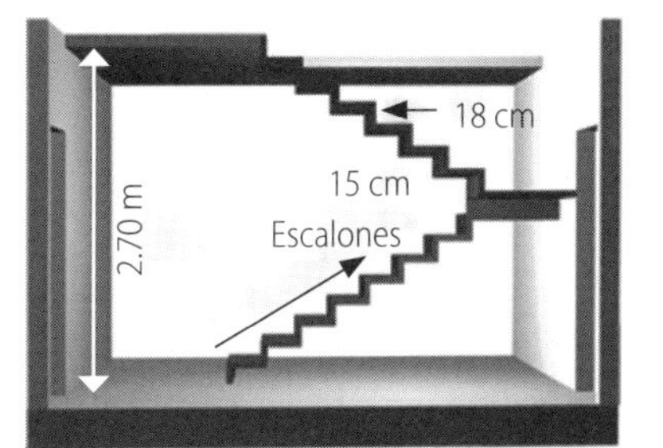

Definimos los espacios que se van a incluir, así como sus dimensiones y agrupación aproximadas.

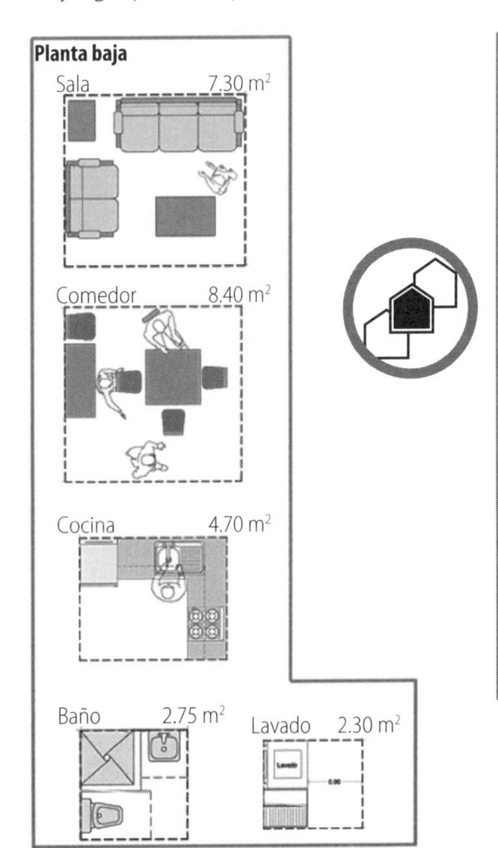

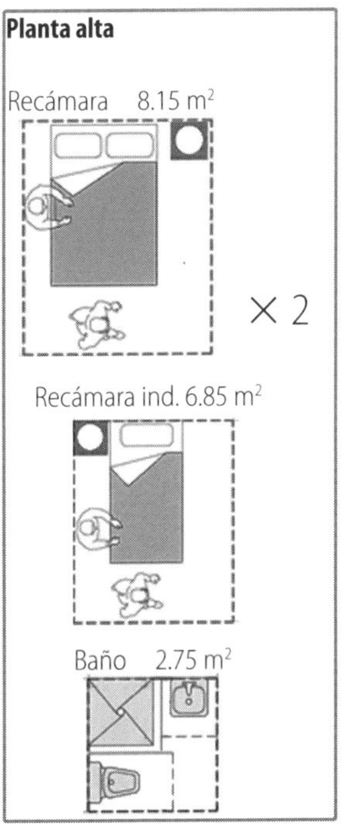

Las escaleras quedan ubicadas al centro

Agrupamos los servicios al frente, en la fachada Norte y cerca del acceso

Ahora, distribuimos las áreas en el terreno. La distribución de la vivienda queda como sigue:

(Distancia en m)

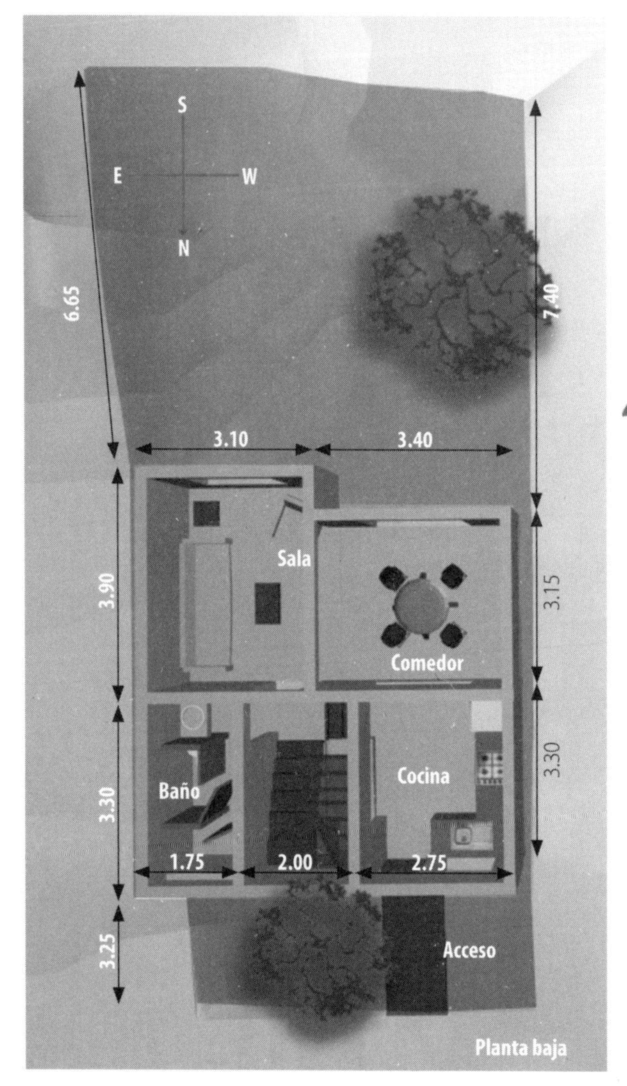

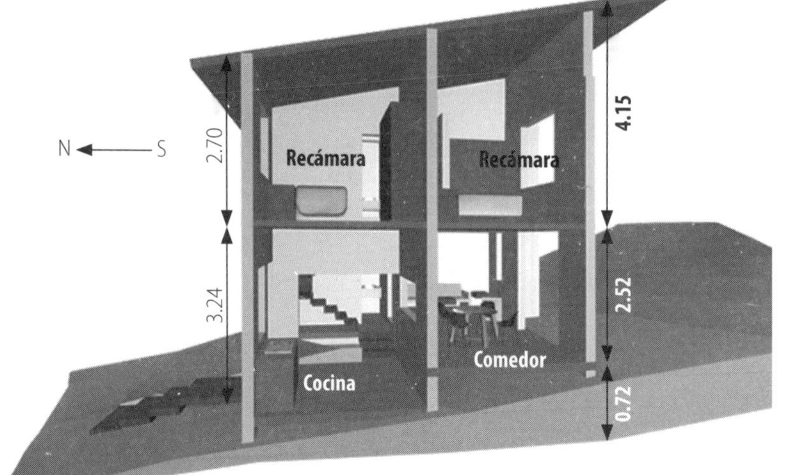

Corte

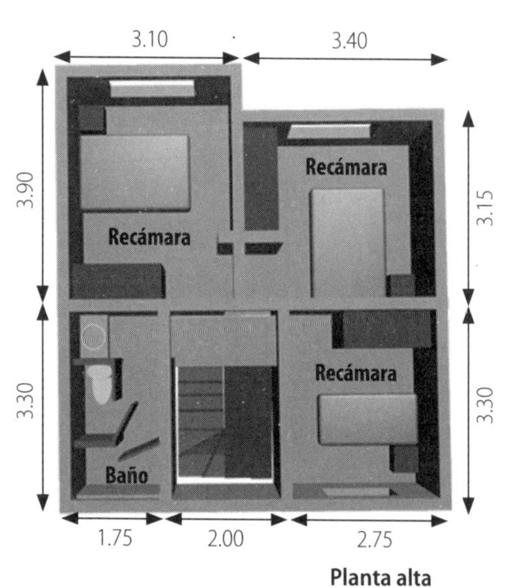

Al final las áreas de los espacios (sin muros) fueron las siguientes:

Planta baja:

Sala	9.72 m^2
comedor	9.12 m^2
Cocina	7.35 m^2
Baño	4.35 m^2
Lavado	3.12 m^2

Planta alta:

Recámara 1	9.72 m^2
Recámara 2	9.12 m^2
Rec. ind.	7.35 m^2
Baño	4.35 m^2

Terreno:	121.9 m^2
Área libre:	73.96 m^2 (60 %)
Construcción:	88.50 m^2
Planta baja:	44.25 m^2
Planta alta:	44.25 m^2

La distribución del baño permite, de ser necesario, que más de una persona pueda utilizarlo al mismo tiempo.

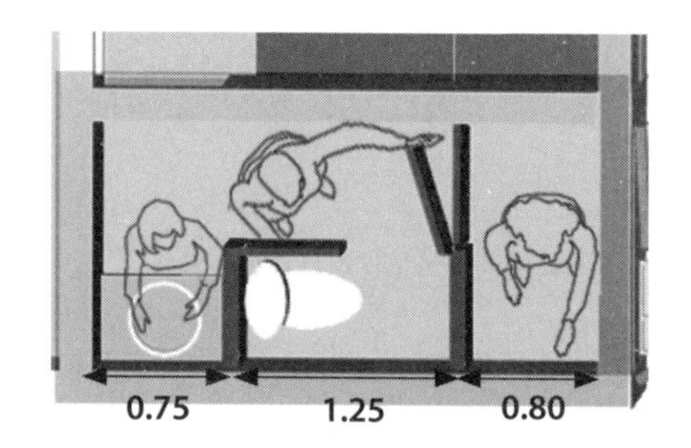

De acuerdo con lo explicado, la distribución de la vivienda tiene las siguientes características:

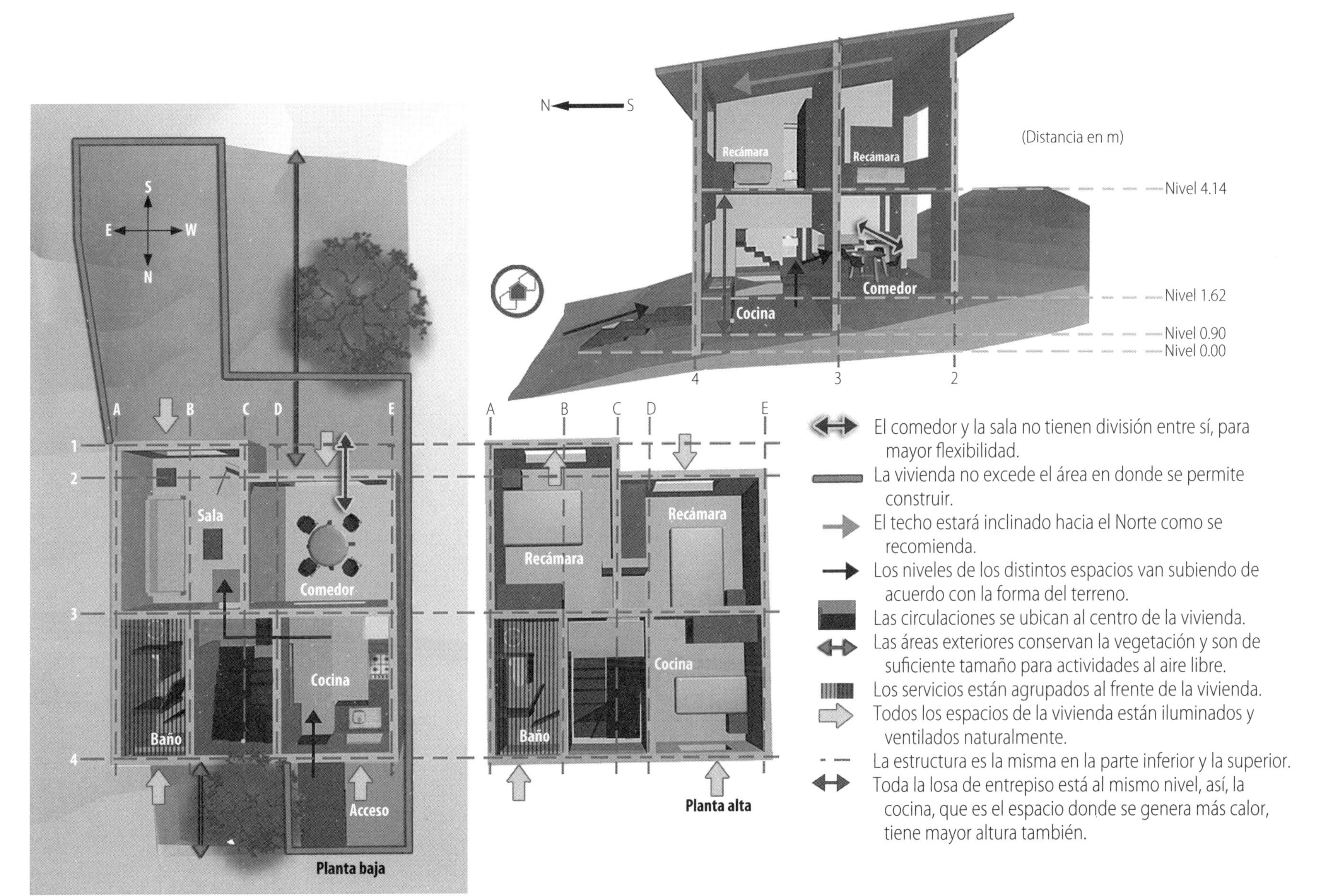

Iluminación y ventilación

Todos los espacios en la vivienda deben contar con iluminación y ventilación adecuadas, de acuerdo con las actividades que ahí se realizan.

Una vez que se ha establecido la localización de cada uno de los espacios de la vivienda, debemos asegurarnos que estén bien iluminados y ventilados. Es decir, que las ventanas tengan las siguientes características:

Ninguna de las ventanas debe dar hacia terrenos vecinos o hacia donde se ha planeado poner otros cuartos en el futuro.

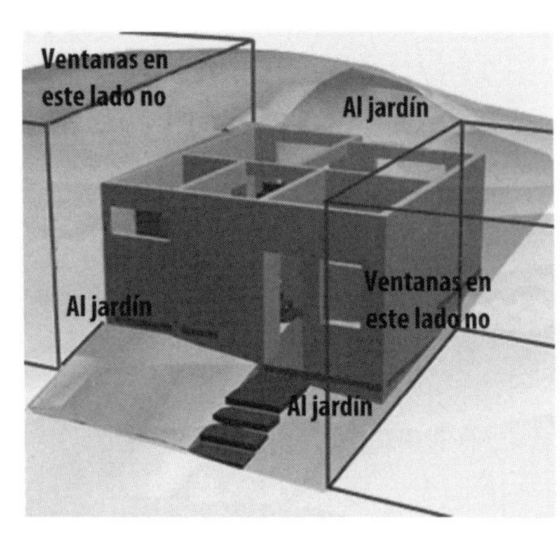

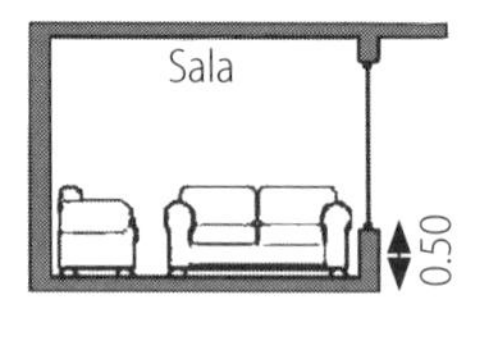

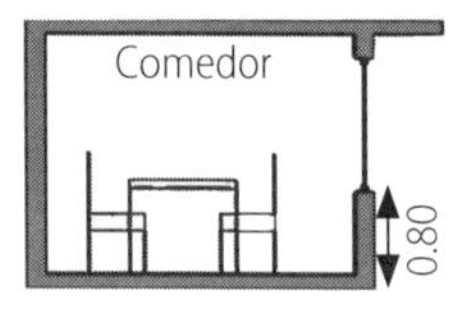

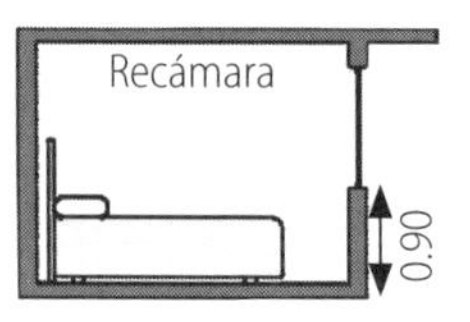

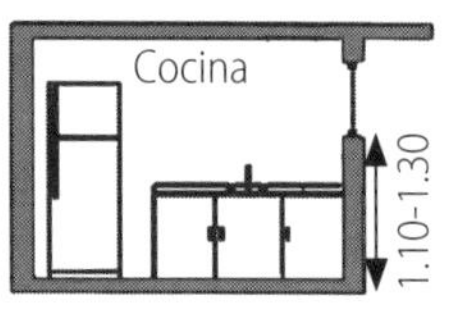

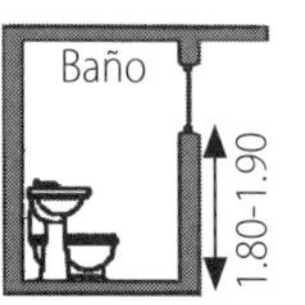

La posición depende del uso de la habitación:

Algunas habitaciones pueden cambiar de función, así que también podemos dejar las ventanas a 90 cm o 1 m de altura, si no son del baño o la cocina.

El tamaño de la ventana depende del tamaño de la habitación en la que esté. Ésta debe ocupar al menos 20% de la superficie de la habitación. Por ejemplo, en un cuarto de 3 × 3 m:

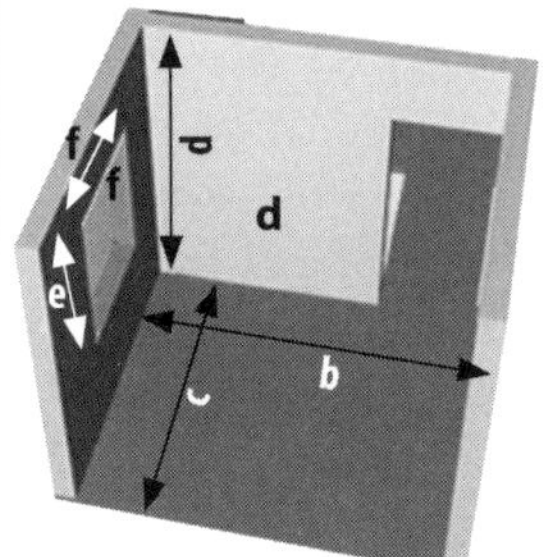

Área de la ventana $(a) = c \times b \times 0.20$

Área $(a) = 3 \times 3 \times 0.20$

$= 1.8 \text{ m}^2$

Una forma de definir los lados de las ventanas la el siguiente:

Altura de la ventana $(e) = d - 0.9 - 0.3$

Altura $(e) = 2.70 - 0.9 - 0.3$

$= 1.50 \text{ m}$

Y para el lado restante:

Lado de la ventana $(f) = \dfrac{\text{área de la ventana}}{\text{altura de la ventana}}$

Lado $(f) = \dfrac{1.80}{1.50} = 1.2 \text{ m}$

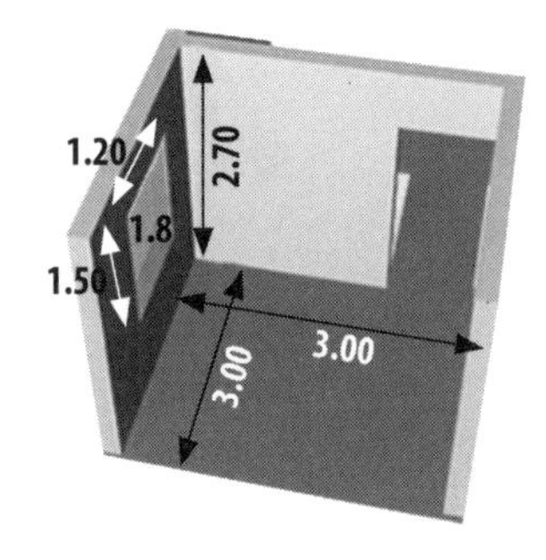

Para mejorar la iluminación, se pintan los muros y techos de colores claros.

Otras opciones con la misma área de ventana serían:

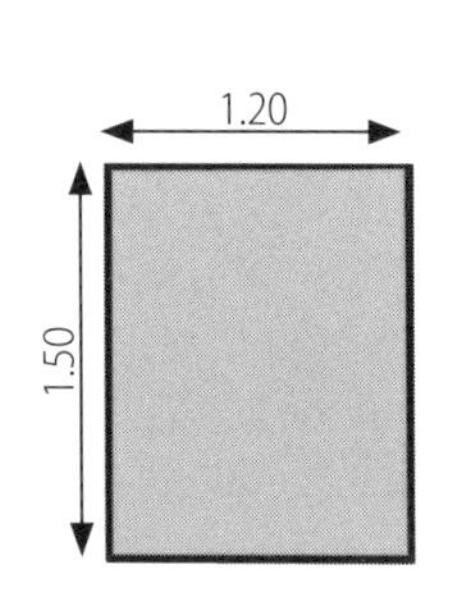

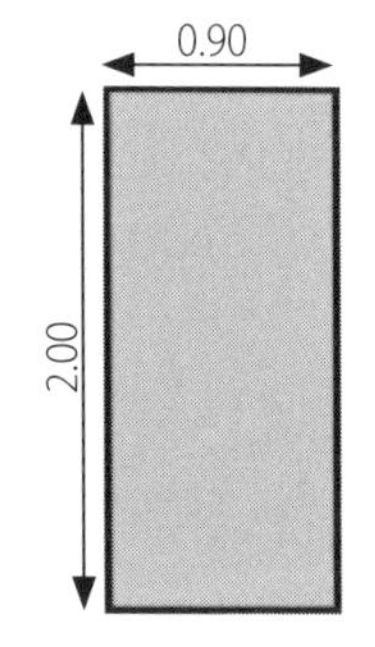

En habitaciones más grandes podemos dividir el área necesaria en varias ventanas:

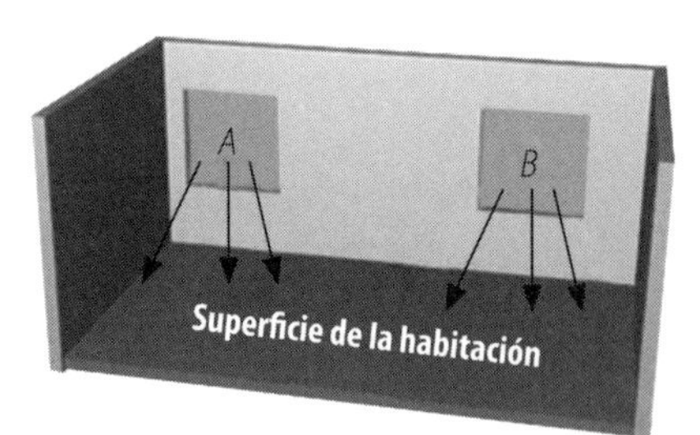

$A + B = 20\%$ superficie del cuarto

Cuando los rayos del Sol pasan a través de una ventana, iluminan la habitación, pero también calientan el interior.

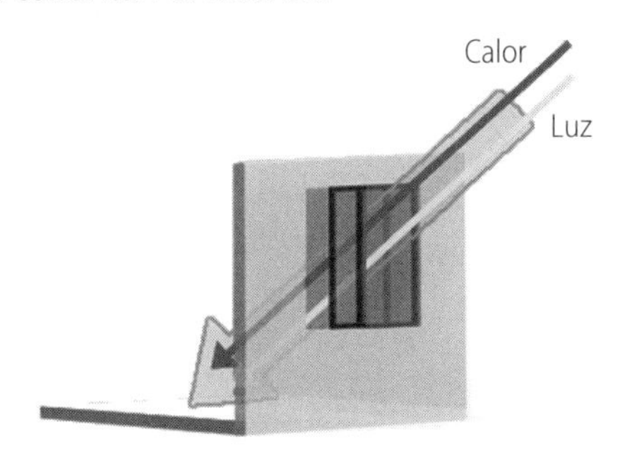

Por eso es mejor evitar colocar domos, o cualquier abertura en el techo.

Y proteger las ventanas de la radiación directa, así el interior no se calienta.

Algunas formas de protección para las ventanas son:

Al interior: Al exterior:

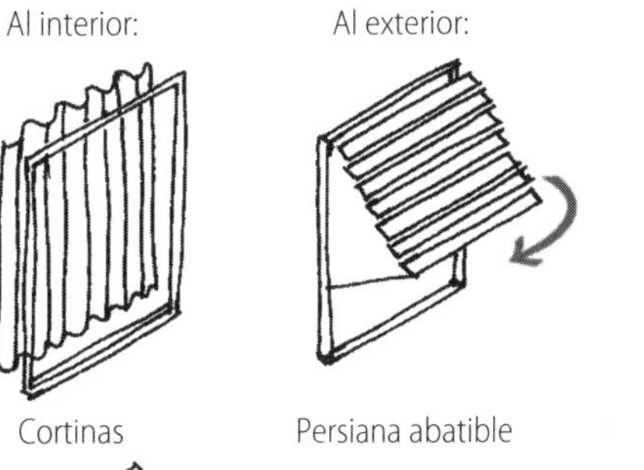

Cortinas Persiana abatible Toldos

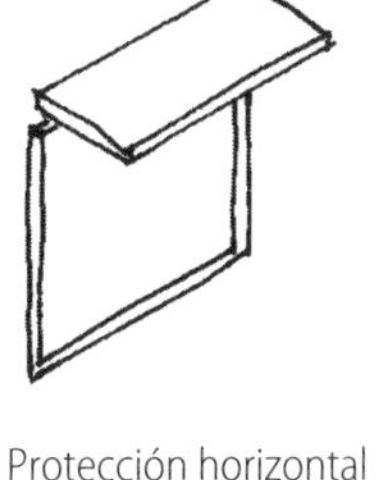

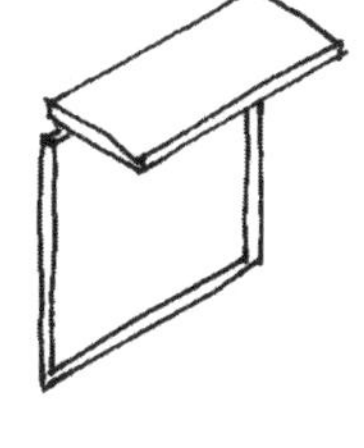

Protección horizontal

Pantalla

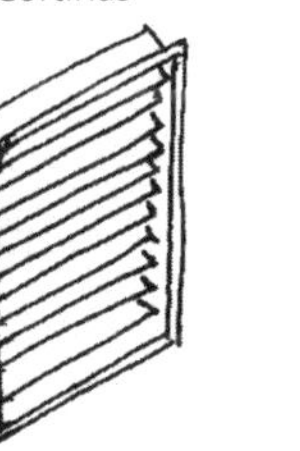

Persianas

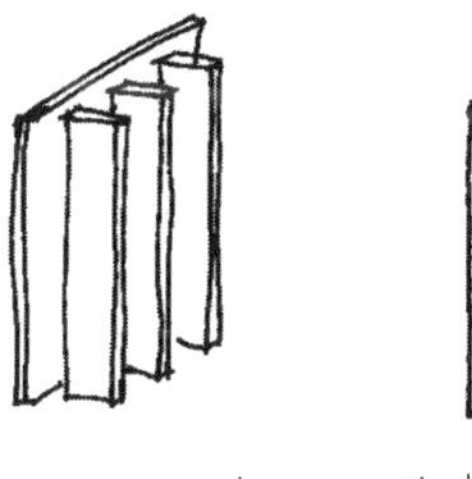

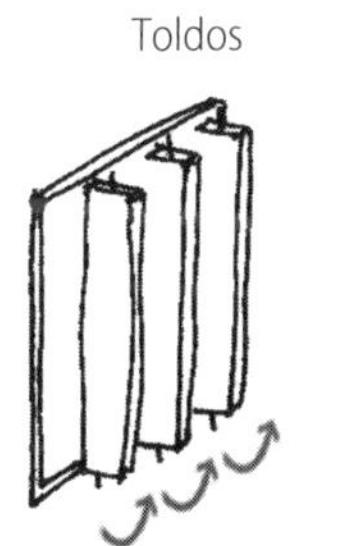

Lamas verticales y horizontales fijas o abatibles

Árboles

Para que funcionen bien estas protecciones deben:

Ubicarse al exterior

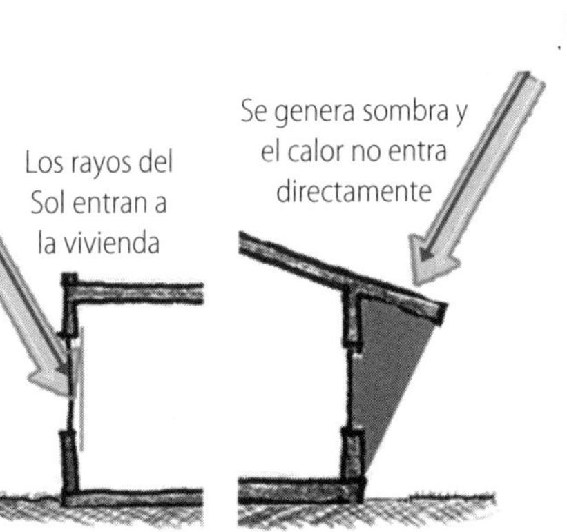

Sobresalir de las ventanas

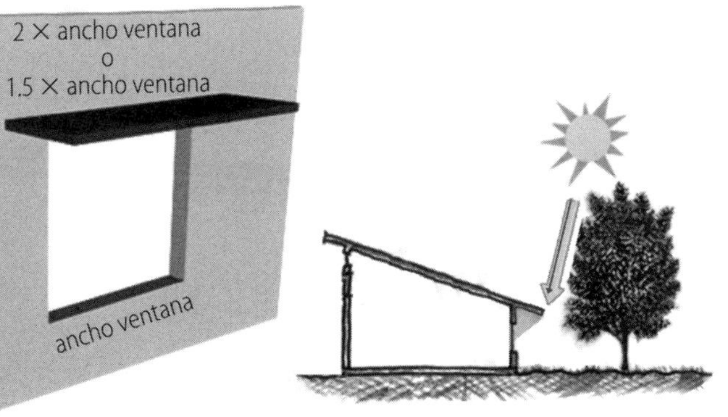

Complementar con la vegetación en las áreas libres, pues ésta genera sombra, manteniendo más fresco el ambiente.

El tamaño y forma de las protecciones depende de la orientación.

Para cada orientación, las protecciones de las ventanas deben conservar cierta proporción de acuerdo con la latitud; en el ejemplo de Monterrey:

***a*) Sur**

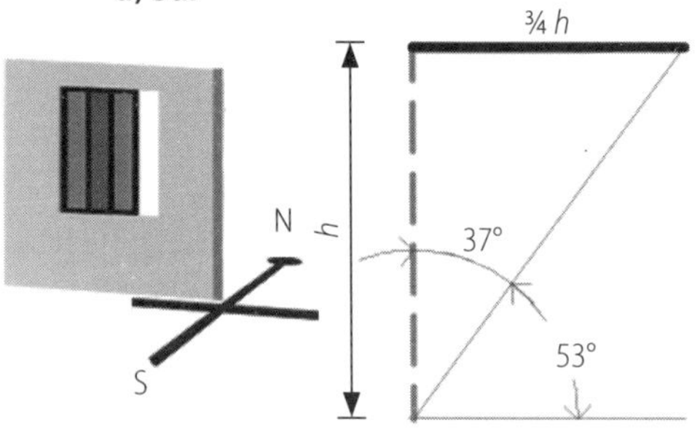

Si queremos hacer un solo elemento grande.

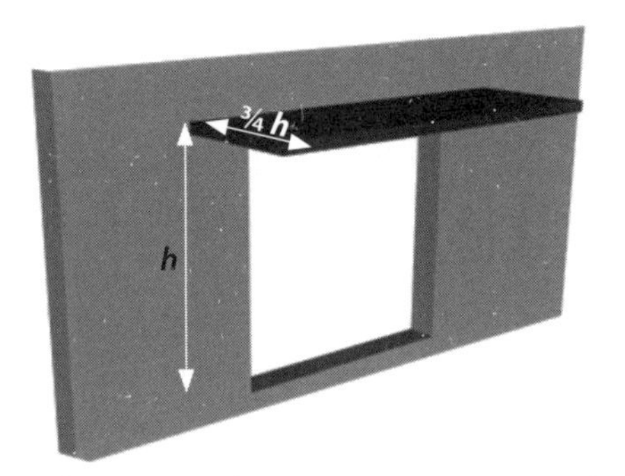

Por ejemplo, con una ventana de 1 m de alto, la protección tendría que medir:

$$\frac{1 \times 3}{4} = 0.75 \text{ cm}$$

También pueden ser varios pequeños.

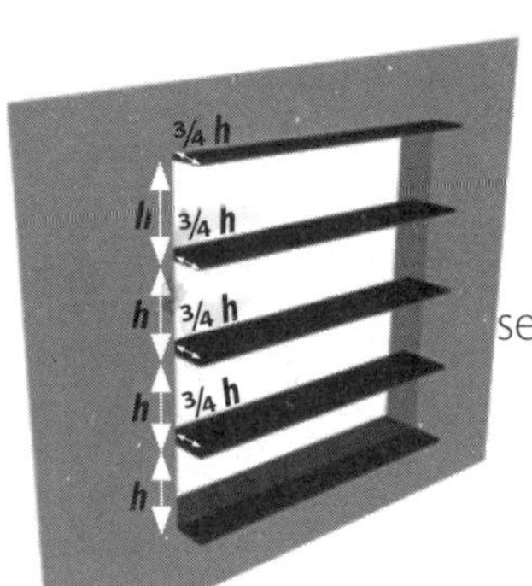

***b*) Este y Oeste**

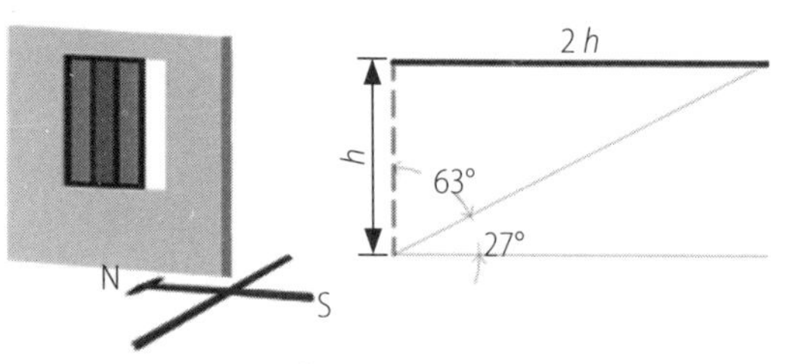

Por ejemplo, con una ventana de 1 m de alto, la protección tendría que medir:

$$1 \times 2 = 2 \text{ m}$$

Como la protección tiene que ser tan grande es mejor si hacemos varias pequeñas:

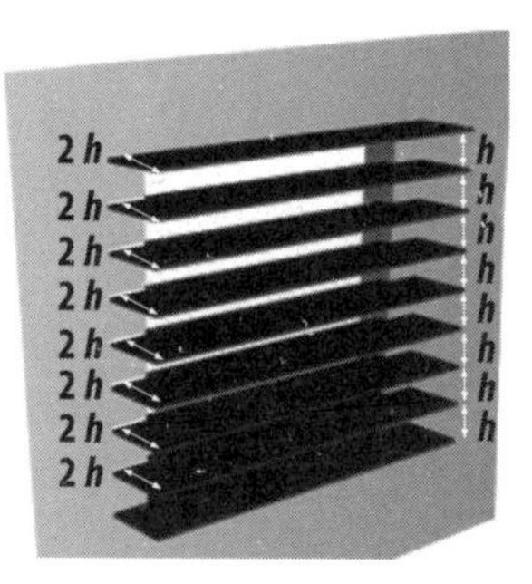

Entonces, si dividimos la ventana en 10 partes:

$$H = 1 \text{ m}/10 = 0.10 \text{ m}$$

Y la protección:

$$0.10 \times 2 = 0.20 \text{ m}$$

Otra opción es, si tenemos espacio suficiente, hacer la protección grande, aprovechándola para generar terrazas o porches.

***c*) Norte**

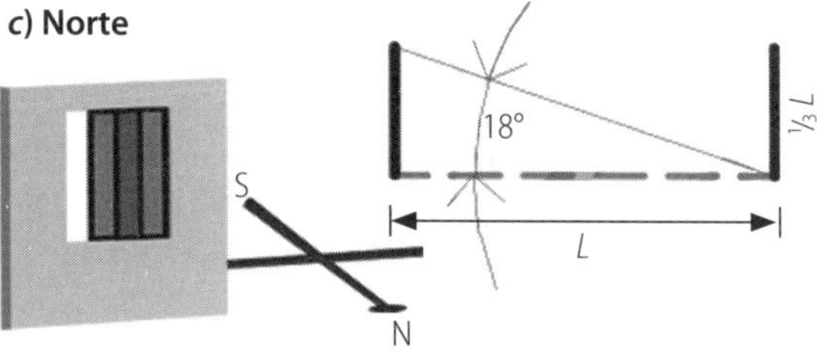

En las fachadas Norte los rayos del Sol sólo llegan durante el verano, muy temprano o muy tarde, por eso, es mejor poner protecciones verticales.

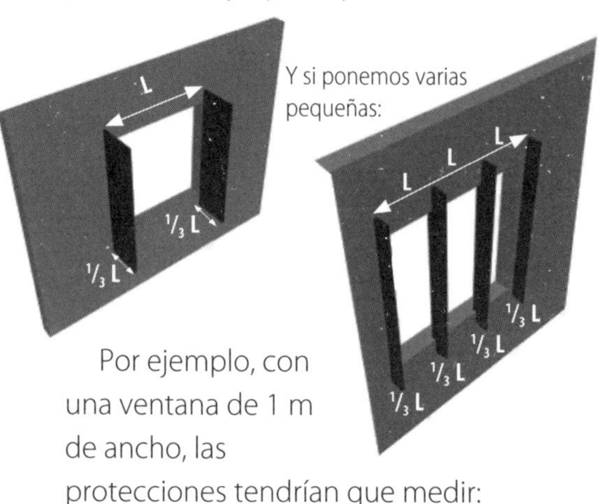

Por ejemplo, con una ventana de 1 m de ancho, las protecciones tendrían que medir:

$$\frac{1 \times 1}{3} = 0.33 \text{ cm}$$

Una opción para todas las orientaciones son los postigos.

Permiten controlar la entrada y salida de luz y viento

Otra función muy importante de las ventanas es ventilar los espacios de la vivienda.

Para entrar, el aire necesita un orificio de entrada y uno de salida.

Si no, pasa de largo

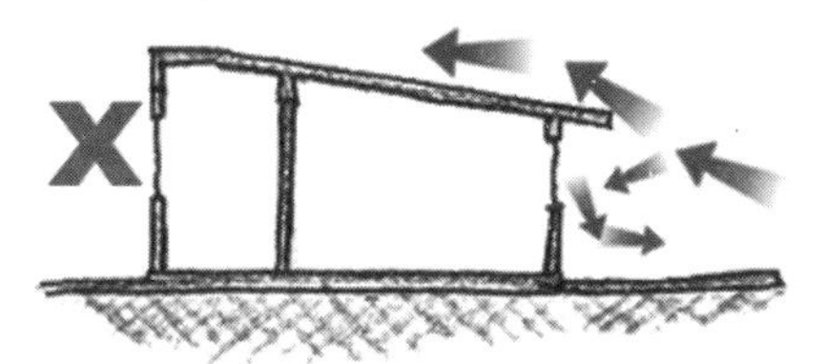

Además, podemos aprovechar el movimiento natural del aire para ventilar la vivienda.

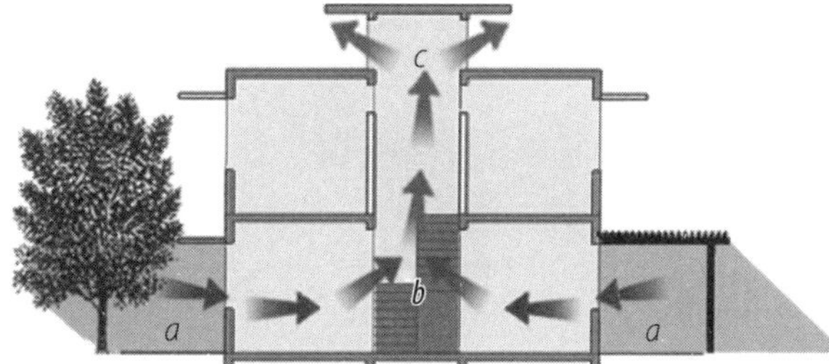

a) El aire se enfría en áreas exteriores sombreadas con árboles u otros elementos (pérgolas por ejemplo).
b) El aire en el interior comienza a calentarse y sube.
c) El aire más caliente sigue subiendo, saliendo de la casa al encontrar salida.

Hay que planear las aberturas de manera que siempre se pueda controlar la entrada y salida del viento.

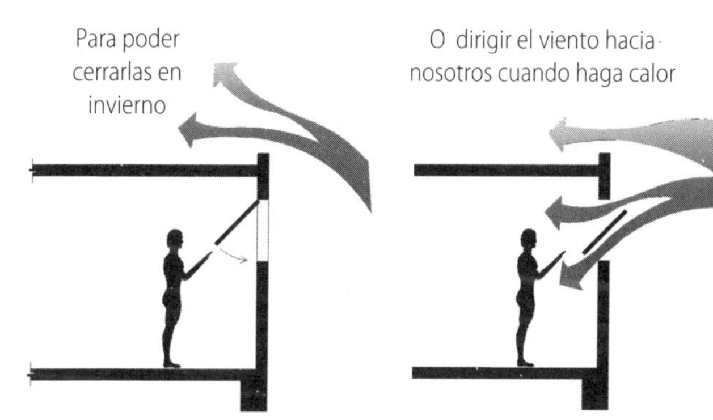

Para que un cuarto se ventile, al menos la mitad de la superficie de la ventana debe abrirse para dejar pasar el viento.

Cuidado: Siempre hay que seguir la dirección del viento cuando se planean las entradas y salidas de aire.

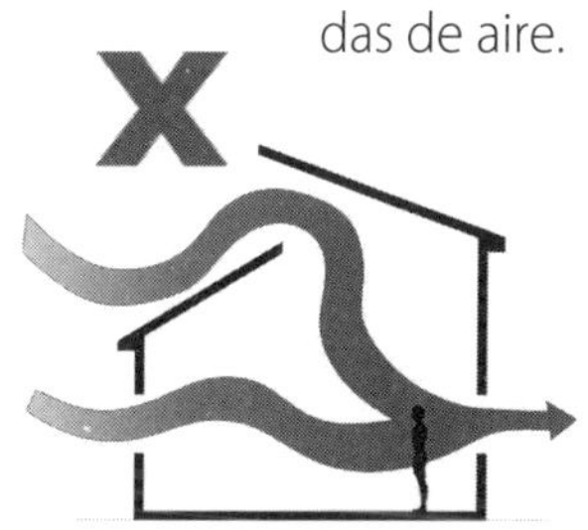

Esto puede hacerse de varias formas, dependiendo del tipo de ventana que queramos.

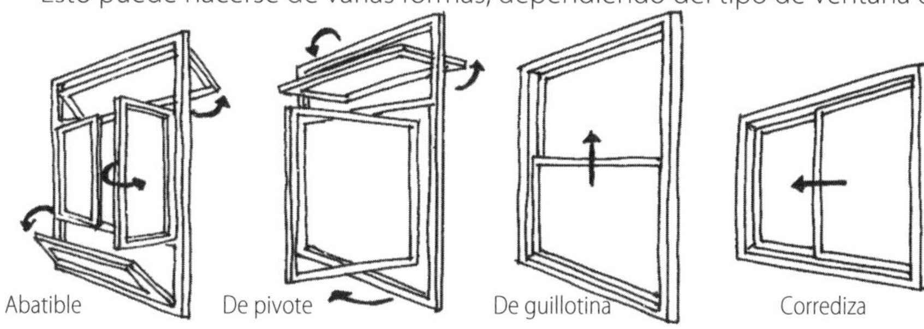

Recordemos que en Monterrey el viento procede principalmente del Este.

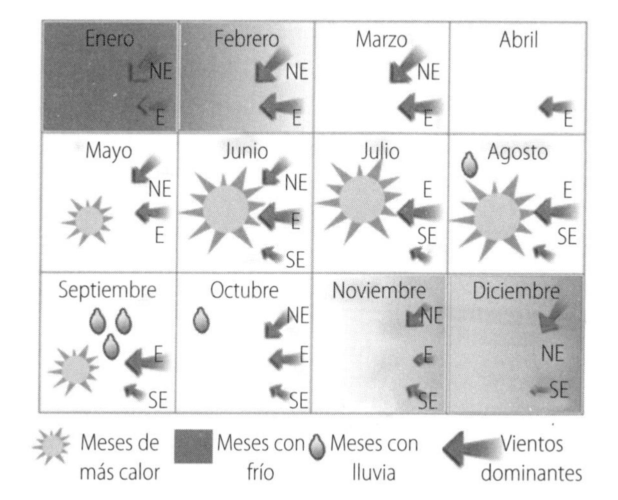

Pero ahora veamos cómo se comporta el viento en el interior de la vivienda.

El movimiento del viento en el interior de las habitaciones depende de la ubicación de las entradas y salidas.

Por su altura:

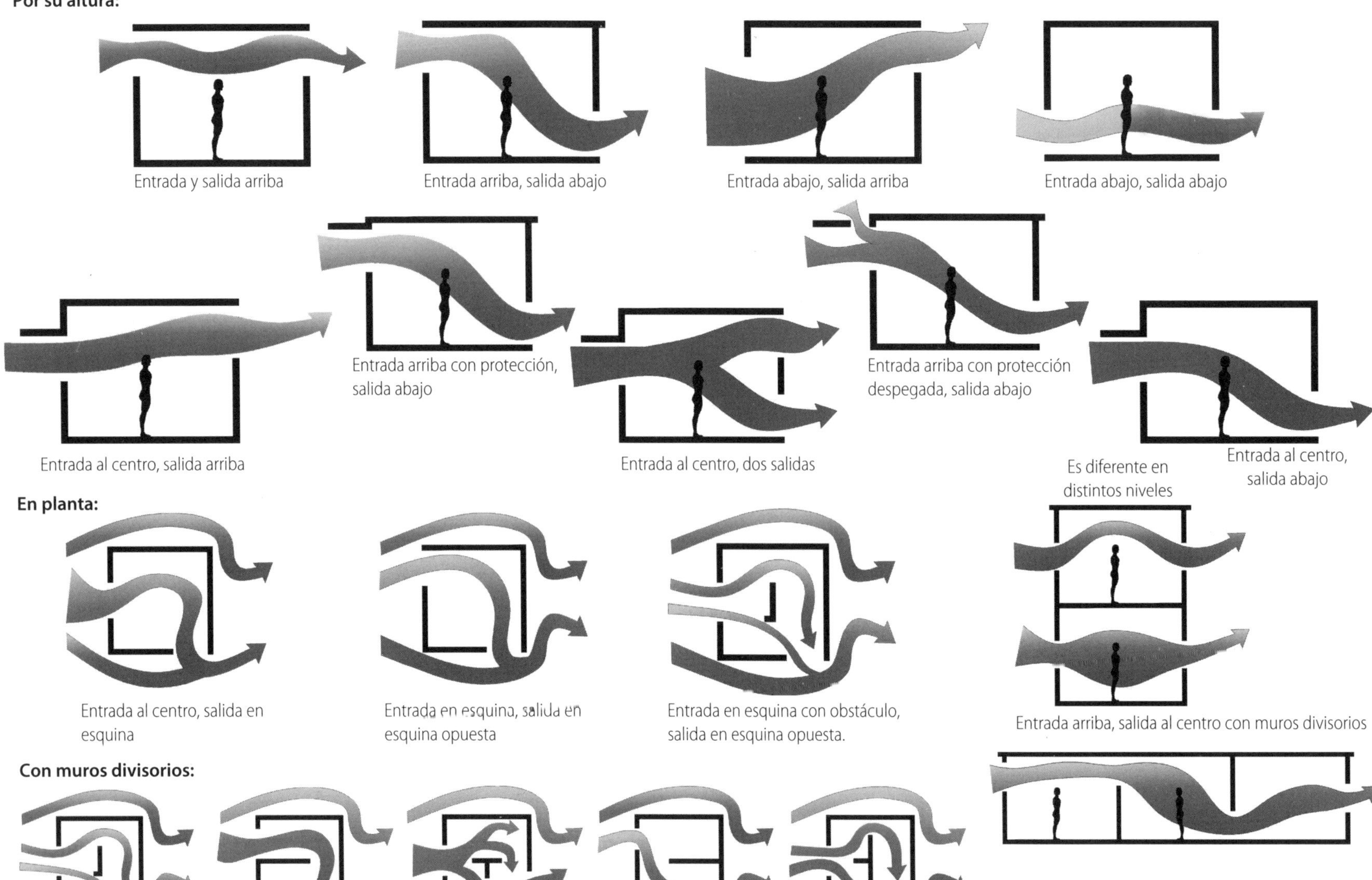

En el ejemplo que estamos desarrollando, las dimensiones mínimas de las ventanas deben ser, según lo calculado:

Aplicamos la chimenea de viento, para la cocina, comedor y estancia, que son las áreas abiertas hacia la parte de la escalera.

Planta baja:

Espacio	*Área ventana*	*Alto*	*Lado*
Sala	1.95 m^2	1.5 m	1.30 m
Comedor	1.83 m^2	1.5 m	1.25 m
Cocina	1.47 m^2	1.3 m	1.15 m
Baño	0.87 m^2	0.6 m	1.45 m

Planta alta:

Espacio	*Área ventana*	*Alto*	*Lado*
Recámara 1	1.95 m^2	1.5m	1.30 m
Recámara 2	1.83 m^2	1.5 m	1.25 m
Rec. ind.	1.47 m^2	1.5 m	1.15 m
Baño	0.87 m^2	0.6 m	1.45 m

El tamaño propuesto:

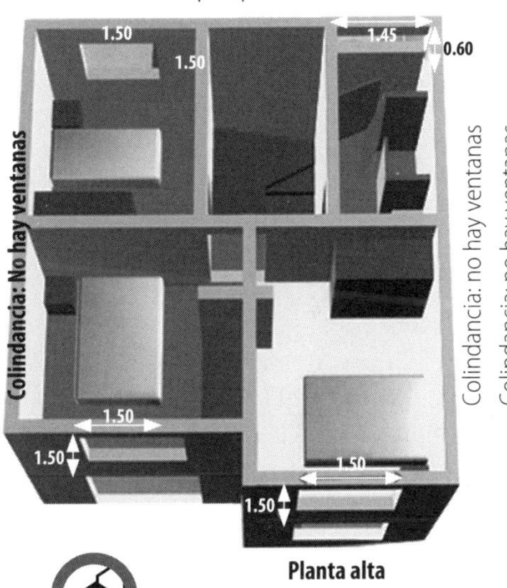

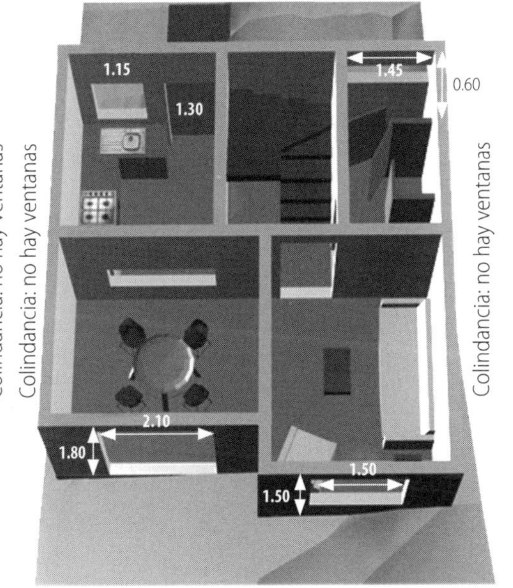

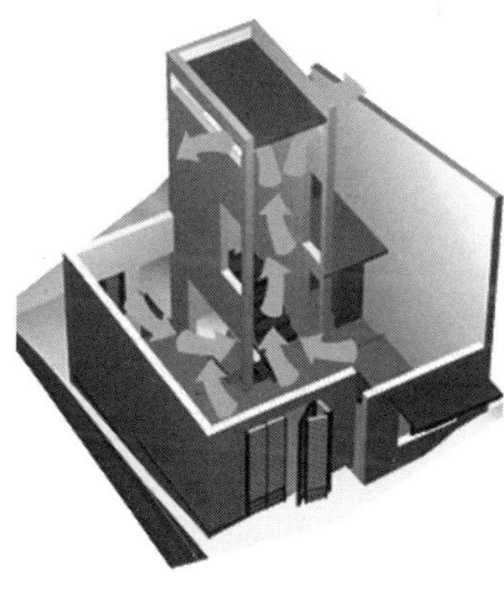

Al Sur:

Ahora escogemos el tipo de ventana y las protecciones que llevarán dependiendo de su orientación.

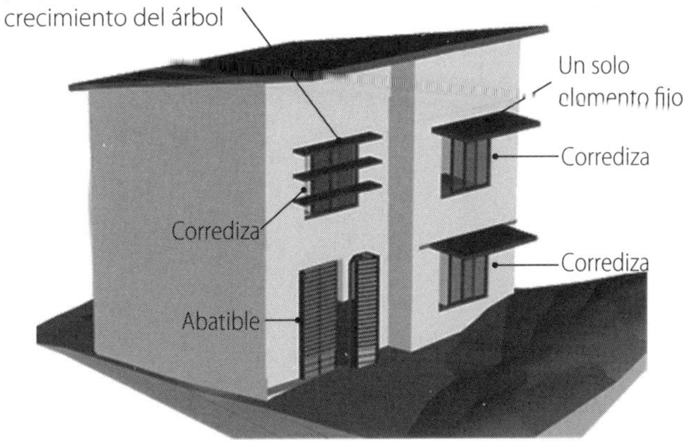

Permiten abrir por completo el comedor al jardín

Al Norte: Escogemos colocar postigos. Así evitamos los rayos solares del verano y se tiene la opción de proteger la vivienda del frío o del viento, cerrándolos o abriéndolos según convenga

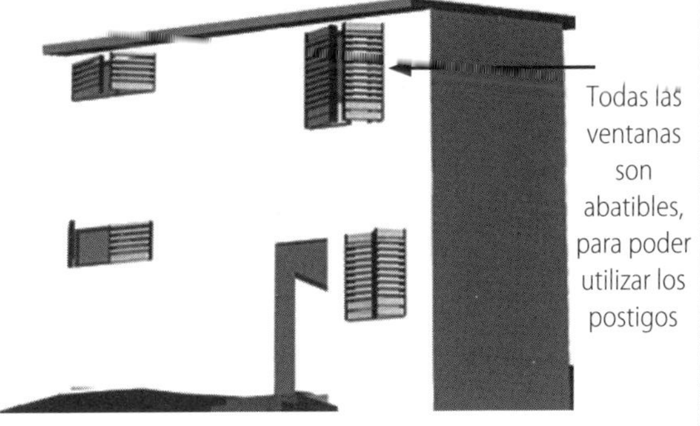

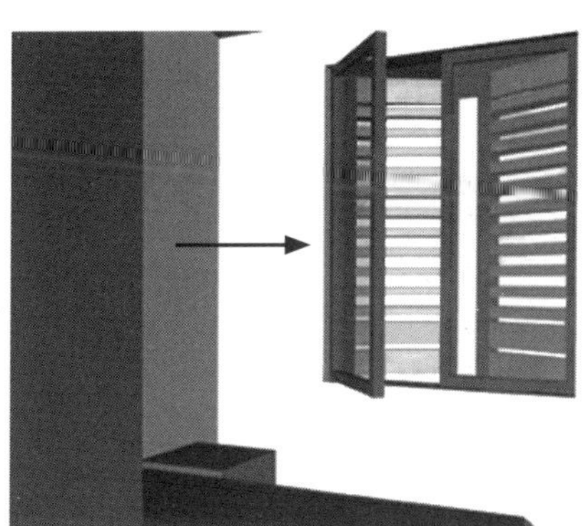

Instalaciones

El sistema hidrosanitario, las tuberías de gas, y el sistema eléctrico proporcionan una serie de servicios necesarios para el funcionamiento adecuado de la vivienda. Las instalaciones son una parte muy importante del diseño y sus elementos hacen que cada habitación funcione adecuadamente.

Existen varios tipos de instalaciones en una vivienda:

Electricidad

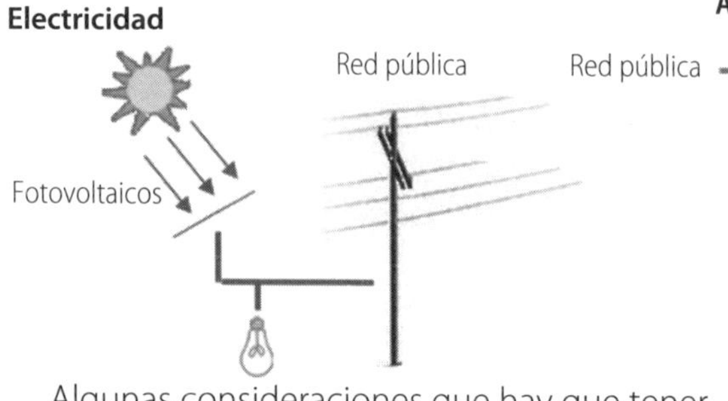

Agua

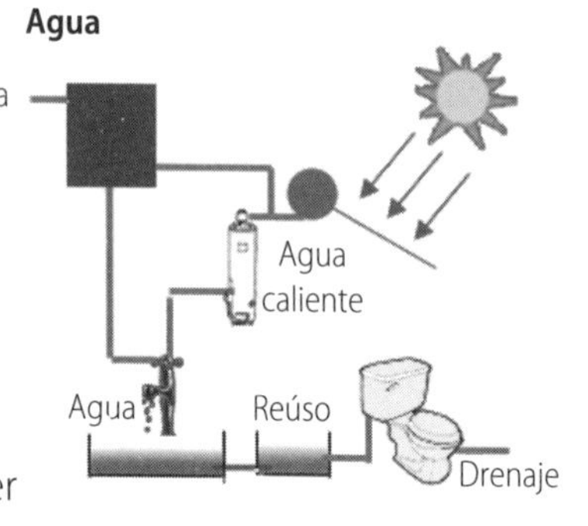

Gas

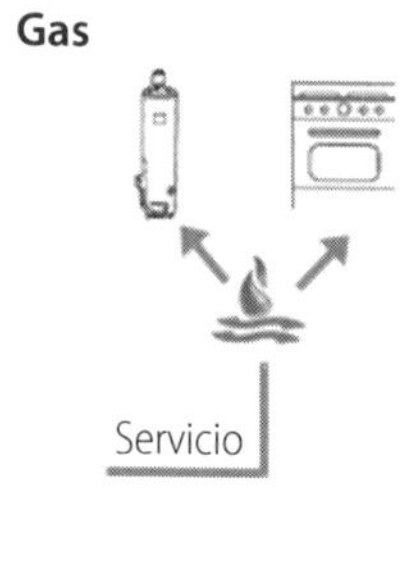

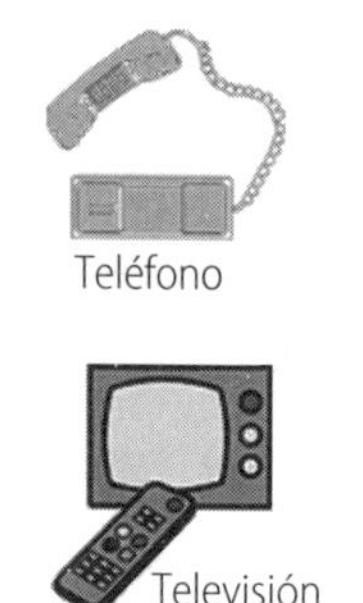

Entre otras…

En este manual sólo explicaremos las tres primeras instalaciones que son básicas para realizar nuestras actividades. Las demás se consideran complementarias.

En el diseño y uso de las instalaciones, se deben tener dos objetivos: que funcionen bien y que no se desperdicie material.

Algunas consideraciones que hay que tener en cuenta para ahorrar en el consumo de las instalaciones son:

La ubicación del calentador de agua

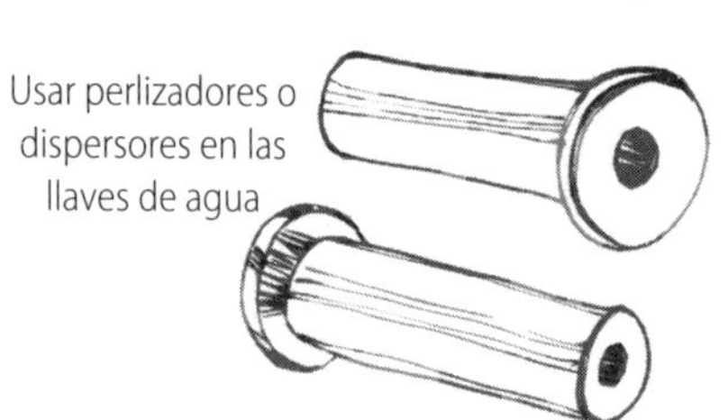

Usar perlizadores o dispersores en las llaves de agua

Usar regaderas ahorradoras

Uso de botón dual en el WC. Así sólo se gastan tres litros para descargas líquidas y seis para descargas sólidas

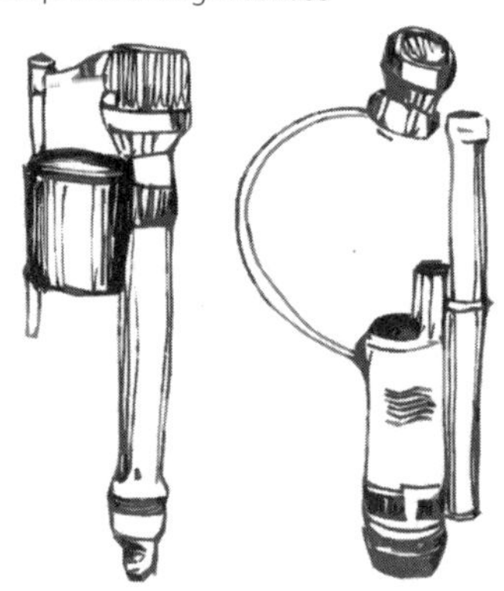

Evitar fugas de agua

Usar focos fluorescentes y no incandescentes

Aparatos que usen eficientemente la energía

Este logotipo viene en muchos aparatos que aprovechan mejor la energía

Mantener en buen estado los electrodomésticos

A continuación se describirán las instalaciones que debe incluir la vivienda.

Agua

La instalación de agua comprende varios sistemas en sí misma:

Algunas consideraciones para ahorrar agua son:

- Usar llaves ahorradoras y WC que usen menos litros por descarga.
- Reutilizar las aguas grises (del lavabo, regadera, lavadero, lavadora).
- Capturar el agua de lluvia y reutilizarla.

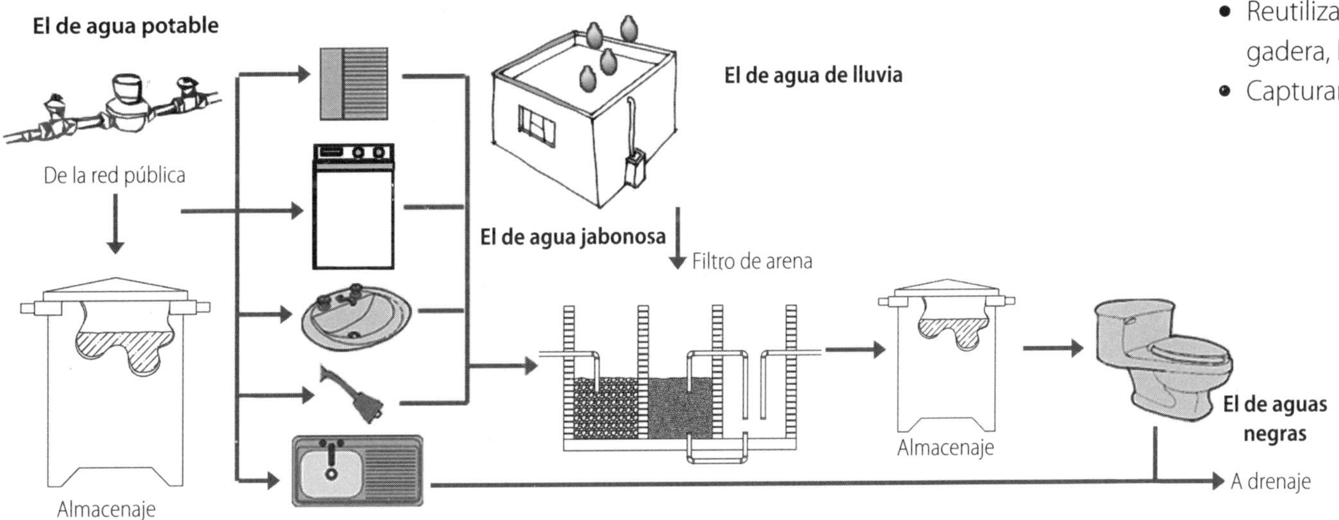

Los primero que hay que planear es cómo entra el agua que vamos a utilizar. A este tipo de instalaciones se les llama hidráulicas.

La instalación de agua comienza con la conexión a la red municipal. Para eso hay que contactar a la compañía de servicios de agua y drenaje local.

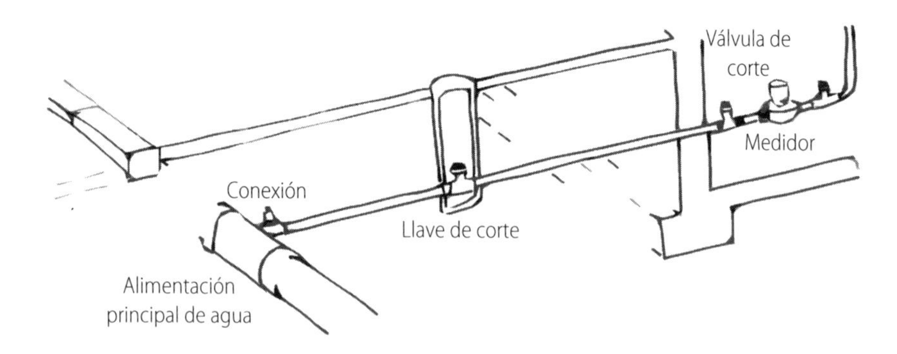

De ahí va a la cisterna:

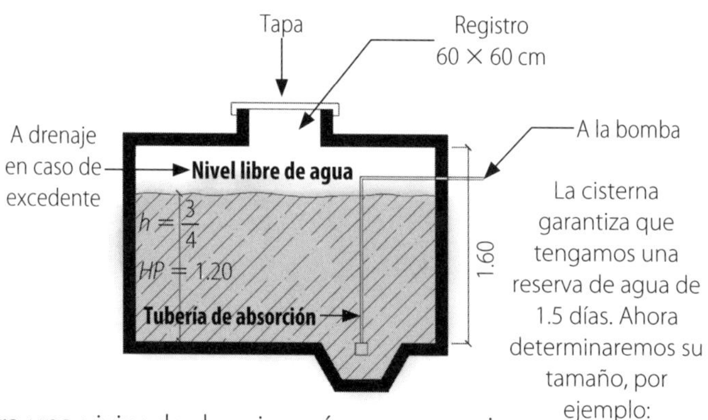

La cisterna garantiza que tengamos una reserva de agua de 1.5 días. Ahora determinaremos su tamaño, por ejemplo:

Para una vivienda de seis recámaras necesitamos una cisterna de 2925 litros.

La capacidad de la cisterna depende de cuánta agua necesitemos. Esto se calcula con el número de recámaras que tenga la vivienda.

Recámaras	*Dotación* (ℓ/día)	*Capacidad* (ℓ)	*Vol. (m^3)*
1	450	675	0.675
2	750	1125	1.125
3	1050	1575	1.575
4	1350	2025	2.025
5	1650	2475	2.475
6	1950	2925	2.925

Si se tienen más recámaras, se agregan 450 litros (0.45 m^3) a la cisterna por cada recámara adicional. Entonces, se puede comprar una cisterna prefabricada o construir una. En este caso, para saber las dimensiones de la cisterna:

Primero, sacamos el ancho, con base en el ancho del terreno:

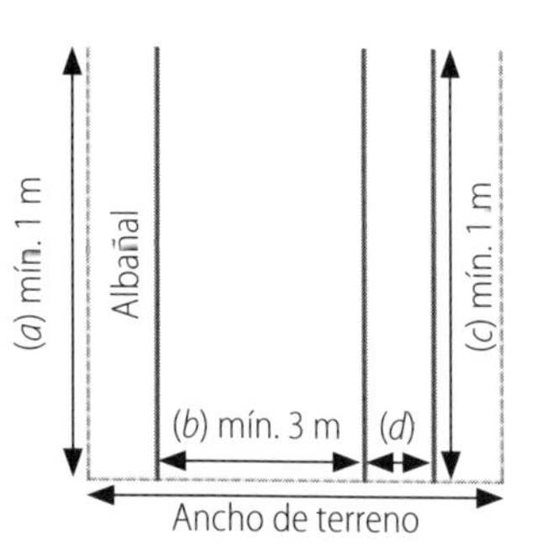

Ancho de cisterna (*d*) = Ancho de terreno − a − b − c − 0.40

Con un terreno de 6.5 m de ancho:

$d = 6.5 \text{ m} - 1 \text{ m} - 3 \text{ m} - 1 \text{ m} - 0.40 \text{ m} = 1.10 \text{ m}$ de ancho.

Ya establecimos 1.2 m de alto.
Para el lado que nos falta:

$$\text{Lado} = \frac{2.925 \text{ m}^3}{1.10 \text{ m} \times 1.2 \text{ m}} = 2.20 \text{ m de lado}$$

Para el lado restante:

Usamos la altura mínima de 1.2 m

$$\text{Lado de cisterna} = \frac{\text{Capacidad de la cisterna}}{\text{Ancho} \times \text{alto}}$$

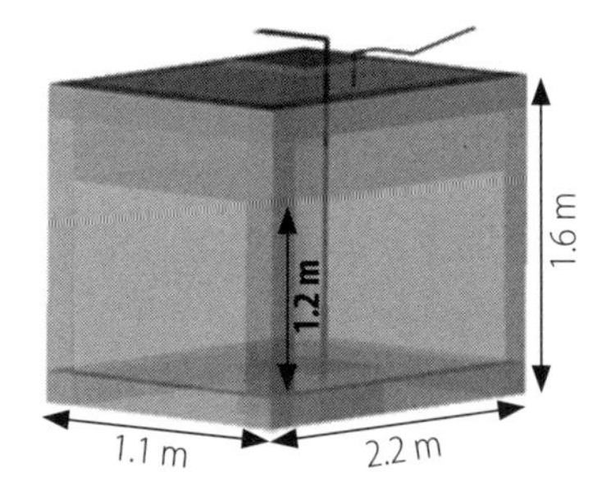

Después, el agua es bombeada al tinaco. Si la vivienda es de hasta dos niveles, se puede utilizar una bomba de ¼, HP (caballos de fuerza) y para tres niveles y hasta seis recámaras, una de ½ HP.

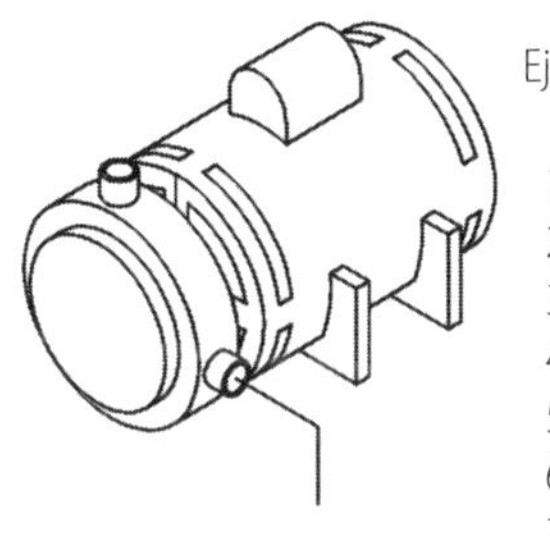

Ejemplo de conexión:

1. Pichancha
2. Conector de cobre
3. Reducción de cobre
4. Conector de cobre
5. Codo galvanizado
6. Tuerca unión galvanizada
7. Tuerca unión galvanizada
8. "Y" galvanizada
9. Tapón macho galvanizado
10. Válvula check columpio
11. Válvula compuerta roscada
12. Codo galvanizado 45°
13. Reducción campana galvanizada

Hacia tinaco

En la cisterna

Elegimos el tamaño del tinaco: (También depende del número de recámaras de la vivienda).

Número de recámaras	*Dotación* (ℓ/ *día*)	*Capacidad* (ℓ)	*Volumen* (m³)
1	450	338	0.338
2	750	563	0.563
3	1050	788	0.788
4	1350	1013	1.013
5	1650	1238	1.238
6	1950	1463	1.463

Si hay más de seis recámaras, se agregan 150 litros por recámara adicionales a la capacidad del tinaco. Las dimensiones y forma dependen del tinaco que compremos

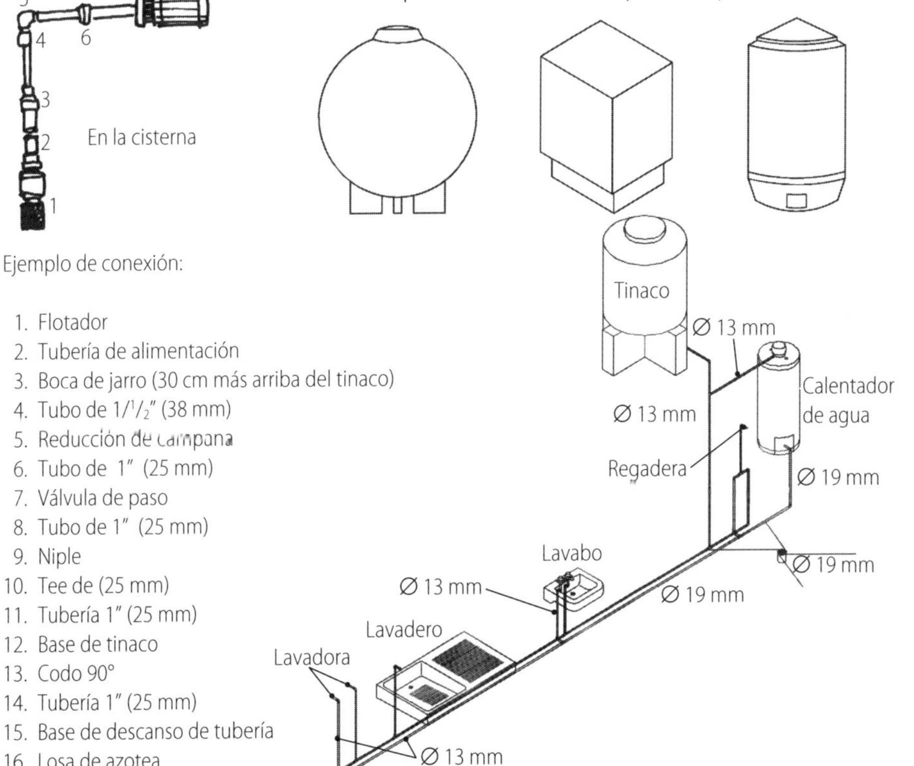

Del tinaco, el agua se distribuye a las diferentes partes de la vivienda:

Conexión del tinaco al resto de la instalación

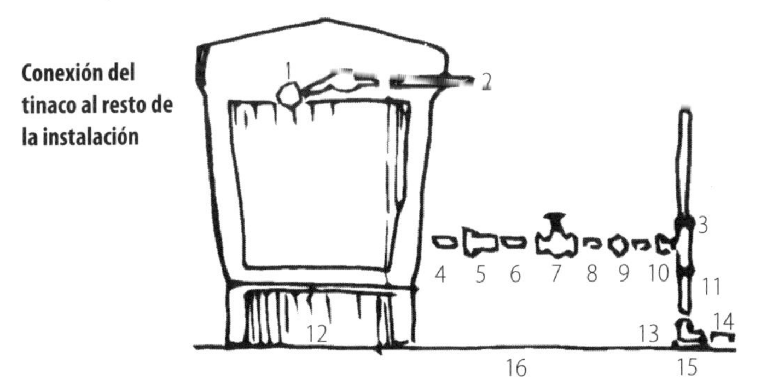

Ejemplo de conexión:

1. Flotador
2. Tubería de alimentación
3. Boca de jarro (30 cm más arriba del tinaco)
4. Tubo de 1/¹/₂" (38 mm)
5. Reducción de campana
6. Tubo de 1" (25 mm)
7. Válvula de paso
8. Tubo de 1" (25 mm)
9. Niple
10. Tee de (25 mm)
11. Tubería 1" (25 mm)
12. Base de tinaco
13. Codo 90°
14. Tubería 1" (25 mm)
15. Base de descanso de tubería
16. Losa de azotea

Otro sistema es hacer pasar el agua por dos calentadores:

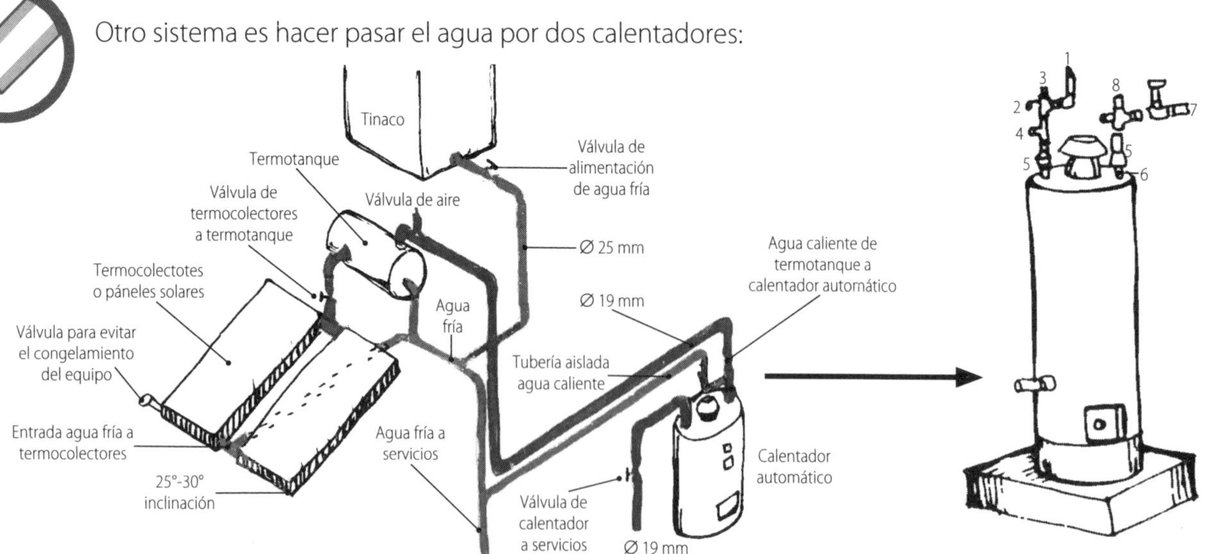

Después al calentador de gas

1. Entrada de agua fría, tubería Ø 19 mm
2. Tee Ø 13 × 19 × 19 mm
3. Jarro de aire de agua fría Ø 13 mm
4. Válvula de compuerta roscada
5. Tuercas de unión galvanizadas
6. Salida de agua caliente, tubería Ø 19 mm
7. Al servicio de agua caliente Ø 19 mm
8. Jarro de aire de agua caliente Ø 13 mm

Se recomienda un calentador de tipo instantáneo, con capacidad de 10 kW e incremento mínimo de temperatura de 25 °C. Así, sólo enciende cuando no hay suficiente energía solar para el colector.

Primero a colectores solares

Como su nombre lo dice, un colector solar captura el calor del Sol para calentar el agua. Para eso, se compone de las siguientes partes:

Ángulo de 2 × 2 cm de lámina galvanizada de acero o de aluminio con tornillos o pijas

Vidrio de 6 mm. Con vinilo sellado con silicón para evitar que pase agua de lluvia al interior

Absorbedor de cobre aleteado con superficie selectiva de cromo negro; 87 × 205 cm

Marco de madera o lámina galvanizada o perfil de aluminio

Aislamiento de poliuretano o cartón corrugado de empaque

Fondo de lámina galvanizada o de lámina de aluminio o de triplay, con tornillos o pijas

En esta parte se pueden poner tubos de cobre o manguera pintados de negro, por donde el agua pasará para ser calentada, algunas opciones son:

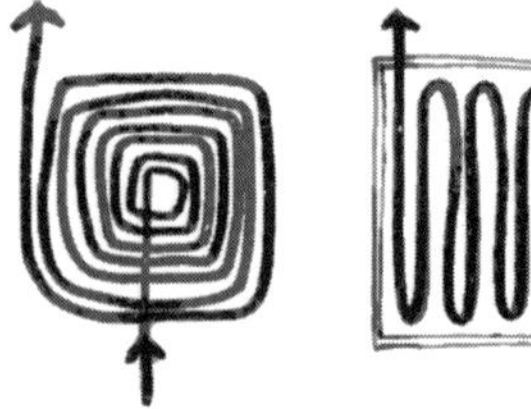

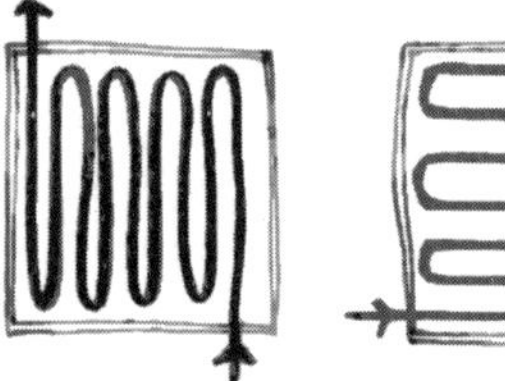

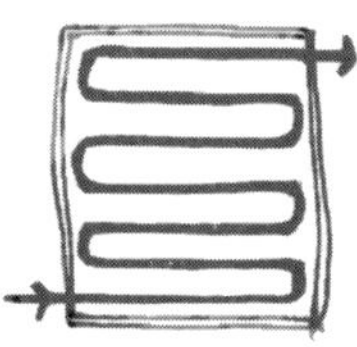

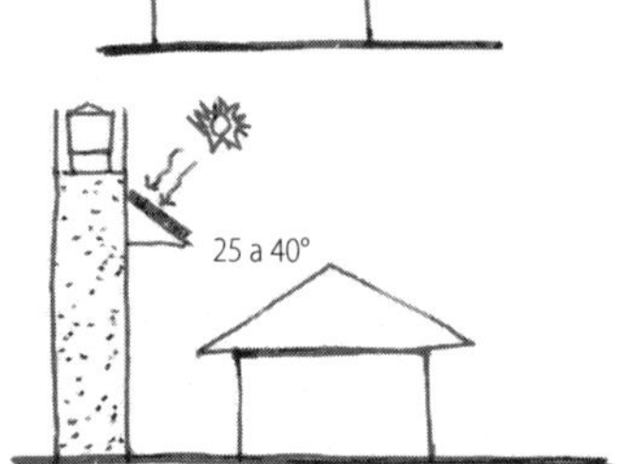

Es muy importante la ubicación y posición del colector solar, para que pueda recibir toda la radiación posible. Debe estar orientado siempre al Sur o puede estar un poco girado.

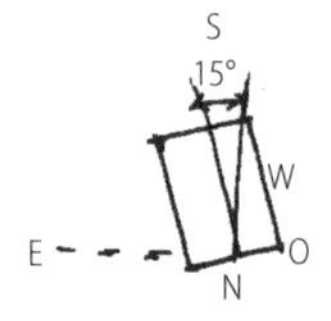

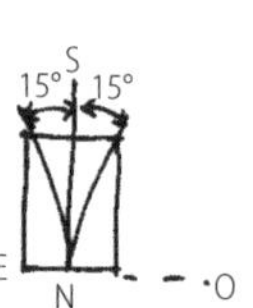

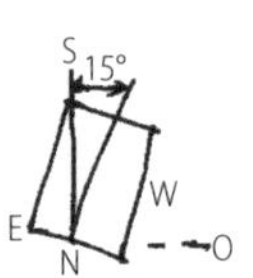

Para saber cuánta agua calienta el colector:

Superficie (m²)	Inclinación del colector						
	40°	45°	50°	55°	60°	65°	70°
2	221	*Litros de agua*	147	126	110	98	89
4	440	*caliente al día*	294	252	220	196	178
8	880	176	588	504	440	392	356
12	1320	352	882	756	660	588	534
16	1760	704	1176	1008	880	784	712
20	2210	1056	1470	1260	1100	980	890
		1408					
		1760					

El calentador de gas complementa al calentador solar para así disponer de agua caliente todo el día.

Distribución de agua caliente

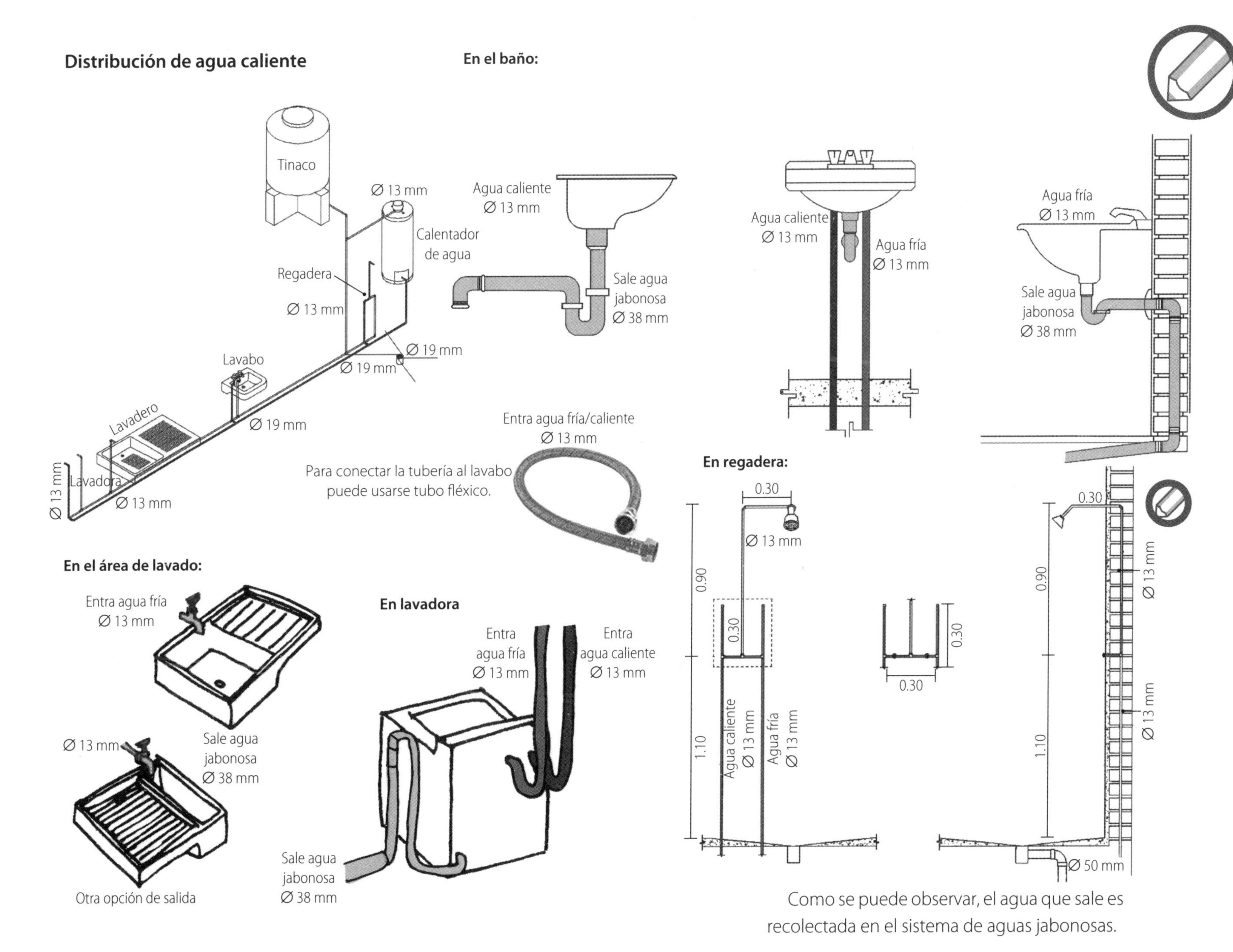

Como se puede observar, el agua que sale es recolectada en el sistema de aguas jabonosas.

El material utilizado para estas aguas es PVC y existen diversos tipos de conexiones:

Cople

Reducción

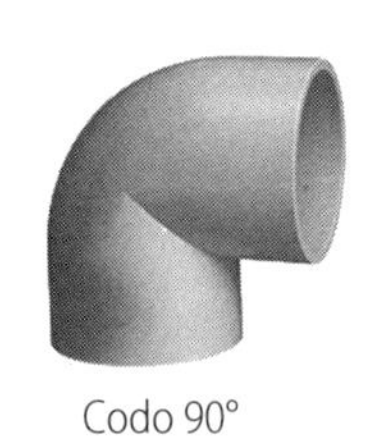

Codo 90°

Codo 45°

Tee

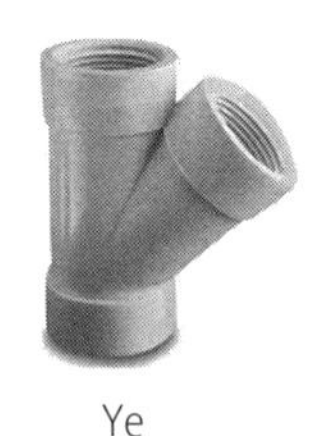

Ye

Ye con reducción

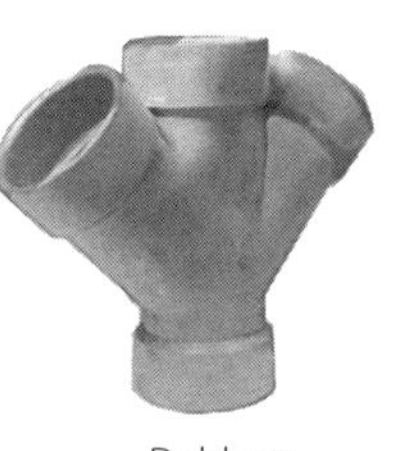

Doble ye

Así, se junta toda el agua y es llevada a través de la tubería hasta un filtro de arena.

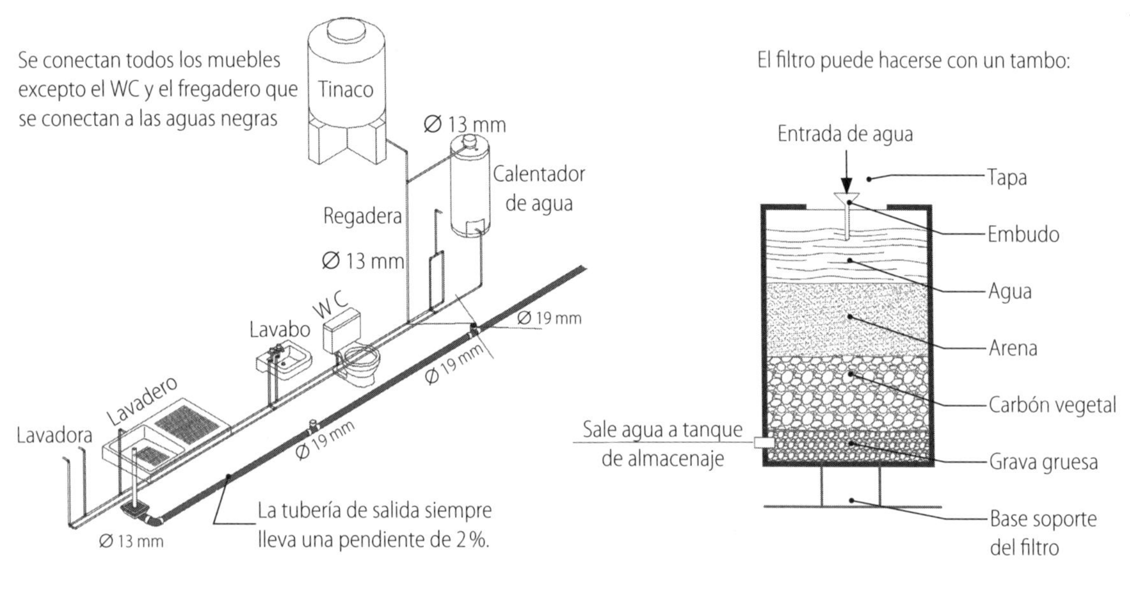

Otra opción es construirlo de mampostería, enterrado: Desde el filtro, el agua va a un depósito, para después ser reutilizada en el WC o para riego.

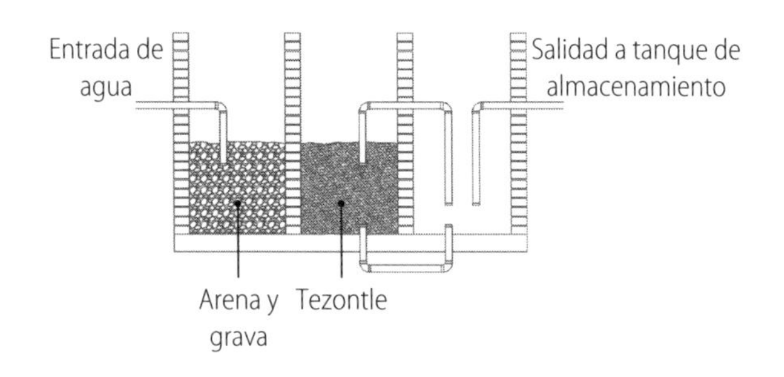

La capacidad va de acuerdo con el número de recámaras que tendrá la vivienda:

Recámaras	**Capacidad**	
	ℓ	m^3
1	230	0.230
2	383	0.383
3	536	0.536
4	690	0.690
5	842	0.842
6	995	0.995

El depósito de aguas jabonosas puede ser un tanque a nivel de piso o enterrado (siempre a nivel más bajo que el filtro de arena, para facilitar el flujo de agua).

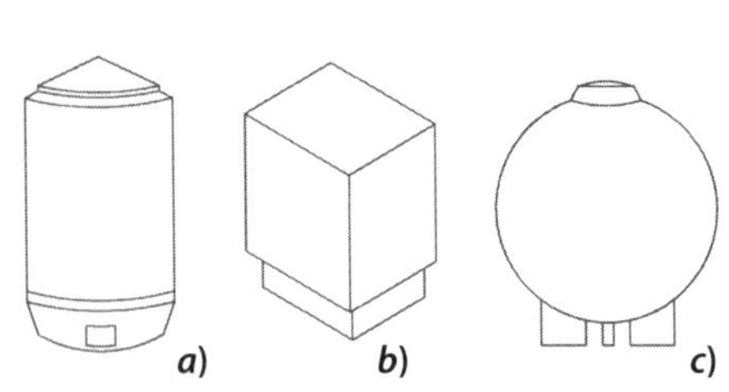

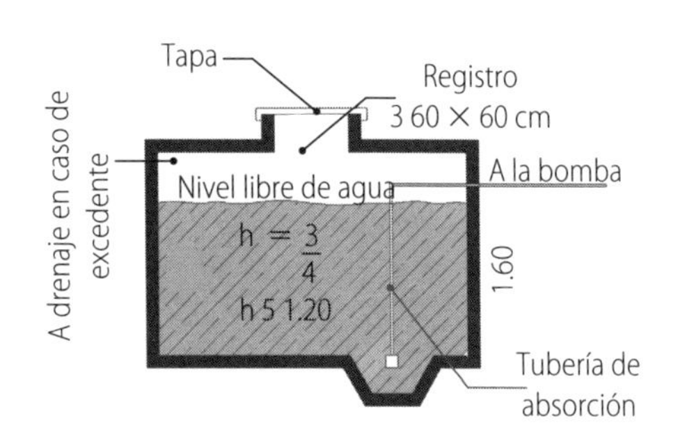

El agua es bombeada al WC o para ser utilizada en riego. La bomba debe ser más pequeña que la de agua potable, pues sólo sube agua al WC. La tubería al WC es de CPVC o cobre:

El agua que sale del WC y del fregadero es enviada al drenaje.

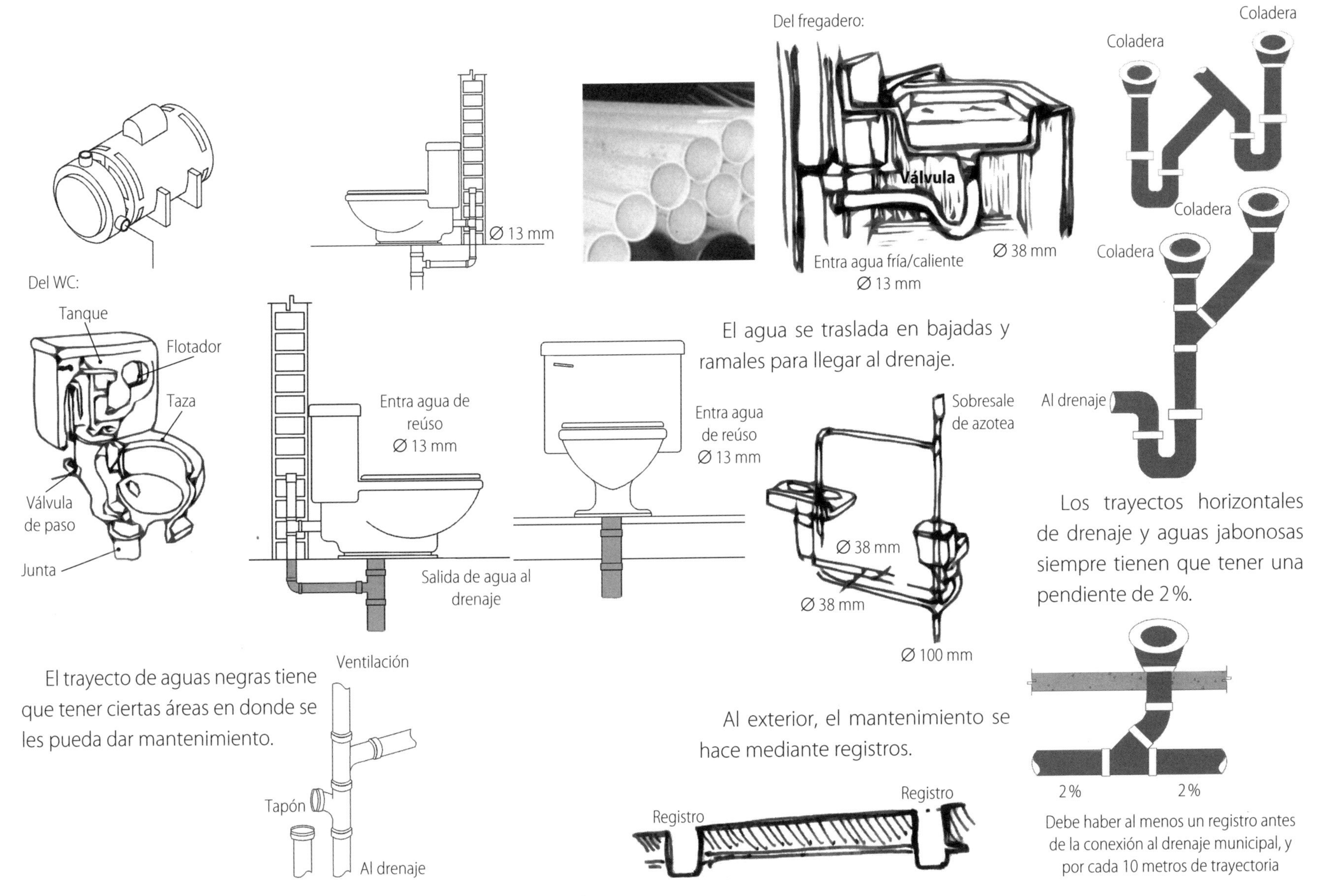

El agua se traslada en bajadas y ramales para llegar al drenaje.

Los trayectos horizontales de drenaje y aguas jabonosas siempre tienen que tener una pendiente de 2%.

El trayecto de aguas negras tiene que tener ciertas áreas en donde se les pueda dar mantenimiento.

Al exterior, el mantenimiento se hace mediante registros.

Debe haber al menos un registro antes de la conexión al drenaje municipal, y por cada 10 metros de trayectoria

Los registros deben tener las dimensiones de profundidad adecuadas:

Profundidad	*Lado a*	*Lado b*
Hasta 1 m	40 cm	60 cm
1 a 1.5 m	50 cm	70 cm
1.5 a 1.8 m	60 cm	80 cm

Las tapas de los registros deben ser de al menos 40 × 60 cm.

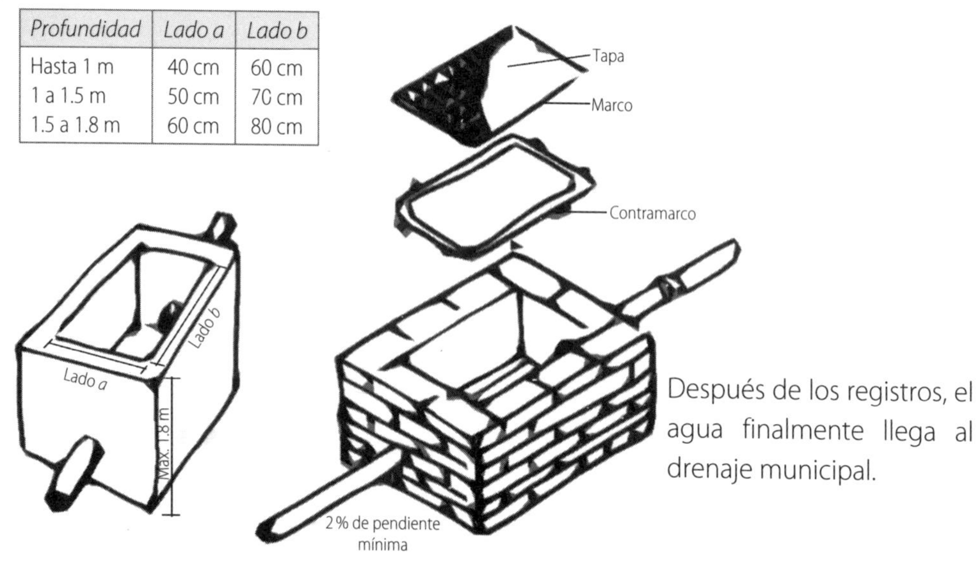

Después de los registros, el agua finalmente llega al drenaje municipal.

Otra opción en vez del WC, son los baños secos. Éstos pueden ubicarse en un extremo de la vivienda.

Un complemento de las instalaciones de agua son las tuberías de ventilación para las aguas jabonosas y negras.

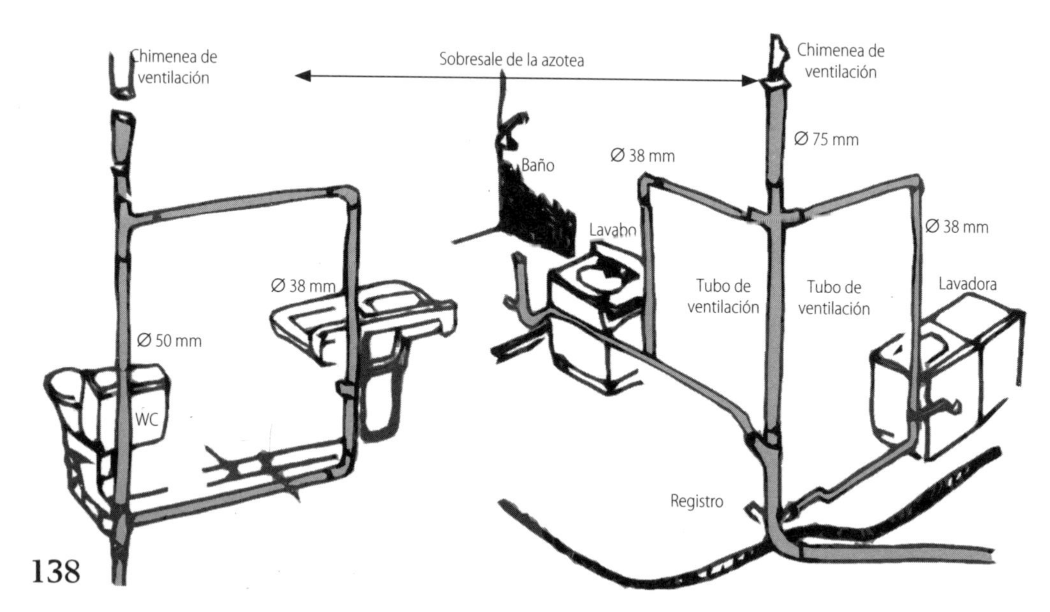

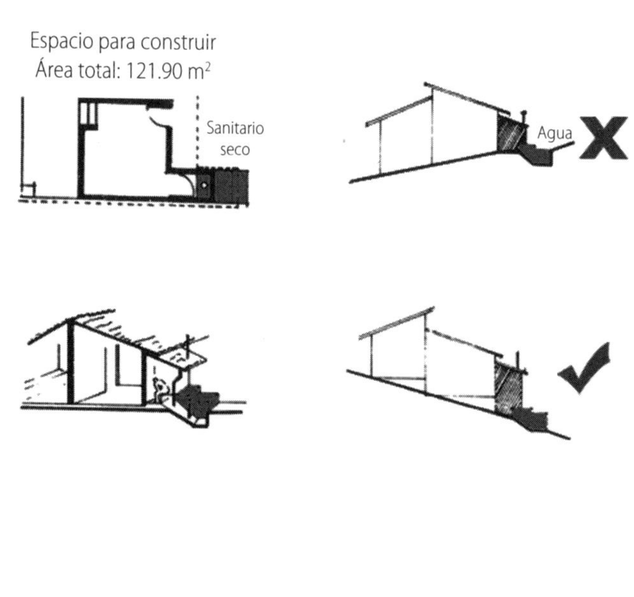

Ahora podemos aplicar estos elementos a la vivienda que estamos utilizando en el ejemplo:

Dotación de agua. Ubicamos la cisterna y establecemos sus dimensiones:

a) Al frente de la vivienda no hay espacio suficiente para la cisterna, así que la ponemos más atrás.

b) La calculamos de otra forma:

Consideramos un ancho libre de 1.9 m, 1 m al límite del terreno y la distancia a la cimentación.

Entonces: $\frac{2.44 \text{ m}^2}{1.9 \text{ m}} = 1.3 \text{ m}$

Ubicamos la toma de agua, colocamos el medidor y definimos la trayectoria para conectarlo con la cisterna.

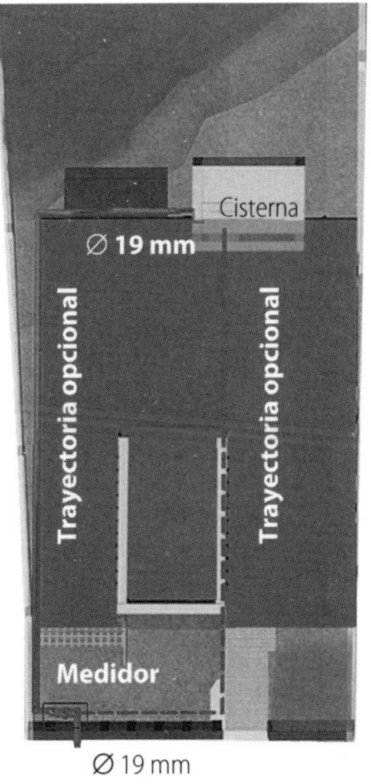

Después ubicamos la bomba.

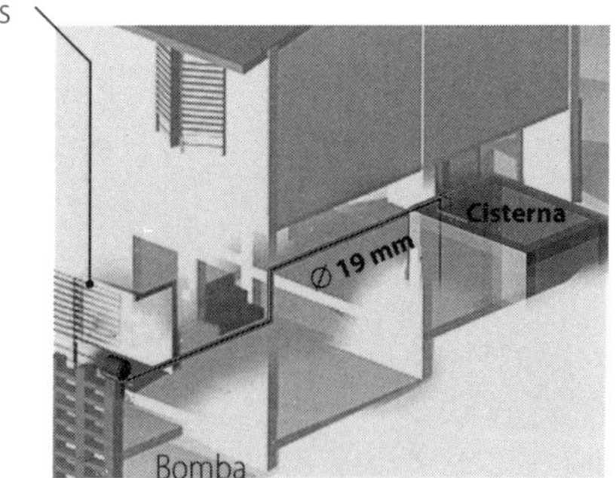

En algunos muros de las escaleras se ocultan las instalaciones, y se colocan otros elementos en la azotea.

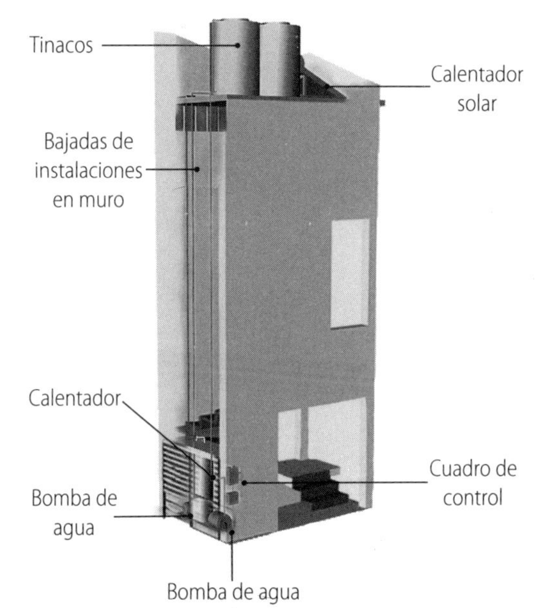

El agua fría se distribuye a los diferentes muebles: Se aprovecha la altura del ducto de las escaleras para colocar los tinacos a la altura necesaria para que el agua tenga suficiente presión.

Para el agua caliente: Del tinaco, se deriva un tubo para los calentadores, y del calentador de gas, sale el tubo para distribuirla a cada instalación.

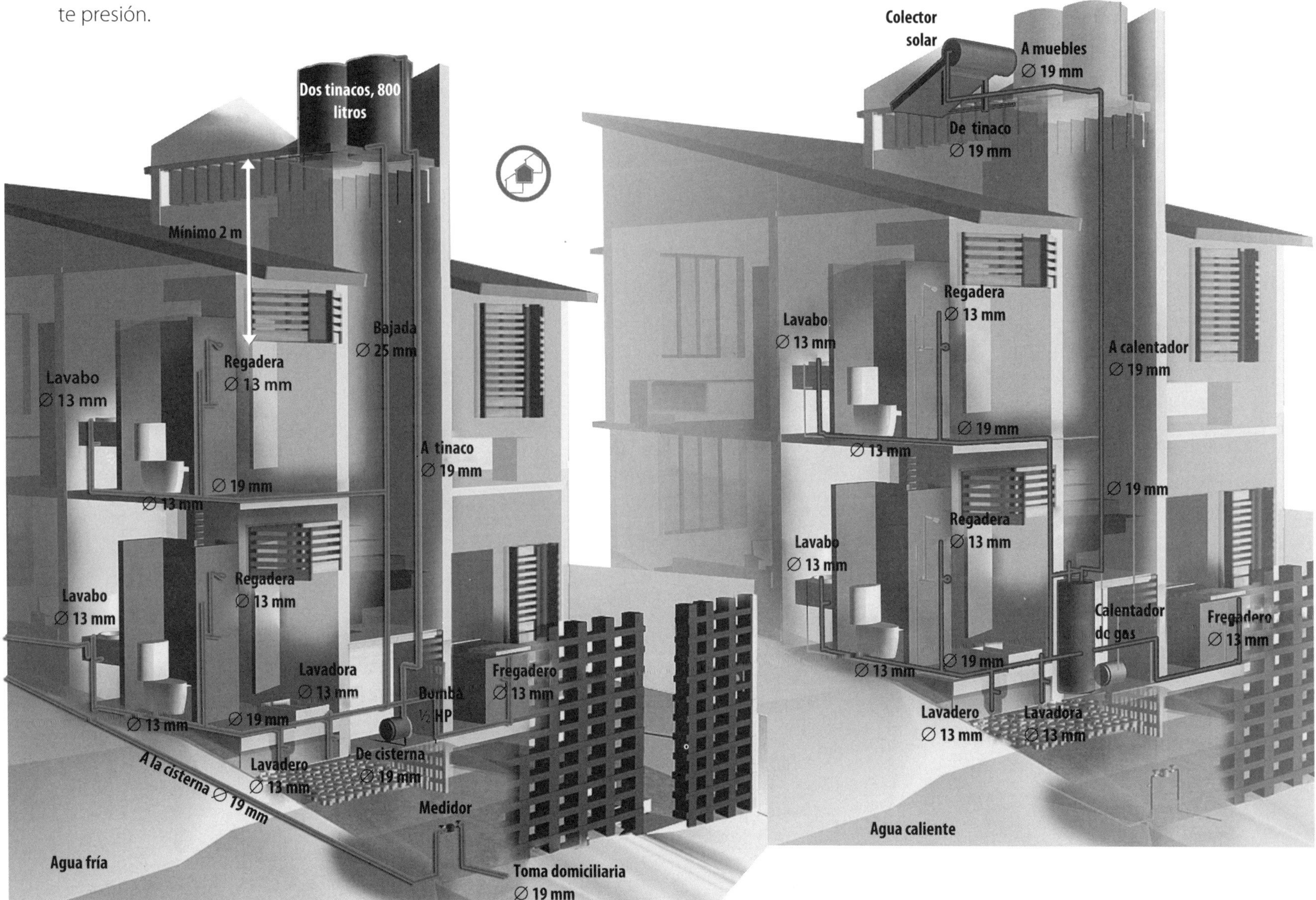

Finalmente se recolectan las aguas jabonosas y se distribuyen para su reúso.

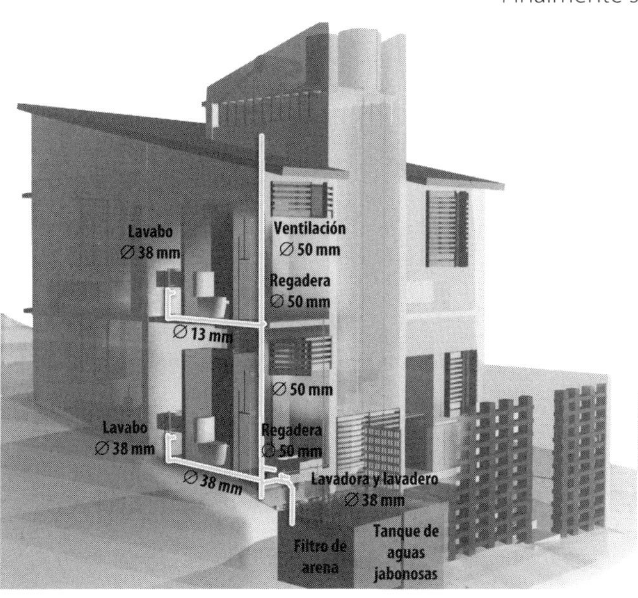

Recolección de aguas jabonosas

Distribución de agua de reúso

También se recolectan las aguas negras. Un elemento importante que hay que considerar es la separación de los tanques de almacenamiento de agua y el drenaje.

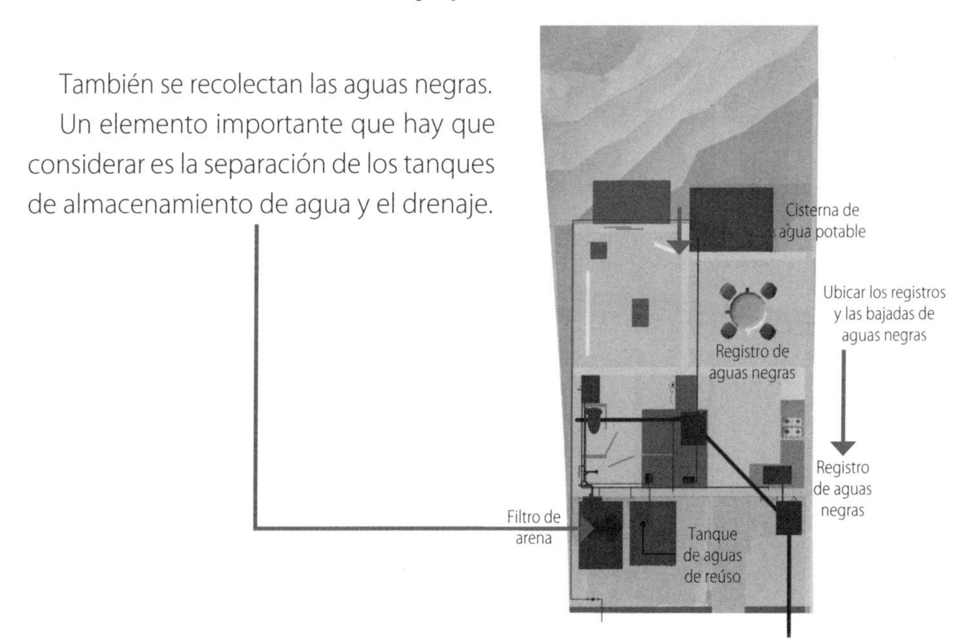

Recolección de aguas negras

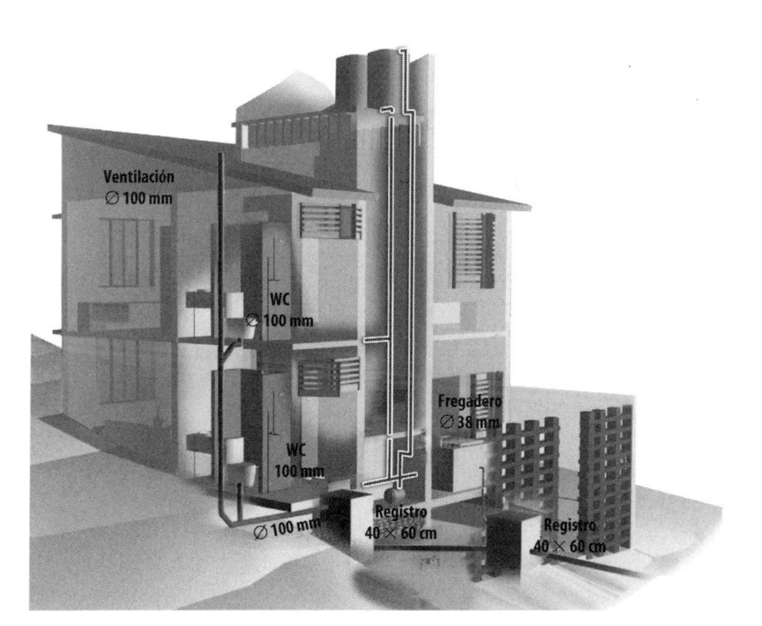

Recolección de agua de lluvia

El agua de lluvia se recolecta de las azoteas.

Si son inclinadas

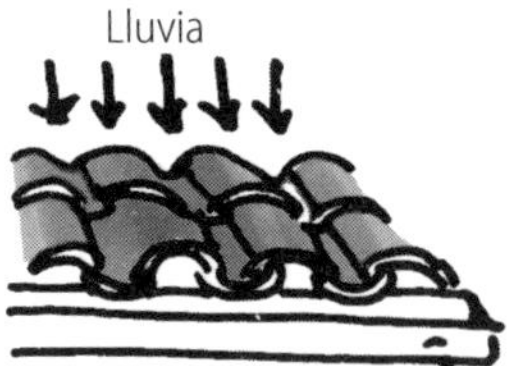

El agua es recolectada en tuberías de PVC

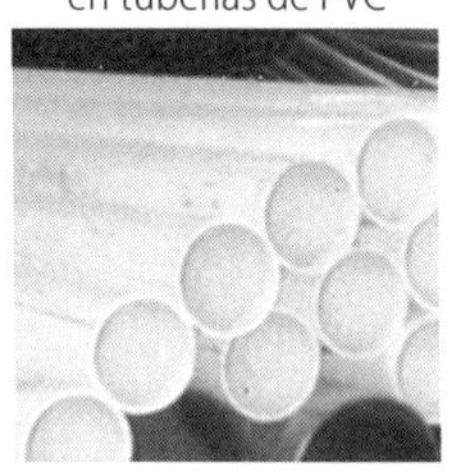

Si son planas

Normalmente se pone una bajada de tubo de 100 mm por cada 100 m² de azotea

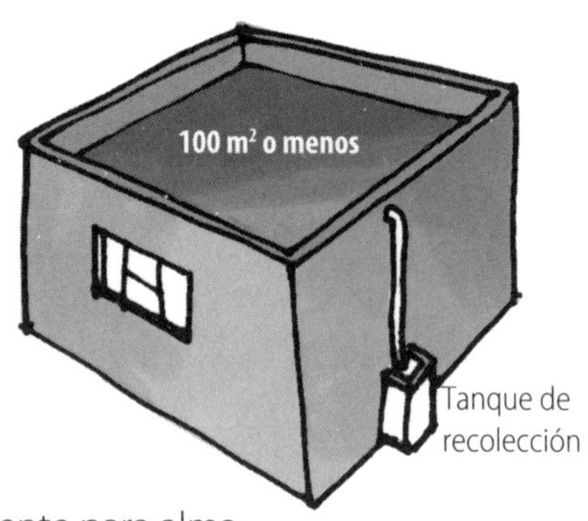

Para evitar que caiga con basura:

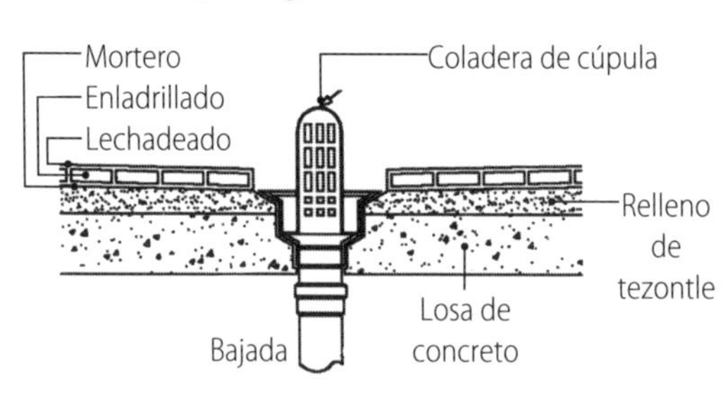

Charola de plomo de 1.8 mm de espesor y 90 × 90 cm

Codo de 90°

Coladera de pretil

Bajada

De las bajadas, el agua va a un tanque de recolección.

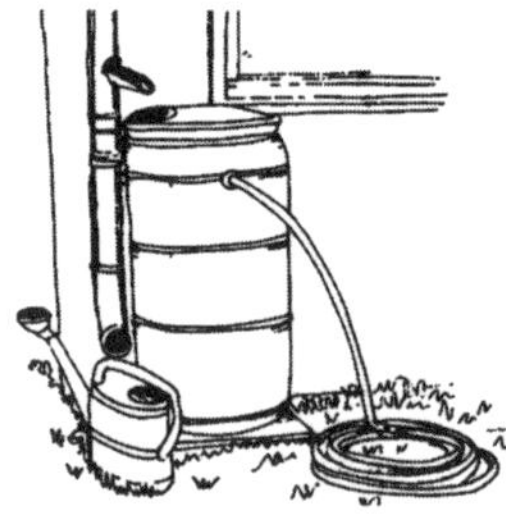

Como el agua de lluvia en Monterrey es muy poca, entonces sólo la utilizamos para riego.

El tamaño del tanque depende del área de la azotea:

Azotea (m²)	*Capacidad del tanque* (ℓ)
20	600
30	900
40	1200
50	1500
60	1800
70	2100
80	2400
90	2700
100	3000

Se agregan 30 litros a la capacidad del tanque por cada m² de azotea.

Con el agua de lluvia termina la instalación de agua.

Si no tenemos espacio suficiente para almacenar el agua, al menos debemos fijarnos que caiga en superficies permeables.

Pavimentos permeables

Áreas de vegetación, en donde el agua se infiltra

Que no corra a la calle

Así, en el ejemplo:

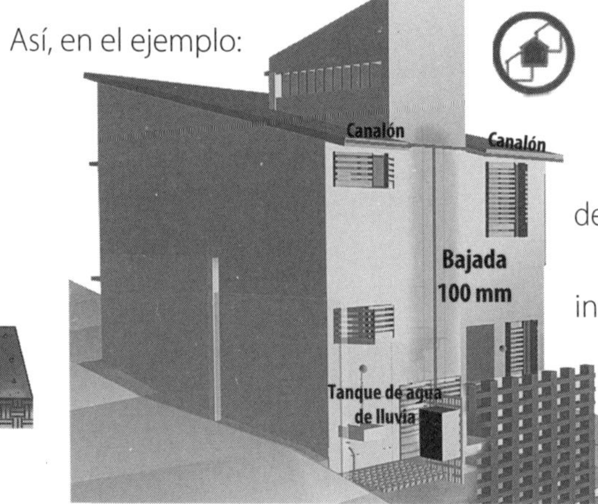

Gas

La siguiente instalación que necesitamos considerar es la de gas. Se utiliza principalmente para el calentador de agua y la estufa.

Los materiales más utilizados para esta instalación son:

Cobre tipo "L" y "K"

Tubos flexibles de latón o de aluminio

Las diferentes conexiones son las que se muestran.

Niples

Pigtail

Reguladores

Codos a 90°

Válvula de paso

Punta pol

Tee

Tuerca cónica

El inicio de la instalación depende del tipo de gas que se utilice, cuando es gas LP, la instalación inicia con la conexión al tanque. De ahí parte a los aparatos que se alimentan de gas:

Cada aparato debe tener una válvula de admisión para detener el paso de gas en caso de fuga.

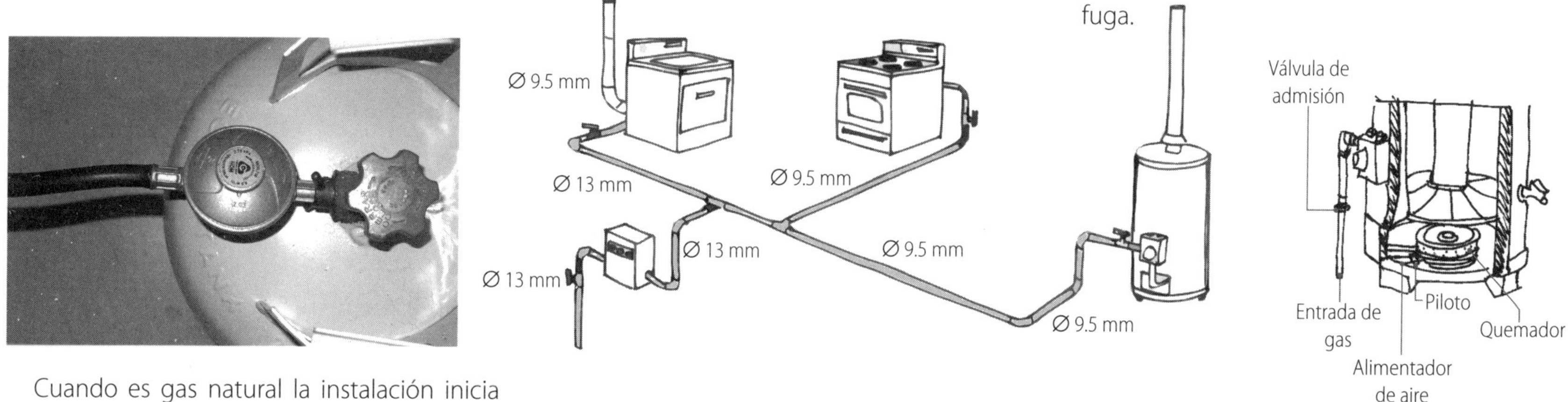

Cuando es gas natural la instalación inicia con la conexión a la red subterránea.

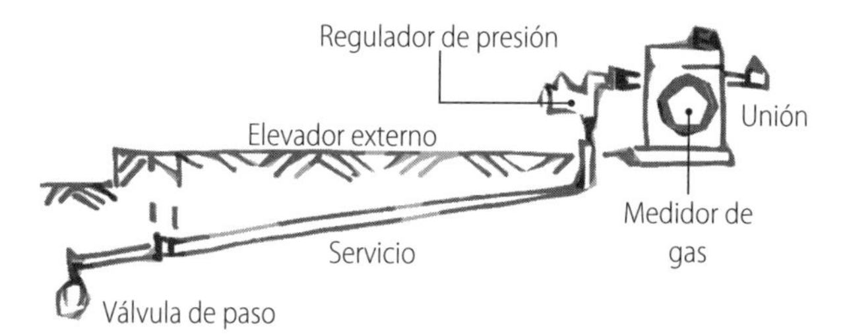

Es muy importante que en las instalaciones de gas:

- Las tuberías nunca se ahoguen en la estructura, es decir, siempre deben estar a la vista.
- Los aparatos y los tanques deben estar siempre en lugares bien ventilados.

En el ejemplo identificamos los aparatos que utilizan gas.

Estufa
Espacios con ventilación
Calentador
∅ 9.5 mm
∅ 9.5 mm
∅ 13 mm
Medidor

Toma subterránea ∅ 13 mm

La instalación queda como sigue:

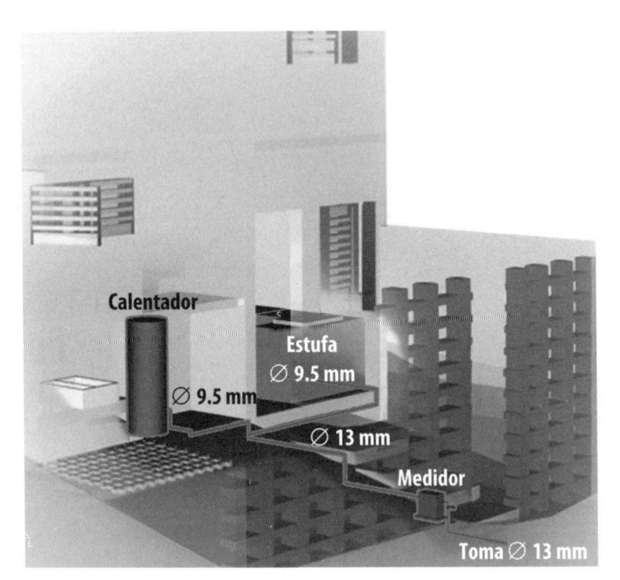

Electricidad

Esta instalación nos sirve para hacer funcionar diversos aparatos de la vivienda, así como para tener iluminación artificial.

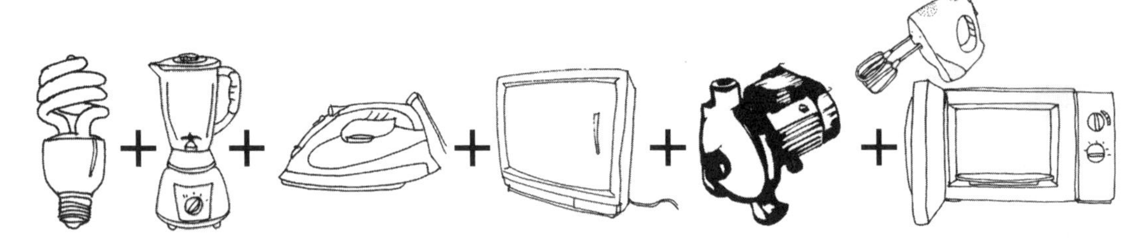

De la red pública, la electricidad llega a nuestras casas.

Del tablero de control se distribuye al resto de la vivienda en circuitos.

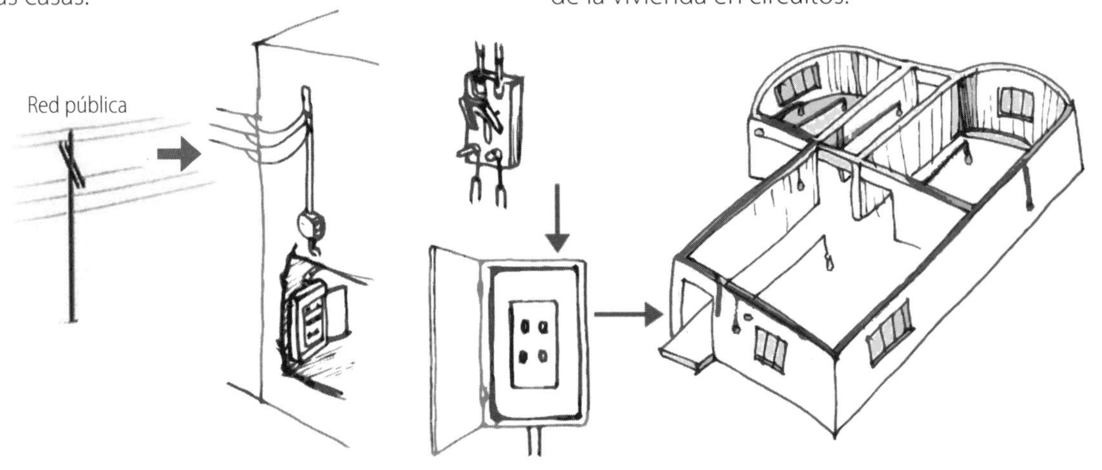

A cada circuito se conectan focos y enchufes según las necesidades de cada espacio.

Para ello, primero se planea la distribución de la instalación y se ubica focos, apagadores y contactos.

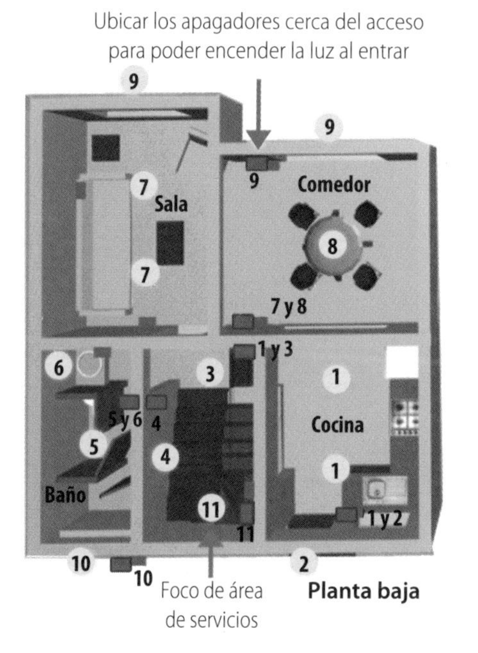

El número de circuitos que se necesita se obtiene de la siguiente manera:

Contamos los focos y multiplicamos por 100 W.

$$= 21 \times 100 = 2100 \text{ W}$$

Contamos los contactos y multiplicamos por 180 W

$$= 17 \times 180 = 3060 \text{ W}$$

Sumamos los watts y dividimos entre 1905 W, que es el máximo de watts que deben estar conectados a un circuito:

$$\begin{array}{r} 2100 \text{ W} \\ +\ 3060 \text{ W} \\ \hline 5160 \text{ W} \end{array} \qquad \text{Número de circuitos} = \frac{5160 \text{ W}}{1905 \text{ W}}$$

$$\text{Número de circuitos} = 2.7 \qquad = 3 \text{ circuitos}$$

Consideramos un circuito adicional, pues las áreas de servicio tienen aparatos que ocupan más watts.

Después se reparten los apagadores y contactos en los circuitos.

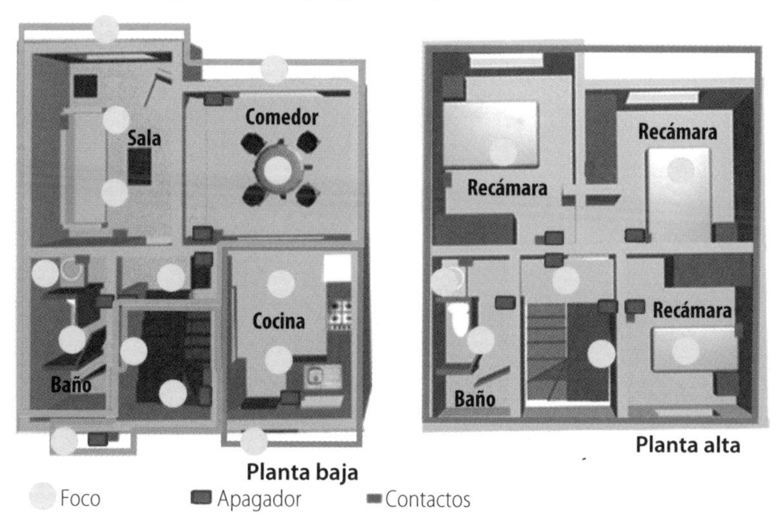

Agrupamos por áreas, cuidando que ningún circuito tenga conectado más de 1905 Watts:

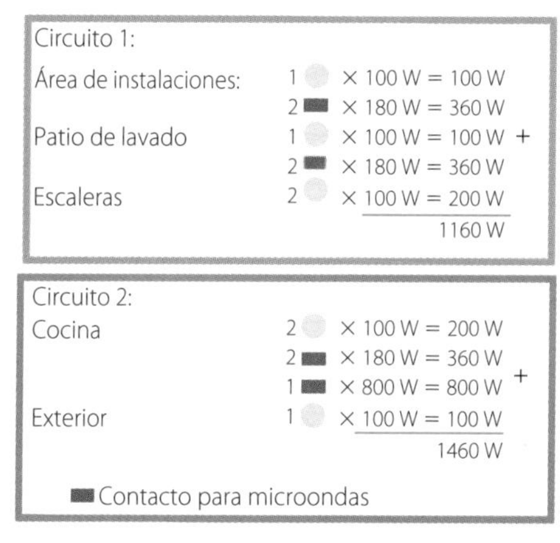

Circuito 1:

Área	Cantidad	Cálculo
Área de instalaciones:	1	× 100 W = 100 W
	2	× 180 W = 360 W
Patio de lavado	1	× 100 W = 100 W +
	2	× 180 W = 360 W
Escaleras	2	× 100 W = 200 W
		1160 W

Circuito 2:

Área	Cantidad	Cálculo
Cocina	2	× 100 W = 200 W
	2	× 180 W = 360 W
	1	× 800 W = 800 W +
Exterior	1	× 100 W = 100 W
		1460 W

Contacto para microondas

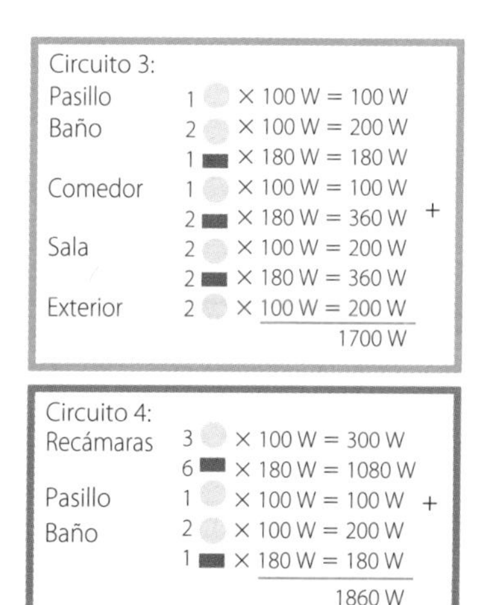

Circuito 3:

Área	Cantidad	Cálculo
Pasillo	1	× 100 W = 100 W
Baño	2	× 100 W = 200 W
	1	× 180 W = 180 W
Comedor	1	× 100 W = 100 W
	2	× 180 W = 360 W +
Sala	2	× 100 W = 200 W
	2	× 180 W = 360 W
Exterior	2	× 100 W = 200 W
		1700 W

Circuito 4:

Área	Cantidad	Cálculo
Recámaras	3	× 100 W = 300 W
	6	× 180 W = 1080 W
Pasillo	1	× 100 W = 100 W +
Baño	2	× 100 W = 200 W
	1	× 180 W = 180 W
		1860 W

Ahora hay que planear cómo conectar la instalación.

Para ello, se utilizan conductores eléctricos.

Para proteger la instalación, los cables se pasan a través de tuberías de plástico, llamadas conduit. Que pueden ser lisas o corrugadas.

En donde hay que hacer conexiones, o colocar apagadores o contactos, se ponen cajas.

Que son alámbres de cobre recubiertos con PVC.

Que pueden ser lisas.

O corrugadas

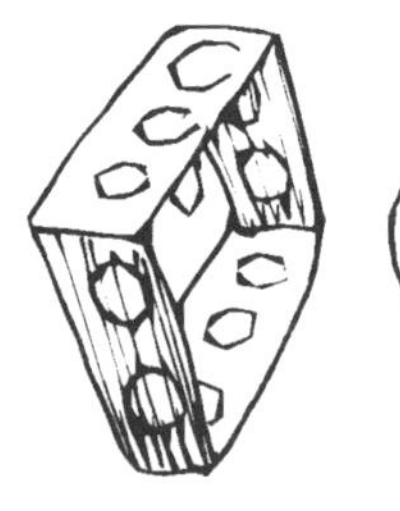

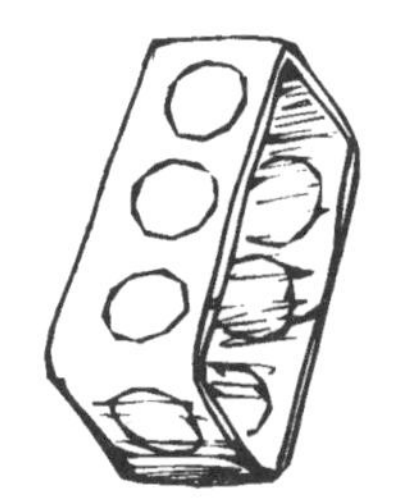

La forma de conectar los cables depende de si es un contacto o apagador.

Para un foco o lámpara y su apagador:

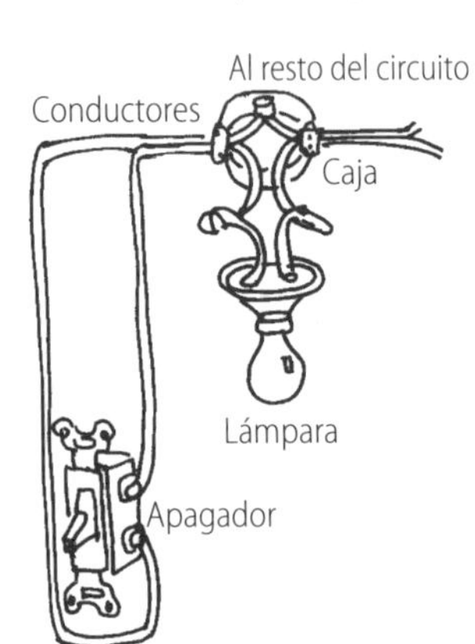

Para contactos:

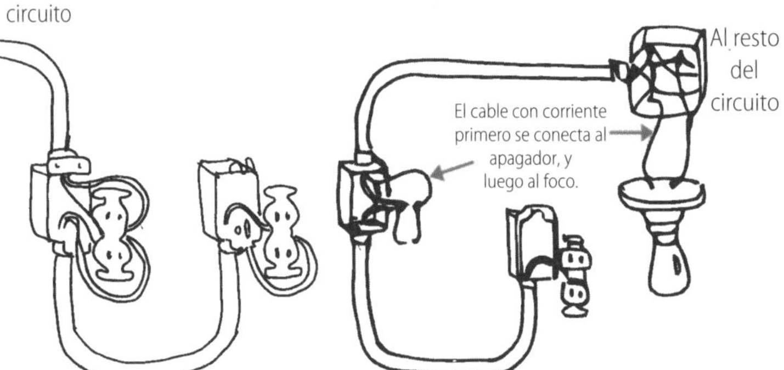

Para un foco o lámpara y su apagador, con un contacto después:

Para un foco o lámpara con apagadores de escalera (que puede apagarse o prenderse desde dos lados):

Entonces, se establece el trayecto de las tuberías y la colocación de las cajas, considerando:

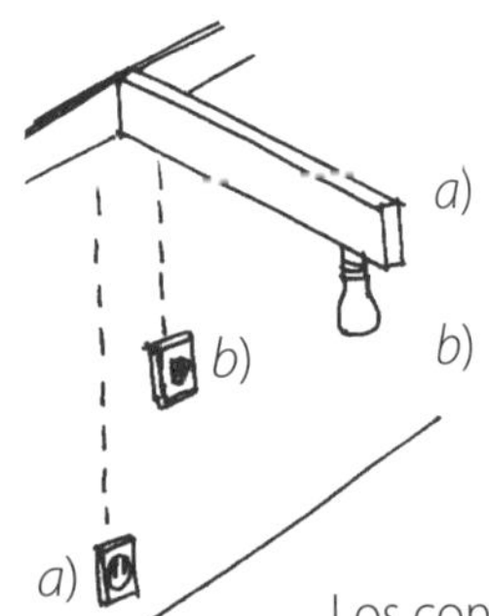

a) Altura de contactos:
40 a 70 cm sobre el nivel del piso.

b) Altura de apagadores:
1 a 1.35 m sobre el nivel del piso.

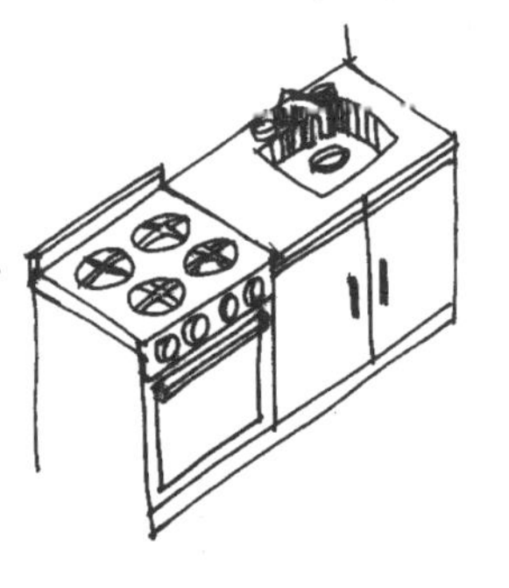

Los contactos en la cocina están a 1.1. m

La ubicación del switch y el cuadro de control, pues de ahí saldrán todos los circuitos

Así, para el ejemplo:

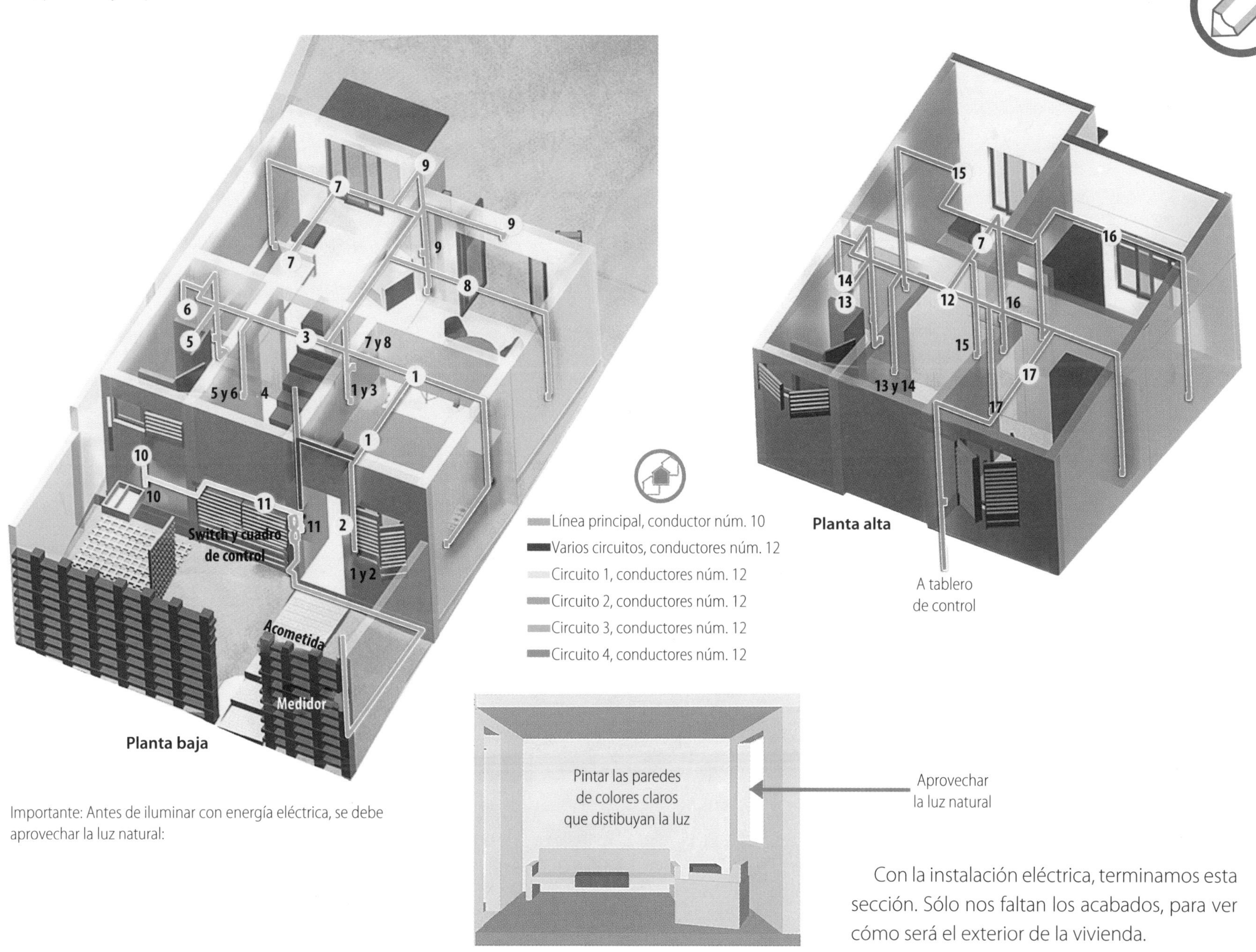

Importante: Antes de iluminar con energía eléctrica, se debe aprovechar la luz natural:

Con la instalación eléctrica, terminamos esta sección. Sólo nos faltan los acabados, para ver cómo será el exterior de la vivienda.

Acabados

Los acabados de los edificios responden a aspectos locales, sociales y culturales.

Acabados exteriores

Los acabados de los edificios no sólo reflejan el gusto de sus dueños, sino que también ofrecen una protección a la estructura evitando su desgaste. Es conveniente buscar aquellos que no tengan un fuerte impacto ambiental en su elaboración.

Muros

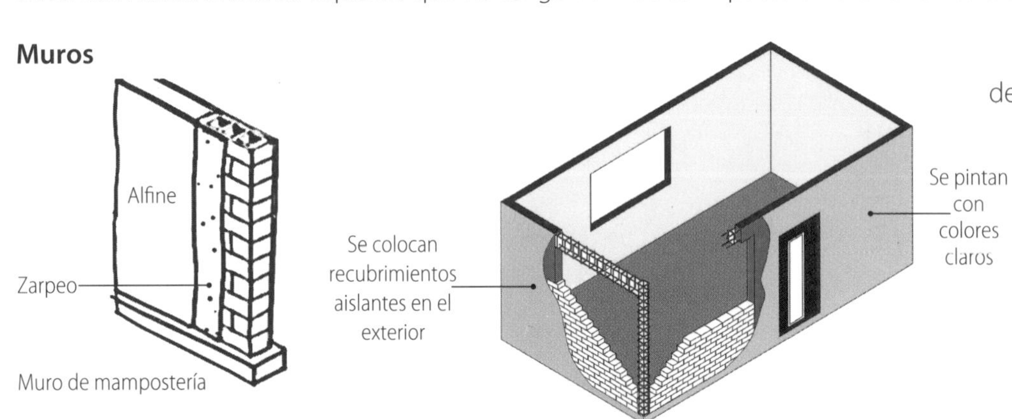

Muro de mampostería

Los acabados en exteriores más utilizados y más sencillos en muros son los aplanados, que se logran con un zarpeo y afine.

Aplicación de zarpeo

Pintura de exterior

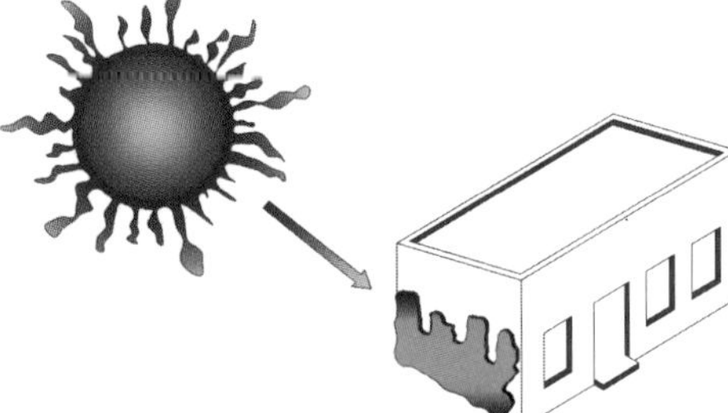

Un recubrimiento para exteriores de muro que da aislamiento térmico son los muros verdes colocados al poniente o al Sur

En cuanto al material para los pisos, éstos pueden variar desde cemento y adoquín hasta piedra.

Pisos

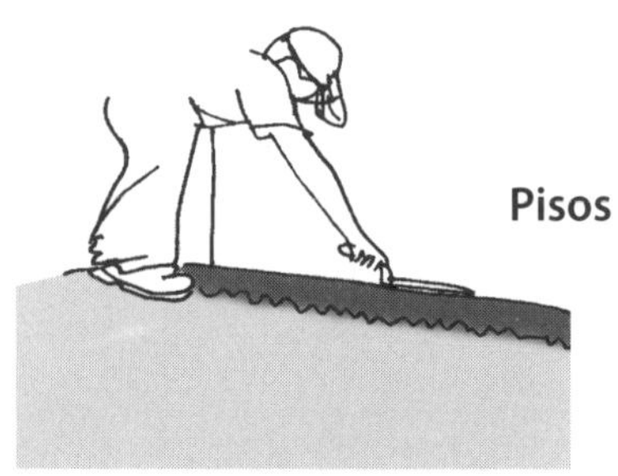

Piso de cemento

Piso de piedra

Piso de adoquín

Piso de adoquín ecológico

Acabados interiores

Los acabados dan sensación de amplitud si son claros y en los pisos pueden hacer que una habitación se perciba más larga.

Muros

Pisos

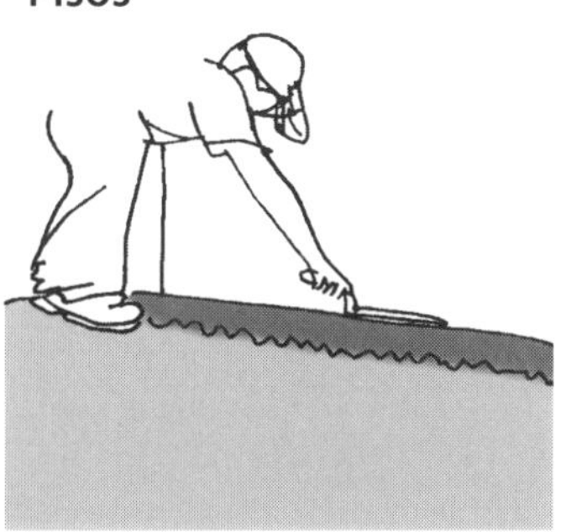

Piso de cemento

Duela de madera

Los acabados en interiores más utilizados y más sencillos en muros y cielos son los aplanados de yeso, sellados posteriormente con pintura vinílica o algún texturizado.

Los enyesados requieren de especial atención en vanos.

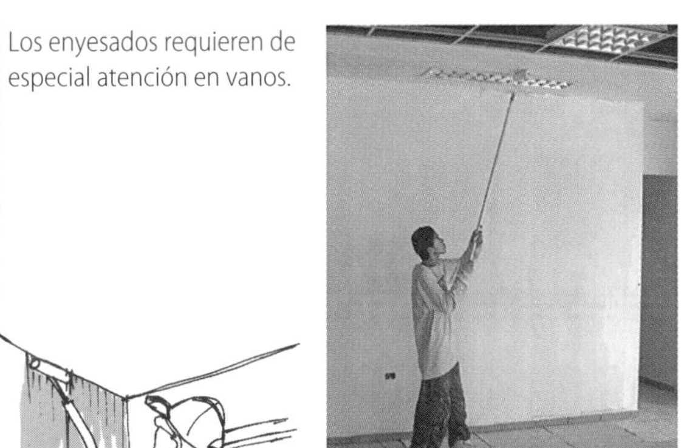

Pintura en muros y techos

En cuanto a pisos, éstos pueden variar desde piso de cemento pulido o madera, hasta cerámica o mármol.

Piso cerámico

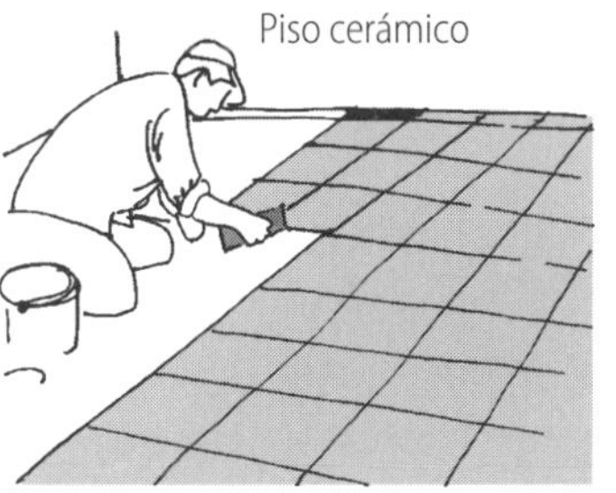

Pulido de pisos

Jardines y huertos

El exterior de la vivienda debe contar con áreas para vegetación que mejoren la calidad de vida de sus habitantes.

Como ya sabemos en dónde estará ubicada la vivienda en el terreno, su tamaño y distribución, entonces tenemos que ver lo que se hará con las áreas libres para protegerlas y aprovecharlas.

Existen muchas ventajas de dejarlas con vegetación:

Funciona como un filtro para el aire

O_2 CO_2

Aire limpio

Dan sombra, haciendo los espacios más agradables

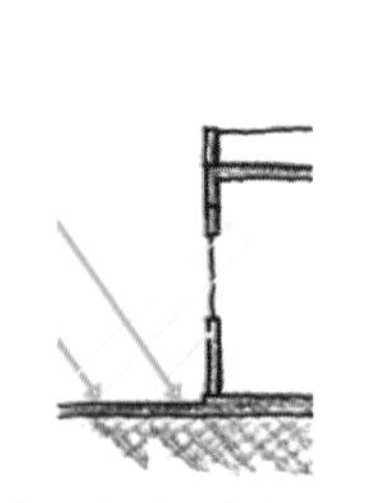

Las superficies pavimentadas irradian el calor de los rayos solares, mientras que la vegetación no.

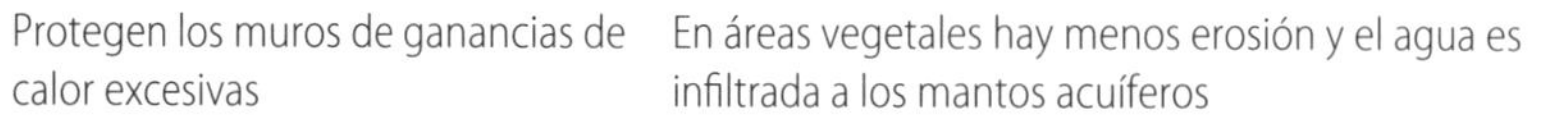

Protegen los muros de ganancias de calor excesivas

En áreas vegetales hay menos erosión y el agua es infiltrada a los mantos acuíferos

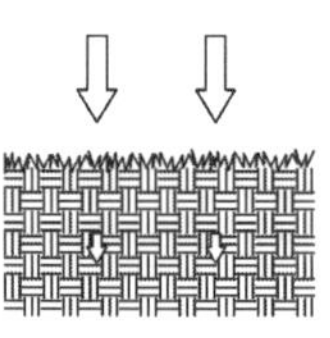

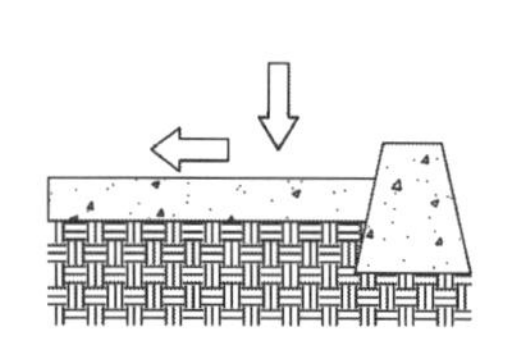

En las superficies pavimentadas el agua corre y se acumula en las calles, terminando en el drenaje

Dependiendo de su colocación, la vegetación puede ayudarnos a desviar el viento hacia donde queramos.

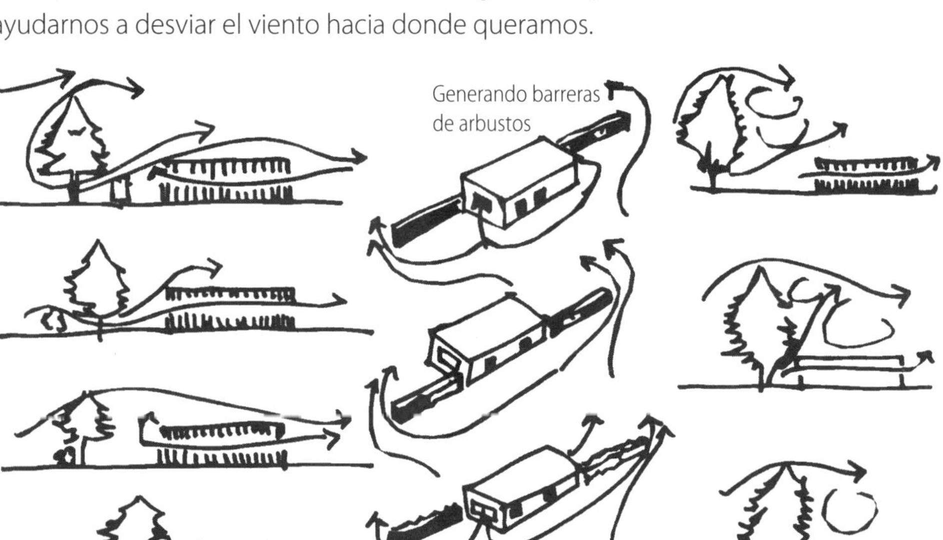

Combinando árboles y arbustos

Sólo árboles

Por eso, en áreas donde no podemos poner vegetación como cocheras o patios de lavado, se deben utilizar materiales en el piso que permitan el paso del agua.

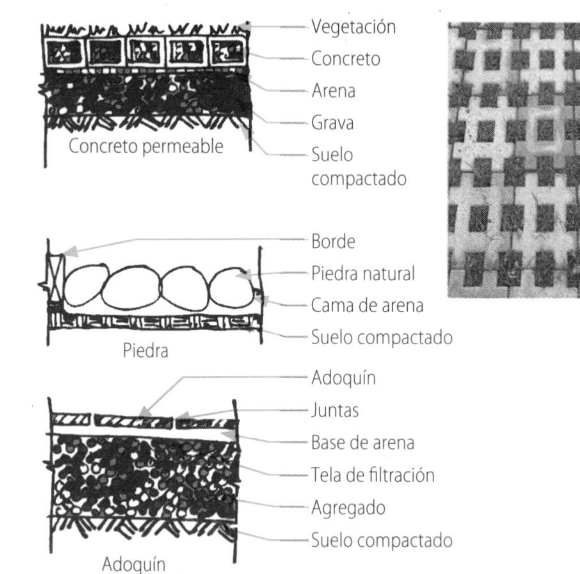

Ahora hay que seleccionar la vegetación que se utilizará.

Para escoger el tipo de vegetación que habrá en el jardín se deben tener en cuenta varios factores:

a) Ubicación

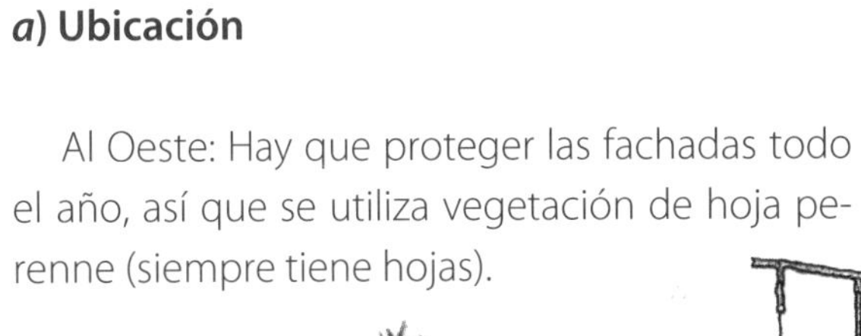

Al Oeste: Hay que proteger las fachadas todo el año, así que se utiliza vegetación de hoja perenne (siempre tiene hojas).

Al Sur y al Este: Utilizar vegetación de hoja caducifolia (tiene follaje en verano haciendo sombra; pero en invierno, cuando hace frío, pierde sus hojas, dejando pasar los rayos del Sol).

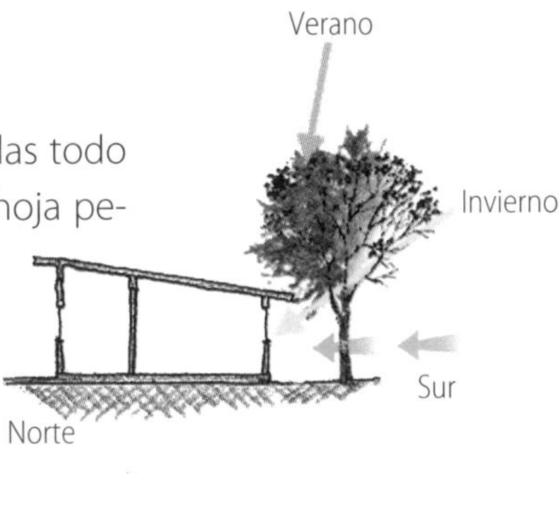

b) Espacio disponible

Algunos árboles crecen más que otros, por eso, hay que saber cuánto espacio necesitamos para éstos.

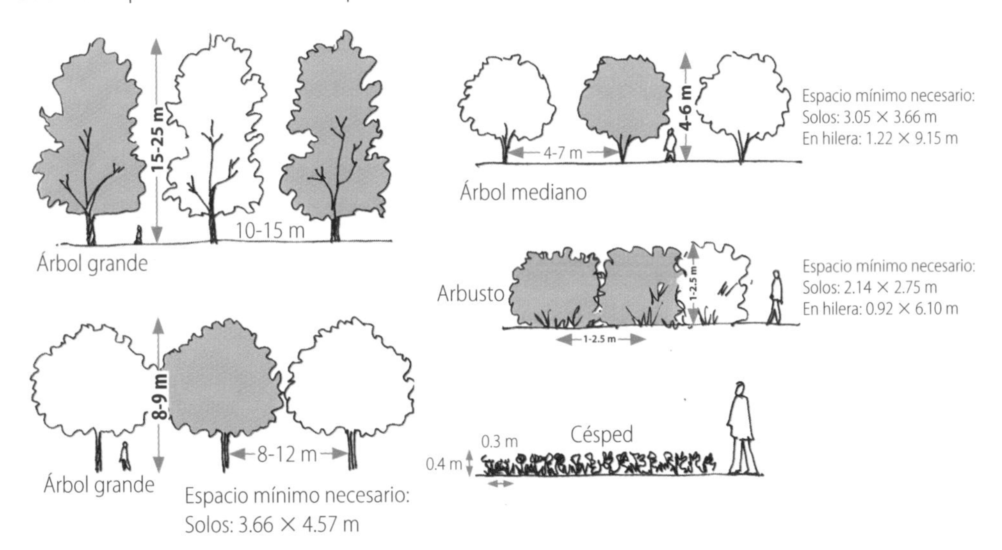

Es mejor que los árboles que se elijan sean de la zona, o bien adaptados, ya que requieren menos riego y mantenimiento. A continuación se presenta una lista de árboles recomendados para Monterrey, se incluye fotografía o dibujo del árbol y una descripción como la siguiente:

Este símbolo significa que el árbol crece muy lento, así que por unos años no dará sombra

El nombre con el que se le conoce en la zona	Ahuehuete/sabino
El nombre científico, que sirve para identificar el árbol en caso de que tenga varios nombres comunes	*Taxodium mucronatum*
Tamaño	Grande
Si su follaje dura todo el año o se deshoja	Perenne/Hoja caducifolia
Orientación en la que se recomienda ubicarlo	Norte/Sur/Este/Oeste

Algunos de los árboles que se pueden utilizar son:

Nombre: Anacahuita (*Cordia boissieri DC*)
Tamaño: Pequeño
Follaje: Perenne
Orientación: Oeste

Nombre: Encino siempre verde (*Quercus virginiana Mill.*)
Tamaño: Grande
Follaje: Perenne
Orientación: Oeste

Nombre: Hierba de potro (*Caesalpinia mexicana Gray*)
Tamaño: Grande
Follaje: Hoja caducifolia
Orientación: Sur, Este

Nombre: Lantana (*Lantana Camara L.*)
Tamaño: Pequeño (arbusto)
Follaje: Hoja caducifolia
Orientación: Sur, Este

Nombre: Palma Yucca (*Yucca filifera Chabaud.*)
Tamaño: Grande
Follaje: Perenne
Orientación: Oeste

Nombre: Huizache (*Acacia farmesiana [L] Wild*)
Tamaño: Pequeño
Follaje: Hoja caducifolia
Orientación: Este, Sur

Nombre: Encino Roble (*Quercus polymorpha Schl. et Cham*)
Tamaño: Medio
Follaje: Hoja caducifolia
Orientación: Sur, Este

Nombre: Uña de gato (*Acacia wrightiii Benth*)
Tamaño: Medio
Follaje: Hoja caducifolia
Orientación: Sur, Este

Nombre: Retama
(*Parkinsonia aculeata L.*)
Tamaño: Pequeño
Follaje: Hoja caducifolia
Orientación: Sur, Este

Nombre: Ébano
(*Pithecellobium ebano [Bert] Muller.*)
Tamaño: Medio
Follaje: Hoja perenne
Orientación: Oeste

Nombre: Mezquite
(*Prosopis glandulosa Torrey*)
Tamaño: Medio
Follaje: Hoja caducifolia
Orientación: Sur, Este

Nombre: Pino piñonero de Galeana
(*Pinus cembroides Zucc.*)
Tamaño: Medio
Follaje: Hoja perenne
Orientación: Oeste

Nombre: Álamo de río o sicomoro
(*Platanus occidentails L.*)
Tamaño: Grande
Follaje: Hoja caducifolia
Orientación: Este, Sur

Nombre: Álamo temblón/Alamillo
(*Populus tremuloides Michx.*)
Tamaño: Medio
Follaje: Hoja caducifolia
Orientación: Sur, Este

Nombre: Nogal
(*Juglans nigra*)
Tamaño: Grande
Follaje: Hoja caducifolia
Orientación: Sur, Este

También se pueden incluir algunas variedades de árboles frutales, como veremos a continuación.

Como hay muchas variedades de estos árboles, hay que buscar los que se adapten mejor al clima del lugar en el que vivimos.

Limón

Naranjo

Manzano

Tejocote

Durazno

Romero

Cilantro

Albahaca

Chayote

En general, para escoger un árbol, planta, flor o cualquier tipo de vegetación que se quiera tener en la vivienda, se debe considerar:

- Cuánto crecerá (cuánto espacio necesita).
- Cuánta agua necesita (si es una planta que necesita mucho riego será más difícil mantenerla).
- Si se deshoja o no (para poder utilizarla dependiendo de la orientación).
- Cuánto Sol necesita (algunas plantas pueden ser para interiores puesto que crecen a la sombra).
- Incluso se puede plantar vegetación para consumo propio (árboles frutales, verduras, etc.).

Si no se tiene suficiente espacio, una opción para tener plantas es la siguiente:

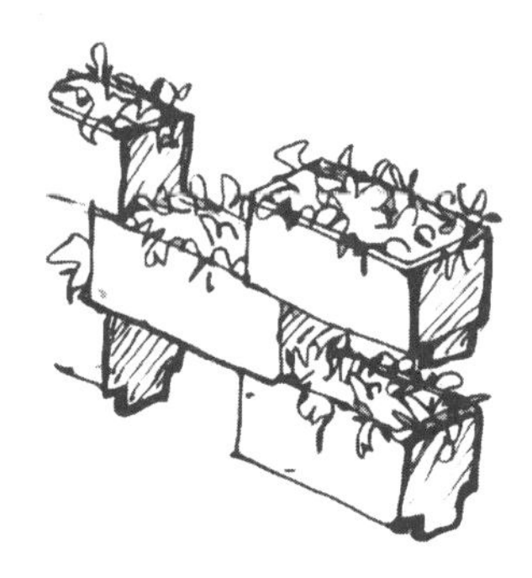

Ahora veremos algunas recomendaciones según la ubicación del jardín

Algunas de las decisiones que se puede tomar, según la orientación de las áreas libres, son:

Orientación 1:

a) Vegetación pequeña que no obstruya la iluminación al interior.
b) Árbol mediano, caducifolio, puede estar acompañado de arbustos u otras plantas pequeñas.

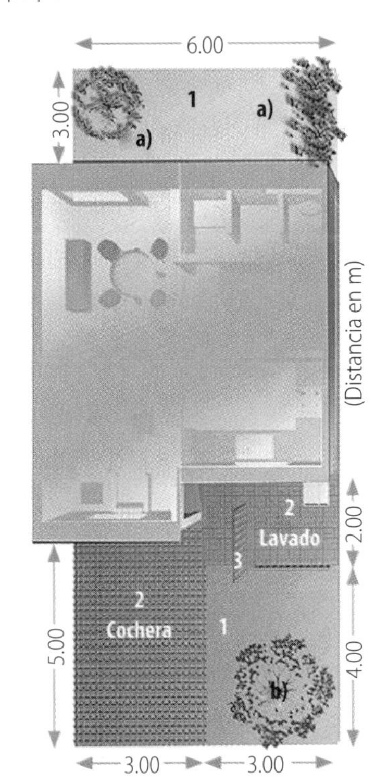

Orientación 2:

a) Vegetación pequeña que no obstruya la iluminación al interior.
b) Árbol mediano, caducifolio, puede estar acompañado de arbustos u otras plantas pequeñas.

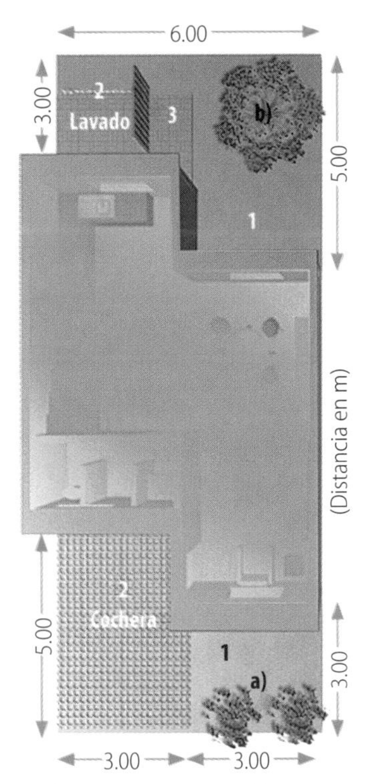

Orientación 3:

a) Vegetación caducifolia, pequeña.
b) Árbol mediano, perenne.
c) Árbol chico, perenne.

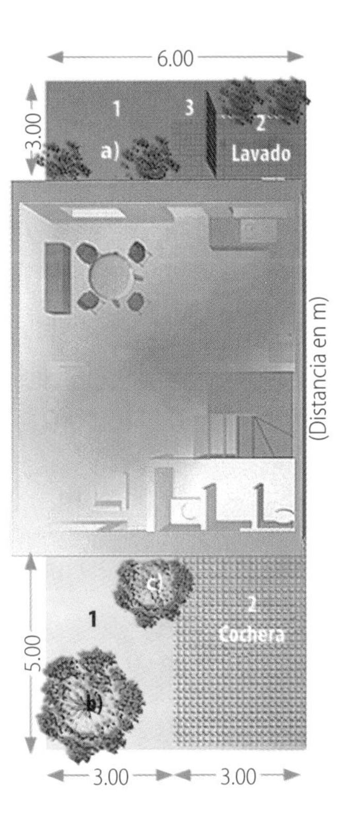

Orientación 4:

a) Vegetación caducifolia, pequeña.
b) Árbol mediano, caducifolio.
c) Árbol chico, perenne.

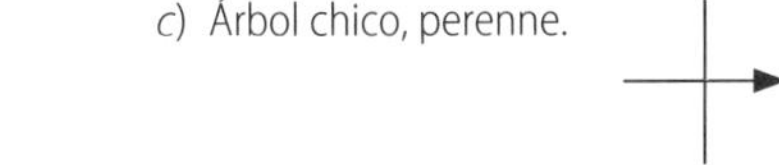

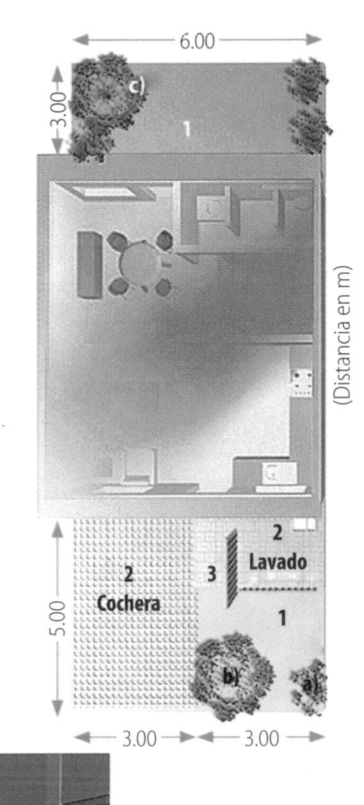

1. Hay espacio suficiente para realizar actividades al exterior

Los espacios pueden tener sombra con toldos o pérgolas temporales

2. Pavimentos permeables en áreas de servicio

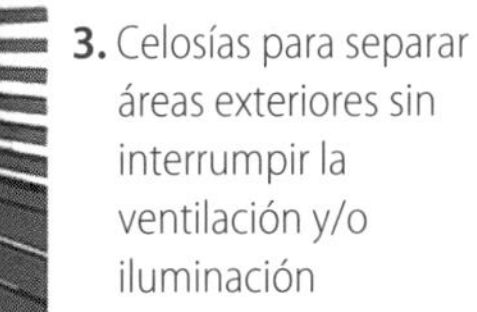

3. Celosías para separar áreas exteriores sin interrumpir la ventilación y/o iluminación

Así, para la vivienda que estamos desarrollando, las áreas exteriores quedan como sigue:

a) Pavimento permeable en área de lavado.

b) Pavimento permeable en escaleras de acceso.

c) Árboles conservados.

d) Elemento complementario en la vivienda: muro para producción de alimentos y sembrado de plantas de ornamento.

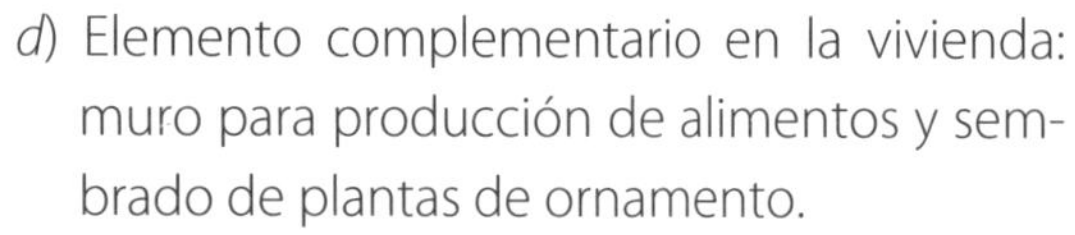

e) Áreas con pendiente ligera (2%) para evitar que el agua de lluvia vaya hacia la vivienda.

f) Árbol pequeño, caducifolio.

g) Área para producir plantas comestibles.

Lo importante de las áreas verdes en este punto es definir cuáles se conservarán sin modificaciones y cuáles es necesario adaptar para otros usos. Además, la selección de la vegetación hay que hacerla según nos convenga a través del tiempo.

Ahora, iniciamos la siguiente sección del manual, en donde veremos cómo planear para crecer la vivienda.

Crecimiento o extensión

La mayoría de las viviendas sufren cambios a lo largo de su vida útil, por lo que hay que planear y construir considerando una posible ampliación sin que pierda sus características.

Muchas veces no es posible construir la vivienda de una sola vez. Por eso, ya que se define cómo va a quedar se pueden planear las diferentes etapas de la construcción.

Antes de empezar es importante recordar que cada vivienda es única, así que las etapas aquí mostradas son sólo un ejemplo.

Los espacios básicos en la primera etapa de construcción en la vivienda son tres:

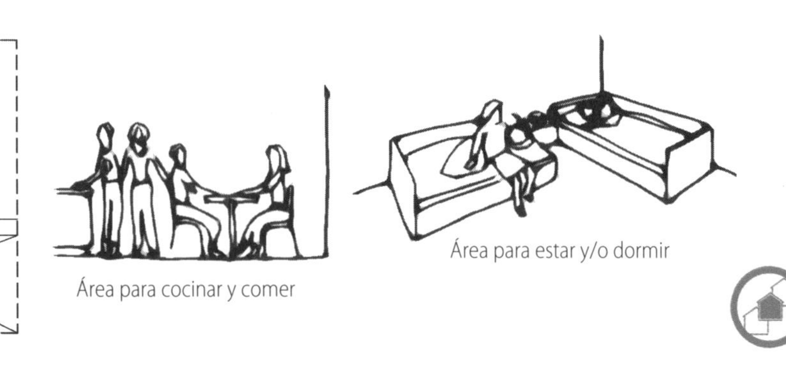

Debido a ello, conviene utilizar el área que está al frente del terreno.

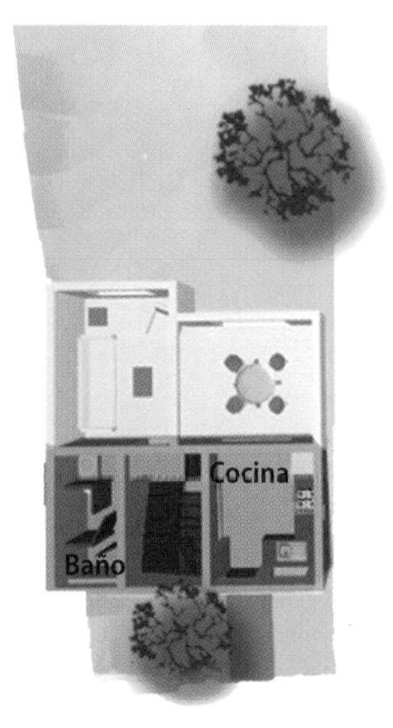

Planta baja

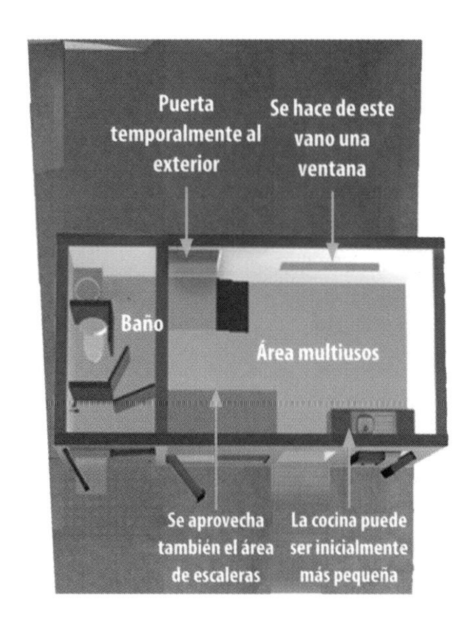

En la siguiente etapa construimos dos habitaciones más.

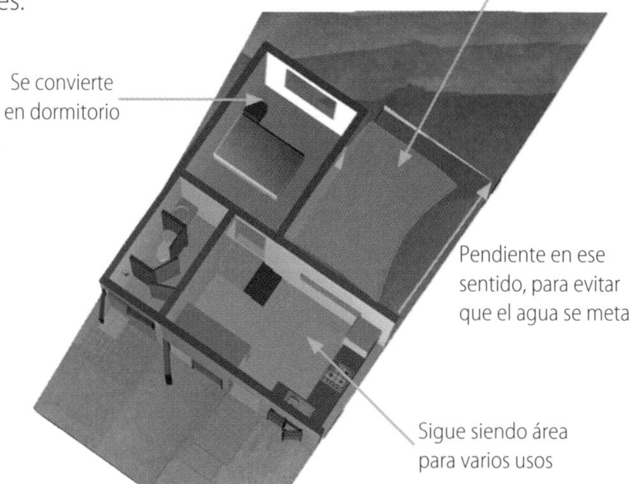

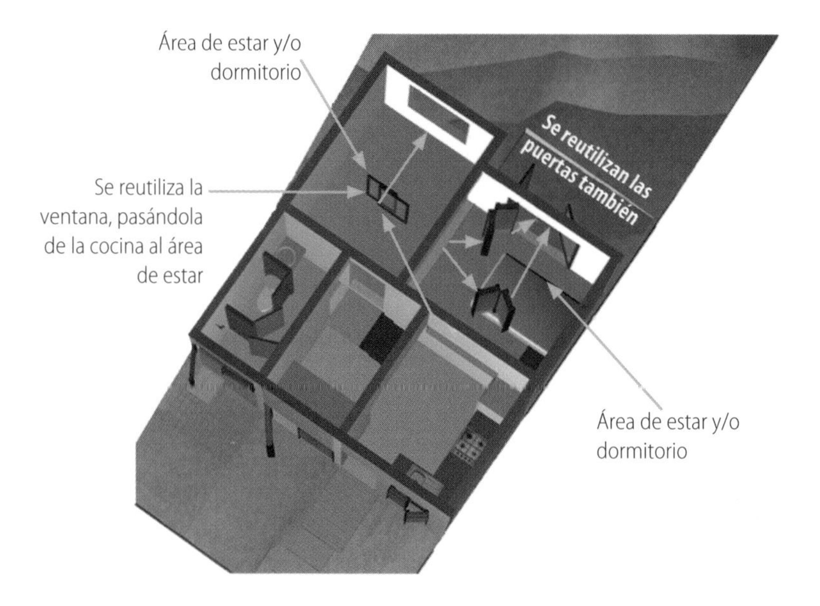

En la planta alta se comienza la construcción con las escaleras.

Antes de las siguientes habitaciones, incluimos el baño.

Incluso si planeamos las instalaciones para ello, se puede construir otro piso, siguiendo el mismo proceso.

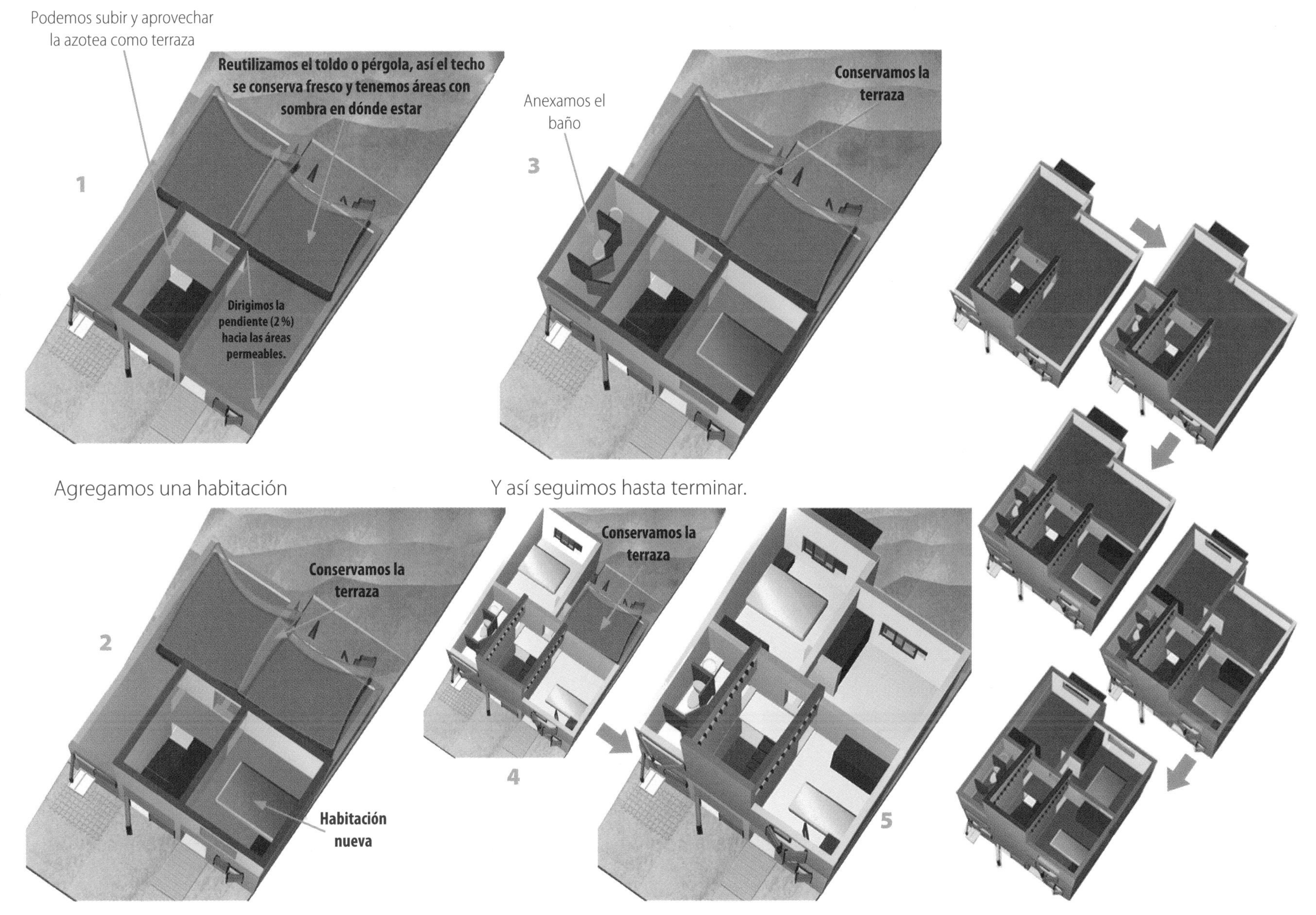

De la misma manera, se amplían las instalaciones. Por ejemplo, en la de agua potable:

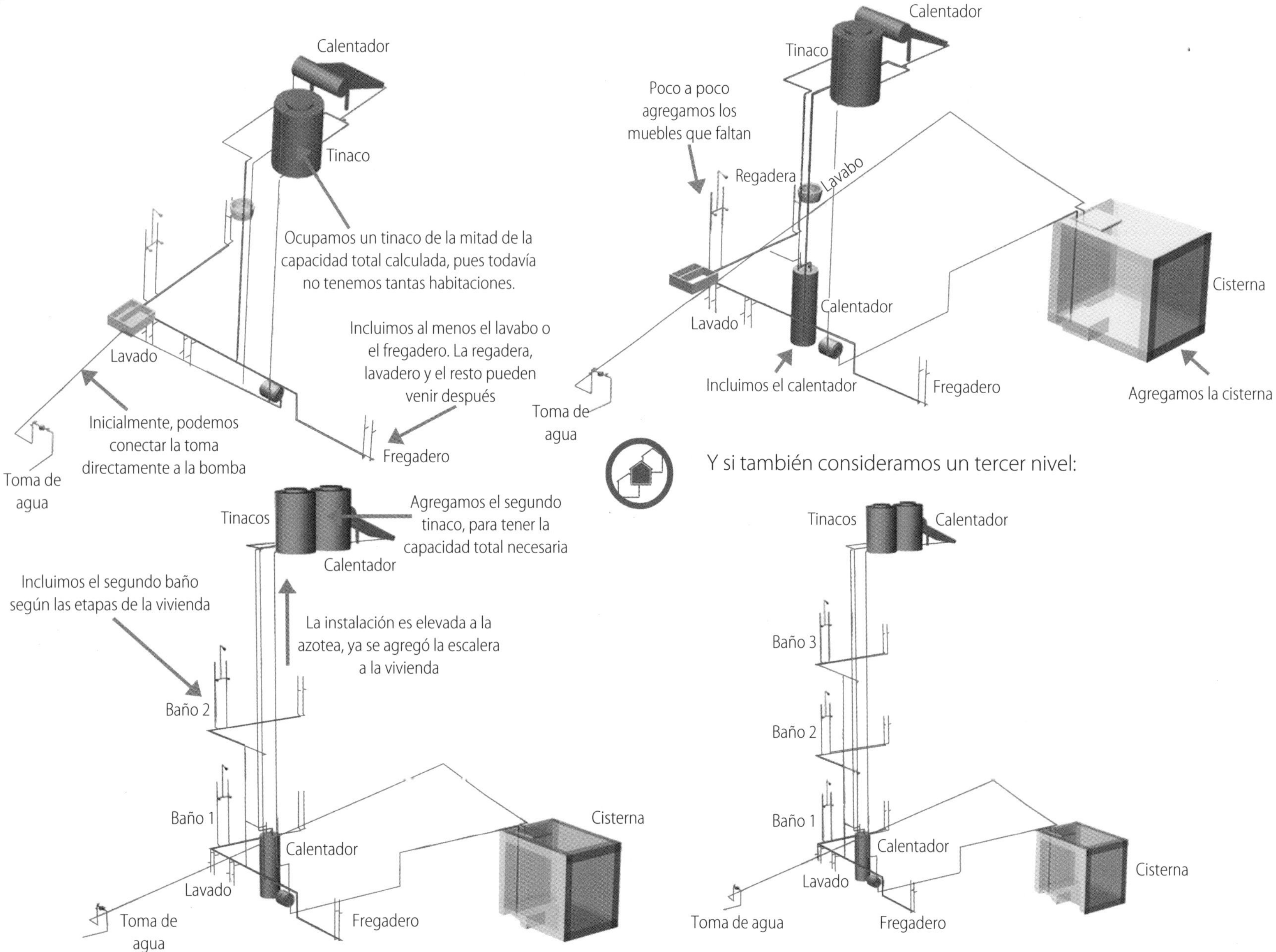

PARA FINALIZAR

Ahora veremos algunos casos de viviendas que conforman la metodología expuesta en este manual.

Como vimos, la vivienda toma forma de acuerdo con el clima, zona geográfica, materiales, orientación, distribución, así como los aspectos culturales y sociales de su época.

Antes

En el pasado el diseño de las casas se hacía a partir del aprovechamiento de los materiales del lugar y uso de sistemas pasivos.

Se utilizaban en el noroeste muros anchos de adobe o de sillar, pocos vanos al exterior, techos altos con ventilas para extraer el aire caliente, con huertos y patios interiores llenos de vegetación local, para propiciar sombra y ventilación en los espacios interiores.

Ahora

Actualmente, se ha perdido esta lógica y existe una pluralidad de expresiones arquitectónicas que nada tienen que ver con el lugar, clima, orientación y materiales.

Debido a los sistemas de calefacción y aire acondicionado, se han abandonado los sistemas pasivos como la ventilación y la iluminación natural.

Además, la importación de materiales ha provocado la disminución del uso de materiales locales. Por tanto, el diseño de las viviendas actuales no obedece a la búsqueda de comodidad ni al aprovechamiento de los materiales del lugar.

Cabe mencionar que las viviendas ubicadas en el barrio antiguo de Monterrey son ejemplo de cómo la vivienda respondía a un estilo de vida local.

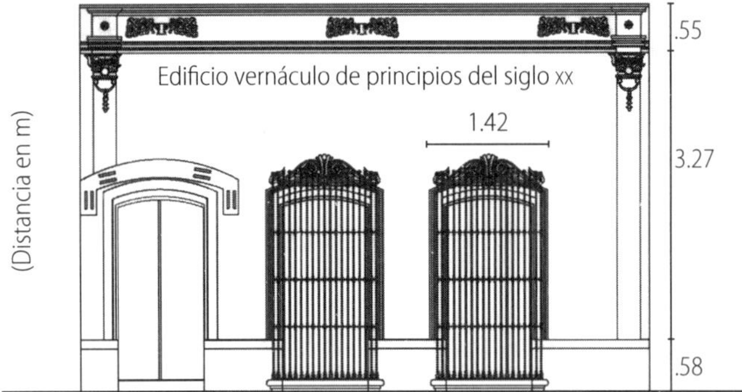
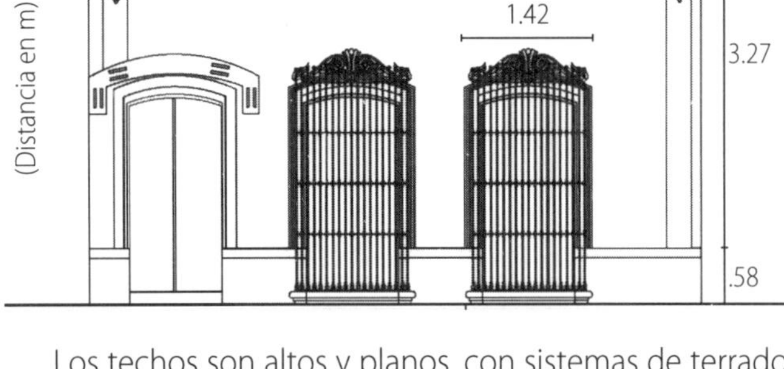

La disposición interna de esta casa se desenvuelve sobre el patio lateral que conecta las distintas habitaciones, pasando de una a otra hasta llegar a la cocina colocada al fondo. Al frente sobre la calle están la sala y el zaguán.

Esta disposición propicia una buena ventilación.

Además, tiene en sus puertas y ventanas molduras y detalles de influencia neoclásica hechos con base de morteros de cal y arena.

Los techos son altos y planos, con sistemas de terrado apoyadas sobre vigas y encamado de madera.

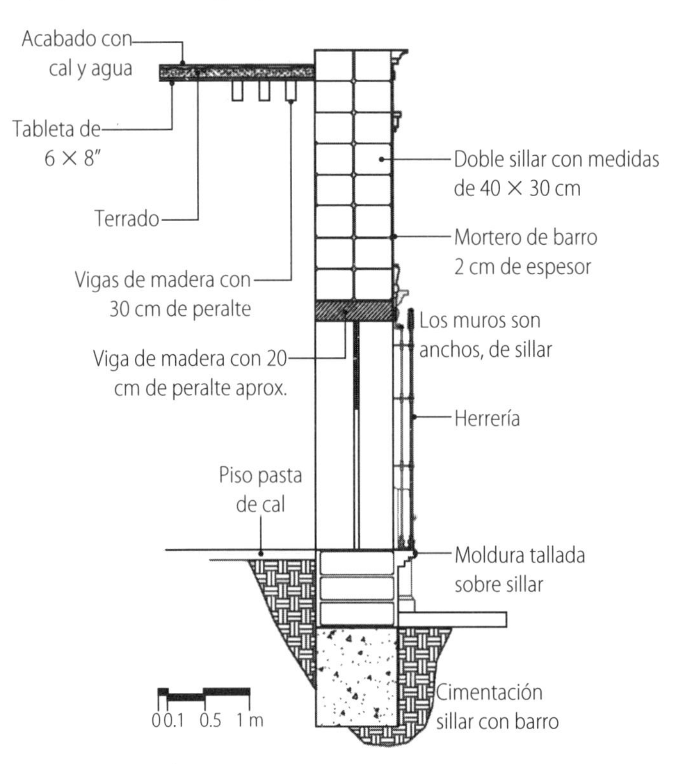

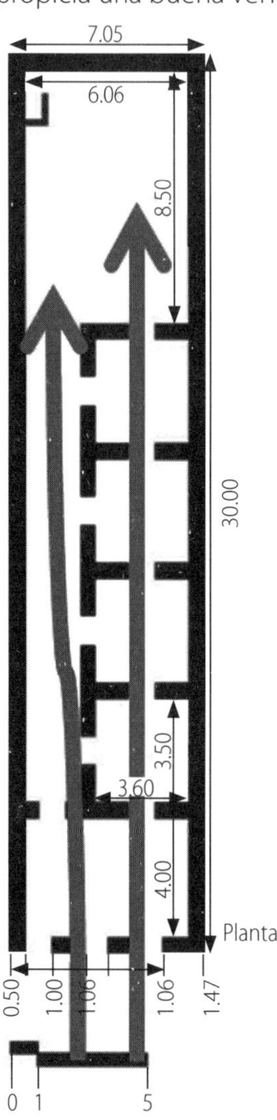

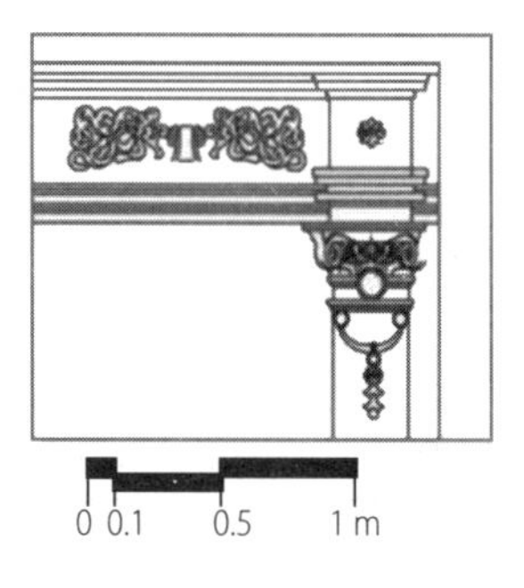

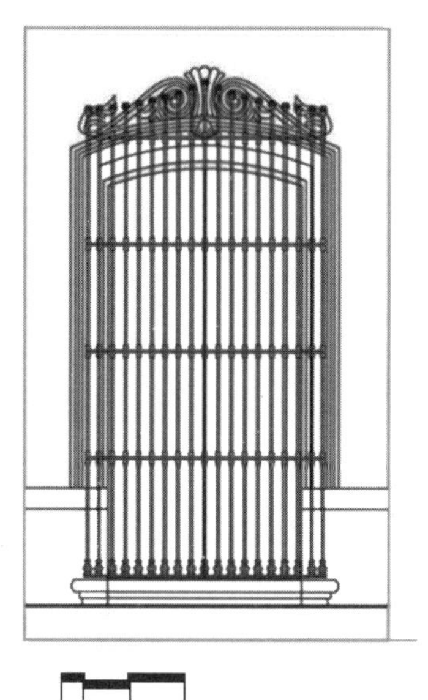

Hoy día es necesario diseñar con principios de sustentabilidad y aunque no tiene que responder a formas vernáculas sí puede retomarlas y puede ser una propuesta creativa y contemporánea. Estos ejemplos internacionales muestran algunas viviendas con formas innovadoras y otras con formas tradicionales.

Casa Magney de Glenn Murcutt

Está diseñada para capturar la luz del Norte mediante su largo techo y grandes ventanales. La cubierta en forma de "V" asimétrica recoge agua de lluvia que se recicla para beber y para su calefacción. Sus acabados de metal corrugado y paredes de ladrillo en el interior aíslan el hogar y ahorran energía.

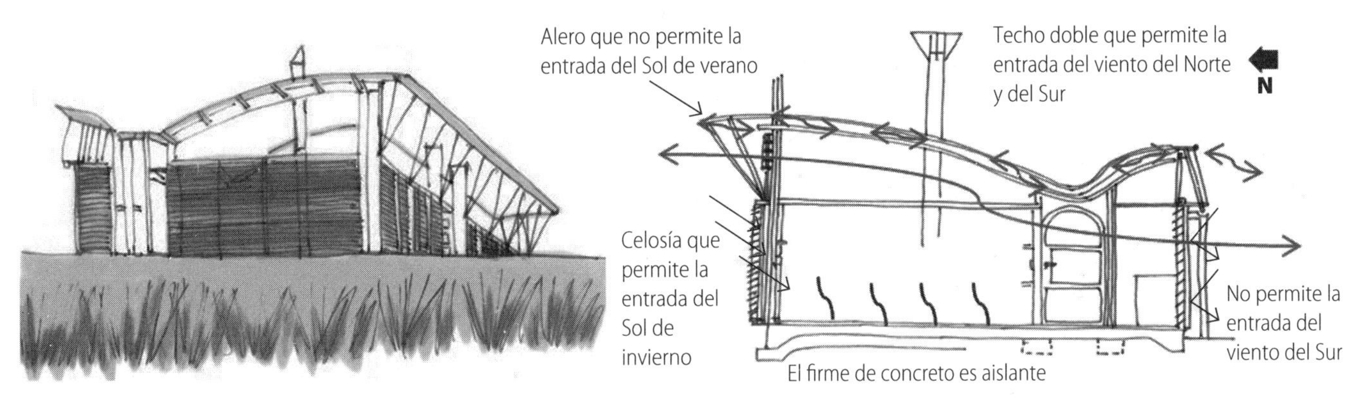

Casa de la arquitecta Tina Volz (Schurwald, Alemania).

Tiene un techo con 66 paneles solares orientados hacia el Suroeste que mantienen la tradición arquitectónica local, al tiempo que utiliza la energía renovable.

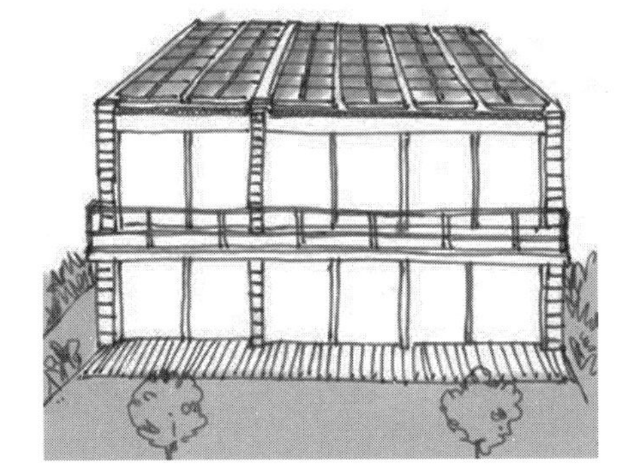

Casas bioecológicas (Grotenbreg Architecten en Zelhem, Holanda).

Estas casas responden al clima y su entorno. El tejado se orienta al Norte para aislar el lado "frío" de la casa. Los paneles fotovoltaicos están orientados al lado Sur para recoger la energía solar. La base de ladrillo y el techo "verde" establecen una relación con el entorno, mientras que el color azul del piso superior se mezcla con el cielo.

Estas viviendas utilizan métodos ecológicos que abarcan materiales y tecnologías propiciando un estilo de vida sustentable.

Esto da como resultado una construcción y mantenimiento de bajo impacto en el medio ambiente.

Los ejemplos representan un cambio en la forma de pensar, diseñar, y construir; rescatando en algunos casos, materiales y tradiciones vernáculas de construcción.

En otros se introducen nuevos sistemas constructivos y procedimientos que incluyen el ahorro de energía, y el reciclaje de materiales.

Para terminar

La vivienda sustentable debe incluir materiales y sistemas constructivos en su distribución, además del ahorro de energía, el reciclaje de agua y el uso de vegetación para responder a su entorno natural. Como ejemplo se muestra la Casa Rosenda, una vivienda diseñada con criterios de sustentabilidad en Monterrey. En sus 60 m^2 de construcción se utilizaron 40% de materiales reciclados como fibra de vidrio, concreto, madera, puertas de congelador, entre otros.

Además recoge agua de lluvia y reutiliza las aguas grises.

Casa Rosenda

La casa se utiliza como un modelo pedagógico para demostrar cómo diferentes sistemas de agua, energía, materiales, alimentos y residuos se aprovechan como recursos para su construcción y funcionamiento. Fue diseñada y construida en colaboración con los miembros de la familia, voluntarios, estudiantes y profesores de la Escuela de Arquitectura, Arte y Diseño del ITESM Campus Monterrey.

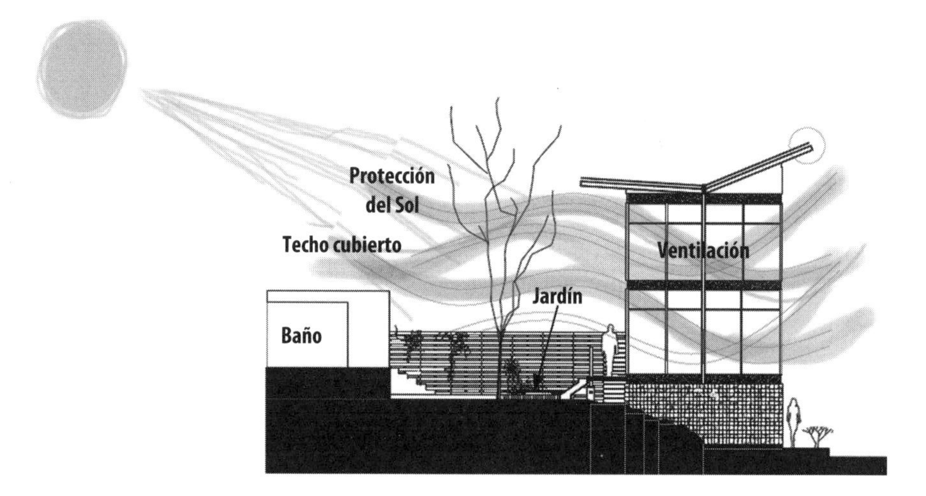

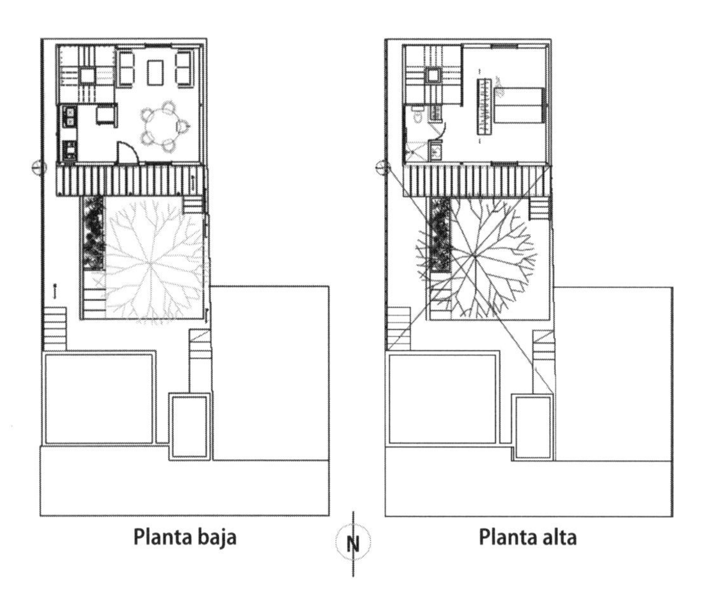

A través de los ejemplos que hemos visto se ilustra claramente el objetivo de este manual, que es presentar una guía secuencial de los aspectos prácticos del diseño y la construcción de la vivienda sustentable, incluyendo aspectos sociales, culturales y económicos.

Conclusiones

La mayor parte de la población urbana o rural habita en viviendas. Sin embargo, como se menciona al inicio de este libro, muchas de las viviendas urbanas carecen de soluciones adecuadas. Es por ello que se espera, a través de este texto, hacer los conceptos y nociones básicos sobre las construcciones sustentables, con el fin de promover estos conocimientos y hacerlos accesibles a todo aquel involucrado en el diseño, construcción y uso de las viviendas. Se pretende que mediante la aplicación de un diseño sustentable se reviertan los efectos nocivos de construcciones que deterioran el medio ambiente y que propician el desperdicio de recursos y energía. Asimismo, se desea que a través de este manual se implementen soluciones y técnicas que favorezcan una vivienda cómoda; para alcanzar mejores condiciones de habitabilidad, funcionalidad y, de manera importante, de sustentabilidad.

La utilización del manual puede provocar un impacto positivo en la forma en que las viviendas son diseñadas y edificadas. A través de éste se ofrecen las bases para poder cambiar los criterios utilizados actualmente para la toma de decisiones en el diseño y la construcción. A pesar de que existe un marco legal que dictamina dónde se pueden construir las viviendas, sabemos que en ocasiones los asentamientos se realizan en lugares poco apropiados. Se espera que este texto ayude a proporcionar los criterios necesarios para entender que hay zonas en las que no se puede ni se debe construir. Además, se pretende que mediante el uso del manual se pueda reconocer y escoger el terreno apto para la vivienda y las decisiones básicas sobre su orientación y localización dentro del predio.

De igual manera, el conocimiento de los diferentes espacios que constituyen una vivienda, así como su disposición funcional, ofrecen los criterios a partir de los cuales se puedan hacer diseños correctos y adecuados. Es decir, espacios bien iluminados, ventilados, y cómodos que puedan ir transformándose mediante una adecuada planeación. Los criterios proporcionados también abarcan aspectos económicos, que permiten reducir el gasto y propiciar el ahorro, evitando el desperdicio de materiales y disminuyendo el consumo de agua, gas y electricidad. De esta manera, se busca que al aplicar las recomendaciones del manual se construyan viviendas de calidad y comodidad para sus habitantes. Como consecuencia, estas viviendas también pueden convertirse en modelos que hay que seguir para el resto de la población, aumentando así su influencia y transformando a futuro el actual concepto que se tiene de la casa habitación, sustituyéndolo por el de una vivienda sustentable.

A pesar de que este tipo de vivienda es muy compleja, ya que influyen muchos factores técnicos, su construcción puede llegar a tener un impacto importante en la calidad de vida de las ciudades. Por ejemplo, se puede lograr transformar la isla de calor que se origina en las grandes ciudades a través del uso de viviendas con techos y muros "verdes". A la vez, se pueden evitar inundaciones mediante mecanismos sencillos de captación y aprovechamiento de agua de lluvia; en lugar de que ésta se concentre en las calles y en el drenaje de la ciudad.

Si bien la vivienda puede contribuir para lograr una mejor calidad de vida para sus habitantes, es importante reconocer que el ser humano necesita también desarrollarse en forma colectiva a través de la vida en comunidad. Es por esto que consideramos que la transformación de las viviendas, en lo individual, puede aportar mucho al desarrollo de los conjuntos urbanos sustentables. Sería muy importante hacer notar que la vivienda sustentable es parte fundamental para la creación de ciudades y comunidades sustentables.

Glosario

A plomo. Colocar a nivel un muro, una columna, una cornisa o cualquier elemento constructivo mediante la utilización de un instrumento fabricado con una cuerda y una pesa de acero o plomo.

Absorción sonora. Fenómeno que afecta a la propagación del sonido cuando una onda sonora incide sobre una superficie. Una parte es reflejada, otra absorbida y una más trasmitida. La acción de atraer las ondas sonoras.

Acondicionamiento mecánico. Utilización de sistemas mecánicos que permiten el tratamiento del aire ambiente dentro de los edificios para regular las condiciones en cuanto a la temperatura, humedad, filtrado y el movimiento del aire interior.

Aguas grises. Son las aguas generadas por los procesos de una vivienda, como el lavado de ropa, de utensilios y del baño de los habitantes de la casa.

Aguas negras. Las que proceden de desechos orgánicos humanos o de animales, producidos en las viviendas, edificios, poblaciones o zonas industriales; y que arrastran suciedades.

Aguas pluviales. Las que provienen de la precipitación del agua de lluvia o precipitación que escurren sobre la superficie del terreno.

Aislamiento térmico. Capacidad de los materiales de impedir la trasmisión del calor por conducción.

Alta inercia térmica. Propiedad de los materiales de no modificar su temperatura interna. Es definida por su densidad, calor específico y capacidad térmica. Son materiales que impiden la transferencia del calor.

Árboles perennes. Especies vegetales de árboles que viven más de dos años y mantienen su follaje durante todo el año.

Arquitectura bioclimática. Diseño de edificaciones que aprovechan las condiciones climáticas, y utilizan los recursos disponibles (Sol, vegetación, lluvia, vientos) para disminuir los impactos ambientales e intentar reducir los consumos de energía.

Arquitectura vernácula. Tipo de arquitectura que ha sido realizada por los habitantes de una región o periodo histórico determinado utilizando el conocimiento empírico, la experiencia de generaciones anteriores y la experimentación. Este tipo de construcciones es edificado con materiales disponibles en el entorno inmediato.

Asentamientos. Es el lugar donde se establece una persona o una comunidad. El término asentamiento también puede referirse al proceso inicial en la colonización de tierras o las comunidades que resultan.

Asoleamiento. Cantidad de energía solar recibida por una superficie. Permitir el ingreso de los rayos solares en espacios interiores o exteriores cuando se busca un ambiente térmico.

Atmosféricas. Son las condiciones que presenta la capa de aire que rodea la Tierra conocida como atmósfera, en cuanto a temperatura, humedad, presión y velocidad de vientos.

Bajareque. Pared o muro construido con palos entretejidos con cañas y barro.

Barlovento. Sentido contrario al que siguen los vientos dominantes, es decir, la dirección desde la cual llega el viento.

Biodiversidad. Variedad de formas de vida que se pueden desarrollar en un ambiente natural, como plantas, animales, microorganismos y el material genético que los conforma.

Biorretención. Infiltración de agua de lluvia y recarga al agua subterránea en un terreno.

Calefacción. Es una forma de climatización que consiste en satisfacer el equilibrio térmico cuando existe una pérdida corporal de calor, disipada hacia el ambiente, mediante un aporte calórico que permite una temperatura ambiente cómoda; utilizando aparatos o mecanismos destinados para aclimatar un edificio.

Capa vegetal. Conjunto de plantas que surgen de manera espontánea en diferentes áreas de la superficie de un terreno. El crecimiento de las plantas se asocia a factores como la temperatura, la humedad, los vientos y el Sol.

Celosías. Enrejado de listoncillos de madera o de hierro, que se pone en las ventanas de los edificios y otros huecos análogos, para que las personas que están en el interior vean sin ser vistas.

Ciclo de vida. Desde el punto de vista del medio ambiente es un concepto que permite medir el impacto ambiental de las materias primas en un periodo de tiempo, desde su extracción en la naturaleza hasta que regresan a ella como desecho.

Circuito eléctrico. Es una serie de elementos o componentes eléctricos o electrónicos, como resistencias, inductancias, condensadores, fuentes, y/o dispositivos electrónicos semiconductores, conectados eléctricamente entre sí con el propósito de generar, transportar, o modificar señales electrónicas o eléctricas.

Color. Sensación producida por los rayos luminosos que impresionan los órganos visuales y que depende de la longitud de onda.

Comodidad. Aquello que produce bienestar y por consiguiente se da la ausencia de malestar térmico, acústico, lumínico o de cualquier sensación adversa al cuerpo humano.

Comodidad acústica. Es el nivel de ruido a partir del cual el sonido provocado por las actividades humanas, las infraestructuras o las industrias resulta pernicioso para el descanso, la comunicación y la salud de las personas.

Comodidad lumínica. Son las condiciones de iluminación que permiten al ojo humano leer un libro u observar un objeto fácil y rápidamente sin distracciones y sin ningún tipo de estrés, así como poder realizar cualquier actividad con visibilidad óptima.

Conducción. Propiedad que tienen los cuerpos de trasmitir el calor o la electricidad.

Conectividad. En diversas especialidades, capacidad de conectarse o hacer conexiones. La conectividad ecológica se define en Ecología como la capacidad que tiene una población o conjunto de poblaciones de una especie para relacionarse con individuos de otra población en un territorio fragmentado. La conectividad entre espacios arquitectónicos se refiere a la relación entre ellos para permitir flujos de circulación.

Configuración. Disposición de las partes que componen una cosa y le dan su peculiar forma y propiedades.

Consumo. Gastar productos y otros géneros de vida efímera, o bienes y servicios, como la energía y agua, entendiendo por consumir como el hecho de utilizar estos productos y servicios para satisfacer necesidades primarias y secundarias.

Contaminación. Alterar nocivamente la pureza o las condiciones normales de una cosa o un medio por agentes químicos o físicos.

Control solar. Regular el ingreso de calor solar radiante a los ambientes a través de una abertura, que generalmente consiste en un conjunto de elementos horizontales o verticales que se articulan manual o mecánicamente.

Convección. Transporte en un fluido de una magnitud física, como masa, electricidad o calor, por desplazamiento de sus moléculas debido a diferencias de densidad. Es la trasmisión de calor de la piel al fluido ambiente o a la inversa. El flujo de calor es proporcional a un coeficiente de convección y a la diferencia de temperatura entre el aire y la piel; la velocidad del viento acelera la convección.

Cornisas. Saliente o voladizo con molduras que remata el borde superior de la pared de un edificio, debajo del tejado.

dBA. Es el decibel A (abreviado dBA). Es una unidad de nivel sonoro medido con un filtro previo que quita parte de las bajas y las muy altas frecuencias. De esta manera, antes de la medición se conservan solamente los sonidos más dañinos para el oído, razón por la cual la exposición medida en dBA es un buen indicador del riesgo auditivo.

Deslumbramiento. Pérdida momentánea de la vista producida por un exceso brusco y repentino de luz.

Desplante (de muros). Colocar los muros sobre una superficie a partir de un trazado.

Deterioro. Acción y efecto de deteriorar o deteriorarse. (Estropear, menoscabar, poner en peor condición algo.)

Disipar. Esparcir y desvanecer las partes que se forman por aglomeración de un cuerpo.

Distribución espectral. Describe la energía por área de unidad por longitud de onda de la unidad de una iluminación, o más generalmente, la contribución de la longitud de onda a cualquier cantidad radiométrica (energía radiante, flujo radiante, intensidad radiante, radiación).

Duración. Tiempo que dura algo o que transcurre entre el comienzo y el fin de un proceso.

Ecológicos. Defensa y protección de la naturaleza y del medio ambiente.

Efecto invernadero. Fenómeno por el cual determinados gases, que son componentes de una atmósfera planetaria, retienen parte de la energía que el suelo emite por haber sido calentado por la radiación solar. Afecta a todos los cuerpos planetarios dotados de atmósfera.

Emplazamientos. Dar a alguien un tiempo determinado para la ejecución de algo.

Energía. Capacidad para realizar un trabajo. Se mide en julios.

Energía acústica. Parte de la física que trata de la producción, control, trasmisión, recepción y audición de los sonidos, y también de los ultrasonidos.

Energía renovable. Es la energía que se obtiene de fuentes naturales virtualmente inagotables, unas por la inmensa cantidad de energía que contienen, y otras porque son capaces de regenerarse por medios naturales.

Energía solar. Es la energía obtenida mediante la captación de la luz y el calor emitidos por el Sol.

Erosión. Desgaste o destrucción producidos en la superficie de un cuerpo por la fricción continua provocada por agentes naturales como el agua o el aire.

Escurrimientos naturales o escurrimientos pluviales. Es la parte de la precipitación que aparece en las corrientes fluviales superficiales, perennes, intermitentes o efímeras, y que regresa al mar o a los cuerpos de agua interiores. Dicho de otra manera, es el deslizamiento virgen del agua, que no ha sido afectado por obras artificiales hechas por el ser humano.

Evaporación. Es el paso del estado líquido al gaseoso del agua. Es la trasmisión de calor unidireccional del organismo hacia el aire ambiente por la evaporación cutánea y respiratoria. Esta pérdida de calor del organismo depende de la cantidad de agua evaporada, y la evaporación depende de la velocidad del aire ambiente, de su temperatura y de la presión parcial de vapor de agua.

Exposición. Colocar algo para que reciba la acción de un agente.

Extinción sonora. Término utilizado para describir la absorción y la dispersión de ondas producidas por fuentes de sonido.

Extracción. Acción de extraer (poner algo fuera de donde estaba).

Fuente de sonido. Principio, fundamento u origen de algún sonido.

Fusibles. Hilo o chapa metálica, fácil de fundirse, que se coloca en algunas partes de las instalaciones eléctricas, para que, cuando la corriente sea excesiva, la interrumpa fundiéndose.

Ganancia de calor. Transferencia de calor por el cual se verifica un intercambio de energía desde una región de alta temperatura hacia otra de baja temperatura, debido al impacto cinético o directo de moléculas.

Generación de energía. Acción y efecto de generar un efecto o potencia.

Hiperactividad. Conducta caracterizada por un exceso de actividad.

Horcones. Es el madero vertical que en las casas rústicas sirve para sostener vigas o aleros de tejado.

Humedad. Agua impregnada en un cuerpo o que, vaporizada, se mezcla con el aire.

Iluminación. Conjunto de luces (naturales o artificiales) que hay en un lugar para iluminarlo o adornarlo.

Impactos térmicos. Esfuerzo que se desarrolla en un material de manera repentina al sufrir un cambio brusco de temperatura.

Incidencia. Es la acción de afectar o impactar sobre un objeto o superficie.

Infiltración. Acción o efecto de infiltrarse (introducir suavemente un líquido entre los poros de un sólido).

Infraestructura. Parte de una construcción que está bajo el nivel del suelo. Conjunto de elementos o servicios que se consideran necesarios para crear y hacer funcionar una organización cualquiera.

Instalación hidráulica. Es el conjunto de tuberías y conexiones de diferentes diámetros y diferentes materiales que se utilizan para alimentar y distribuir agua dentro de los edificios a todos los equipos que la requieren.

Instalaciones. Sistemas de abastecimiento de agua, electricidad, gas, sonido o cualquier otro servicio y mecanismo que requiera una construcción para su funcionamiento.

Instalaciones hidrosanitarias. Sistema que comprende la red de tuberías para abastecimiento de agua a los edificios y la red de drenaje o de extracción de desechos.

Intensidad. Grado de fuerza con que se manifiesta un agente natural, una magnitud física, una cualidad, una expresión, etcétera.

Intercambio de calor. Es cuando se transfiere el calor entre dos medios que estén separados por una barrera o que se encuentren en contacto.

Interruptor termomagnético. Es un dispositivo capaz de interrumpir la corriente eléctrica de un circuito cuando ésta sobrepasa ciertos valores máximos. Su funcionamiento se basa en dos de los efectos producidos por la circulación de corriente eléctrica en un circuito: el magnético y el térmico.

Luminancia. En fotometría se define como la densidad angular y superficial de flujo luminoso que incide, atraviesa o emerge de una superficie siguiendo una dirección determinada. También se puede definir como la densidad superficial de intensidad luminosa en una dirección dada.

Mampostería. Obra de albañilería hecha con piedras o ladrillos para erigir muros y parámentos mediante la colocación manual de las piezas.

Mantos acuíferos. Es un terreno rocoso permeable dispuesto bajo la superficie, en donde se acumula y por donde circula el agua subterránea.

Manufactura. Obra hecha a mano o con auxilio de máquina.

Masa térmica. Volumen, conjunto de temperatura conservada en un objeto.

Medio ambiente. Se refiere al entorno o medio que afecta a los seres vivos y condiciona el desarrollo de la vida de las personas o la sociedad en su conjunto. Comprende los valores naturales, sociales y culturales existentes en un lugar y un momento determinado, que influyen en la vida del ser humano y en las generaciones venideras. Se distingue entre medio ambiente físico, medio ambiente socioeconómico y medio ambiente biológico.

Métrica. Perteneciente o relativo al metro y a la medida.

Montea. Dibujo que se hace de un objeto en tres dimensiones para hacer el despiezo, sacar la planta, alzado y cortes.

Muro cortina. Es un término utilizado para describir la fachada de un edificio que no soporta ninguna carga estructural del edificio.

Orientación. Posición o dirección de algo respecto a un punto cardinal.

Patrimonio. Conjunto de los bienes propios adquiridos por cualquier título.

Pavimentos. Es la capa constituida por uno o más materiales que se colocan sobre el terreno natural o nivelado, para aumentar su resistencia y servir para la circulación de personas o vehículos.

Permeables. Que puede ser penetrado o traspasado por el agua u otro fluido. Son materiales que tienen la capacidad de ser atravesados por un fluido sin alterar su estructura interna.

Plafón. Tablero o placa con que se cubre algo.

Presión atmosférica o barométrica. Es la fuerza que el peso de la columna de atmósfera, por encima del punto de medición, ejerce por unidad de área. Lo que se mide es la altura de una columna de mercurio cuyo peso es compensado por la presión de la atmósfera.

Presión sonora. Es resultado de la propagación del sonido. La energía provocada por las ondas sonoras genera un movimiento ondulatorio de las partículas del aire, provocando la variación alterna en la presión estática del aire.

Programa arquitectónico. Proyecto ordenado de actividades. Serie ordenada de operaciones necesarias para llevar a cabo un proyecto.

Propiedades físicas de los materiales. Atributo o cualidades esenciales de los materiales.

Punto de ignición. Es el punto exacto en donde se inicia una combustión de un energético.

Radiación. Energía ondulatoria o partículas materiales que se propagan a través del espacio. Es la trasmisión de calor a través del medio ambiente, principalmente por radiación en el infrarrojo. Este flujo de calor es proporcional a la constante universal de radiación, al poder de absorción de la piel y a la diferencia de temperatura entre la piel y las paredes radiantes.

Reciclar. Someter un material usado a un proceso para que se pueda volver a utilizar.

Recuperación. Acción y efecto de recuperar o recuperarse (volver a tomar o adquirir lo que antes se tenía).

Reflectancia. Cantidad de energía que es reflejada por un objeto luego de que ésta incide sobre él. El resto de la energía incidente puede ser trasmitida o absorbida por el objeto.

Refleja. Imagen de alguien o de algo reflejada en una superficie.

Refrigeración. Es el proceso de reducción y mantenimiento de un objeto o espacio. La reducción de temperatura se realiza extrayendo energía del cuerpo, generalmente reduciendo su energía térmica, lo que contribuye a reducir la temperatura de este cuerpo.

Rehabilitar. Habilitar de nuevo o restituir a alguien o algo a su antiguo estado.

Relieve. Conjunto de formas complejas que accidentan la superficie del globo terráqueo.

Residuos. Material que queda como inservible después de haber realizado un trabajo u operación.

Restaurando. Reparar, renovar, o volver a poner algo en el estado o estimación que antes tenía.

Reutilización. Utilizar algo, bien con la función que desempeñaba anteriormente o con otros fines.

Rodapiés. Es un elemento que se coloca en la base de los ladrillos o muros de las habitaciones como elemento estético y para protegerlos de golpes o raspaduras.

Ruido de fondo. Sonido inarticulado, por lo general desagradable.

Sedimentos. Materia que, habiendo estado suspensa en un líquido, se posa en el fondo por su mayor gravedad.

Sincronización. Hacer que coincidan en el tiempo dos o más movimientos o fenómenos.

Sobrecorrientes. Cualquier valor que excede la corriente normal de operación de un dispositivo.

Sotavento. Indica el sentido señalado por los vientos dominantes.

Suelo. Es la capa más superficial de la corteza terrestre.

Suministro. También se denomina abastecimiento que busca cubrir las necesidades de consumo de cualquier producto.

Tanques sépticos. Fosa que recibe y trata las aguas servidas que contienen gérmenes patógenos y que provienen de una vivienda o edificación.

Temperatura de bulbo seco. Es la medida con un termómetro convencional de mercurio o similar cuyo bulbo se encuentra seco o expuesto al aire.

Térmico. Perteneciente o relativo al calor o la temperatura. Que conserva la temperatura.

Textura. Es la propiedad que tienen algunas superficies externas de los objetos o materiales, así como las sensaciones captadas por el sentido del tacto.

Tipología (constructiva). Son morfologías de edificaciones clasificadas de acuerdo con su función y forma en planta y volumetría.

Tono. Cualidad de los sonidos, dependiente de su frecuencia, que permite ordenarlos de graves a agudos.

Topografía. Es la ciencia que estudia el conjunto de principios y procedimientos que tienen por objeto la representación gráfica de la superficie de la Tierra, con sus formas y detalles, tanto naturales como artificiales, aportando la información sobre la planimetría y la altimetría.

Transpiración. Acumulación de humedad sobre una superficie de un objeto o material por acción de la condensación.

Trasmisión de calor. Es el paso de energía térmica de un cuerpo de mayor temperatura a otro de menor temperatura.

Vientos alisios. Son los que transcurren de manera relativamente constante en verano (hemisferio Norte).

Viento. Es el desplazamiento horizontal de las masas de aire, causado por las diferencias de presión atmosférica, atribuidas a la variación de temperatura sobre las diversas partes de la superficie terrestre.

Vientos estacionales. Son los que se producen debido a que el aire sobre la Tierra es más caliente en verano y más frío en invierno, en comparación con el aire presente en el océano cercano, en la misma estación. Se caracteriza por ser un viento que cambia de dirección según las estaciones del año.

Zona de comodidad (térmica). Conjunto combinado de temperaturas ambientales, temperatura media radiante, humedad y movimiento del aire en el que una persona con una prenda determinada expresa satisfacción durante un lapso de tiempo indeterminado.

Zona geográfica. Extensión considerable de terreno cuyos límites están determinados por razones administrativas, políticas, etc. Cada una de las cinco partes en que se considera dividida la superficie de la Tierra por los trópicos y los círculos polares.

Zonas climatológicas. Conjunto de las condiciones de temperatura y humedad propias de un determinado clima.

Bibliografía

Aguilar M., R. D., *La vivienda para todos*, IPN, México, 1994.

Alanis, G., "El arbolado urbano en el área metropolitana de Monterrey", *Ciencia UANL*, VIII (1), pp. 2005, 20-32.

APDUNL, *Programa General de Catalogación Estratégica de los Monumentos, Edificios y Sitios del Estado de Nuevo León,* Regia Metrópoli, Monterrey, Agencia para la Planeación del Desarrollo Urbano de Nuevo León, México.

Australian Greenhouse Office, *Your Home Technical Manual* (Department of the Environment and Heritage), recuperado en octubre de 2007, de Your Home Design Guide: <http://www.greenhouse.gov.au/yourhome/technical/index.htm>, 2005.

Bazant, J. *Viviendas progresivas: construcción de vivienda por familias de bajos ingresos*, Trillas, México, 2003.

Cárdenas Sperling, O., *Alteraciones producidas en los escurrimientos naturales por la construcción de vivienda en el área metropolitana de Monterrey,* tesis de maestría, ITESM, Monterrey, 2004.

CEDEM, ITESM, *Análisis estratégico del área metropolitana de Monterrey, un diagnóstico para el desarrollo*, vol. 2 (A. A. Guajardo Alatorre, ed.), Plata, Monterrey, Nuevo León, México, 2003.

CIDOC-SHF, *Estado actual de la vivienda en México 2006,* Centro de Investigación y Documentación de la Casa y Sociedad Hipotecaria Federal, México, 2006.

CNA, *Normales climatológicas estándar y provisionales* 1961-1990, Comisión Nacional del Agua, México, D. F., 2000.

Conafovi, *Guía para el uso eficiente de la energía en la vivienda*, Comisión Nacional de Fomento a la Vivienda, México, 2006.

______, *Criterios de diseño y construcción para vivienda adaptable y accesible,* Dirección General de Fomento al Crecimiento del Sector Vivienda, Comisión Nacional del Fomento a la Vivienda, México, 2003.

______, *Glosario alfabético de términos relacionados con el sector vivienda,* México, Comisión Nacional de Fomento a la Vivienda, 2002.

Conapo, *Carpeta informativa 2004*, Consejo Nacional de Población, México, 2004.

______, "Distribución territorial de la población 2005", en *Prontuario demográfico de México*, Consejo Nacional de Población, México, 2005.

______, *Índices de marginación urbana*, 2000, Consejo Nacional de Población, México, 2001.

______, *Índices de marginación*, 2005, Consejo Nacional de Población, México, 2006.

______, *México en cifras*, recuperado en noviembre de 2007, Consejo Nacional de Población, <http://www.conapo.gob.mx/00cifras/5.htm>, 2005.

Conavi, *Código de edificación de vivienda,* Consejo Nacional de Vivienda, México, 2007.

Consejería de Fomento, *Plan director de Accesiblidad de la Comunidad Autónoma de Extremadura,* Dirección General de Urbanismo, Arquitectura y Ordenación del Territorio, Consejería de Fomento, Junta de Extremadura, Extremadura, España, 2007.

Deffis Caso, A., *Ecología, casa y ciudad, discursos, conferencias, pláticas, ponencias,* Ediciones Armando Deffis Caso: Sociedad de Arquitectos Ecologistas de México, México, 2000.

Edwards, B. y Hyett, P., *Guía básica de la sostenibilidad* (S. S. Sousa, trad.) Gustavo Gili, Barcelona, España, 2004.

Elizabeth, L. y Adams, C., *Alternative Construction, Contemporary Natural Building Methods,* John

Wiley and Sons, Hoboken, Nueva Jersey, EUA, 2005.

Enríquez Harper, G., *El ABC de las instalaciones de gas, hidráulicas y sanitarias*, Limusa, México, 2000.

_______, *El ABC de las instalaciones eléctricas residenciales*, Limusa, México, 2008.

Figueroa, Fuentes, y Schjetan, *Criterios de adecuación bioclimática*, IMSS, citado en Rodríguez Viqueira, M., México, 2001.

Fletcher, H., *The Principles of Inclusive Design*, Commission for Architecture and Built Environment, Londres, 2006.

Flores López, C., *Arquitectura popular española*, Aguilar, Madrid, España, 1979.

Fonseca, X., *Las medidas de una casa, antropometría de la vivienda*, Concepto, México, 1991.

García, E., Vidal, R. y M. E. Hernández, *Climas*, UNAM, Instituto de Geografía, Sistemas de Información Geográfica, México, 1989.

García Hernández, O., "Propuesta de financiamiento para la autoconstrucción de vivienda básica", tesis de maestría, ITESM, Monterrey, Nuevo León, México, 2004.

GDF, "Normas técnicas complementarias para el proyecto arquitectónico", en *Reglamento de Construcciones del Distrito Federal*, Gobierno del Distrito Federal, México, 2008.

Gronback, C., *Overhang Annual Analysis*, recuperado de Sun Design en marzo de 2008, <http://www.susdesign.com/overhang_annual/index.php>.

Habitat II, *The Habitat Agenda, Goals and Principles, Commitments and the Global Plan of Action*, Organización de las Naciones Unidas, 2003.

IMCYC, *Perspectivas de la construcción de la vivienda en México*, recuperado de: <http://imcyc.com/revista/2000/8mayo2000/vivienda4.htm>, 2000.

IMSS, *Normas de diseño de ingeniería electromecánica*, Coordinación de construcción, conservación y equipamiento, Instituto Mexicano del Seguro Social, México, 1999.

INEGI, *Comunicado núm. 087/06*, recuperado en agosto de 2006, INEGI-II Conteo de población y vivienda 2005, <http://www.inegi.gob.mx/est/default.aspx?c=6846&pred=1>.

_______, *Conteo de Población y Vivienda 2005*, recuperado en noviembre de 2007, Instituto Nacional de Estadística y Geografía <http://www.inegi.gob.mx>.

_______, *Mapa digital de México*, recuperado en noviembre de 2007 del Instituto Nacional de Geografía y Estadística <http://galileo.inegi.gob.mx/>.

Infonavit *et. al.*, *Guía metodológica para el uso de tecnologías ahorradoras de energía y agua en las viviendas de interés social en México*, México, 2007.

Ingusa, *Catálogo de productos 2006-2007*, INGUSA, 2006.

LID Center, *Residential Uses of LID*, recuperado en octubre de 2007 de Low Impact Development (LID) Urban Design Tools: <http://www lid-stormwater.net/general/general_residential.htm>.

Lilienthal, P. y Lambert, T., *Homer, The Micropower Optimization Model*, Golden, National Renewable Energy Laboratory, EUA, 2008.

Mancini, M., "Sunchart", *Versione 1.0*, ENEA, Italia, 1991.

Miranda, C., "Comparisons on the thermal performance of courtyards on traditional and contemporary residential buildings. Case studies in the hot arid region of North Eastern Mexico, *PLEA 2001 Conference*, Florianópolis, Brasil, James and James (Science), citado en CEDEM, ITESM, 2003.

Montesinos Campos, J. L., *Tipologías de vivienda vernácula como base de creación de nuevos modelos integrados en su medio ambiente*, México, IPN, 2005.

Moore, C., *La casa: forma y diseño* (J. G. Beramendi, trad.), Gustavo Gili, Barcelona, España, 1976.

Olgyay, V., *Arquitectura y clima: Manual de diseño bioclimático para arquitectos y urbanistas* (J. Frontado y L. Clavet, trads.), Gustavo Gili, Barcelona, España, 1998.

ONU, *Informe de la Conferencia de las Naciones Unidas sobre el Medio Ambiente y el Desarrollo*, Río de Janeiro, Organización de las Naciones Unidas, 1992.

Partida Bush, V., *Situación demográfica nacional y estatal*, Consejo Nacional de Población, México, 2006.

Pedraza, L., *Confort en la vivienda*, Aprender a Ser, Monterrey, Nuevo León, 1999.

Puppo, E., *Sol y diseño: Índice térmico relativo*, Alfaomega, México, 1999.

Real Academia Española, *Diccionario de la Lengua Española*, recuperado en septiembre de 2007 de <http://www.rae.es>, 2001.

Rodríguez, C., *Manual de Auto-construcción*, Árbol Editorial, Colombia, 1994

Rodríguez Viqueira, M. E., *Introducción a la arquitectura bioclimática*, Limusa y UAM-Azcapotzalco, México, 2001.

Rovira-Beleta, E., *Empresa*, recuperado en octubre de 2007 de Rovira-Beleta <http://www.rovira-beleta.com/>.

Ruíz Mondragón, R., *Catálogo sistematizado de prototipos de vivienda de dos niveles, laboratorio de diseño de arquitectura social,* México, Instituto Politécnico Nacional, 1994.

Saville, G., Conferencia Internacional sobre el Estado de la Seguridad en las Ciudades del Mundo, Monterrey, Nuevo León, México, 2007.

SEDER, *Norma Oficial Mexicana NOM-001-SEDE-2005, Instalaciones Eléctricas (utilización),* recuperado en octubre de 2007, Catálogo de Normas Oficiales Mexicanas, <http://www.economia.gob.mx/work/normas/noms/2006/001sede.pdf>, 2006.

Sedesol, Conapo, Inegi, *Delimitación de las Zonas Metropolitanas de México,* Sedesol, Conapo, Inegi, México, 2004.

Sedue, *Reglamento de obras públicas y construcciones,* Apodaca, Nuevo León, México, 2004.

Seduop, *Reglamento de construcción,* Guadalupe, Nuevo León, México, 1991.

Sima, *Tablas meteorológicas anuales*, recuperado en mayo de 2008, Sistema de Monitoreo Ambiental, <http://www.nl.gob.mx>.

Tamez Tejeda, A., *Arquitectura vernácula mexicana del Noreste,* Fondo Editorial Nuevo León, Monterrey, Nuevo León, México, 1993.

Texas Forest Service, *Texas Tree Selector* (Texas A&M University), recuperado en mayo de 2008, Texas Tree Planting Guide, <http://texastreeplanting.tamu.edu/ViewAllTrees.aspx>.

ULSA, Escuela Mexicana de Arquitectura, *Materiales y procedimientos de construcción* (M. L. Gutiérrez, ed.), Diana, México, 1982.

Uisamer Puiggari, F., *Cómo se proyecta una vivienda,* Ediciones CEAC, Barcelona, España, 1976.

UNAM, *Normatividad de obras*, recuperado en octubre de 2007 de <http://www.obras.unam.mx/normas/index.html>.

Velázquez, A. y Vega, D., *Dinámica de los arreglos residenciales en México, 2000-2005,* Consejo Nacional de Población, México, 2006.

Vélez González, R., *La ecología en el diseño arquitectónico: datos prácticos sobre diseño bioclimático y ecotécnicas,* Trillas, México, 1992.

World Bank, *Mexico, Low Income Housing: Issues and Options,* Latin America and the Caribbean Region, Mexico Country Management Unit, Finance, Private Sector and Infrastructure Management Unit, World Bank, 2001.

Índice analítico